As Memórias do Livro

ROMANCE SOBRE O MANUSCRITO DE SARAJEVO

VENCEDORA DO PULITZER DE FICÇÃO

GERALDINE BROOKS

As Memórias do Livro

ROMANCE SOBRE O MANUSCRITO DE SARAJEVO

Tradução
Marcos Malvezzi Leal

Ediouro

Título original
People of the book

Revisão
Alessandra Miranda de Sá

Capa
Ana Dobón

Editoração eletrônica
Dany Editora Ltda.

Dados Internacionais de Catalogação na Publicação (CIP)
(Câmara Brasileira do Livro, SP, Brasil)

Brooks, Geraldine
As memórias do livro: romance sobre o manuscrito de Sarajevo / Geraldine Brooks ; tradução Marcos Malvezzi Leal. — São Paulo : Ediouro, 2008.

Título original: People of the book.
ISBN 978-85-00-02332-3

1. Hagadá de Sarajevo (Manuscrito) - Ficção 2. Judaísmo - Manuscritos - Ficção 3. Manuscritos hebraicos - Ficção 4. Livros - Conservação e restauração - Ficção 5. Romance norte-americano I. Título.

08-01690 CDD-813

Índice para catálogo sistemático:

1. Romances : Literatura norte-americana 813

Rua Nova Jerusalém, 345 – Bonsucesso
Rio de Janeiro – RJ – CEP 21042-235
Tel.: (21) 3882-8200 Fax: (21) 3882-8212 / 3882-8313
www.ediouro.com.br

Aos bibliotecários

No lugar onde se queimam livros, no fim se queimam homens.

Heinrich Heine

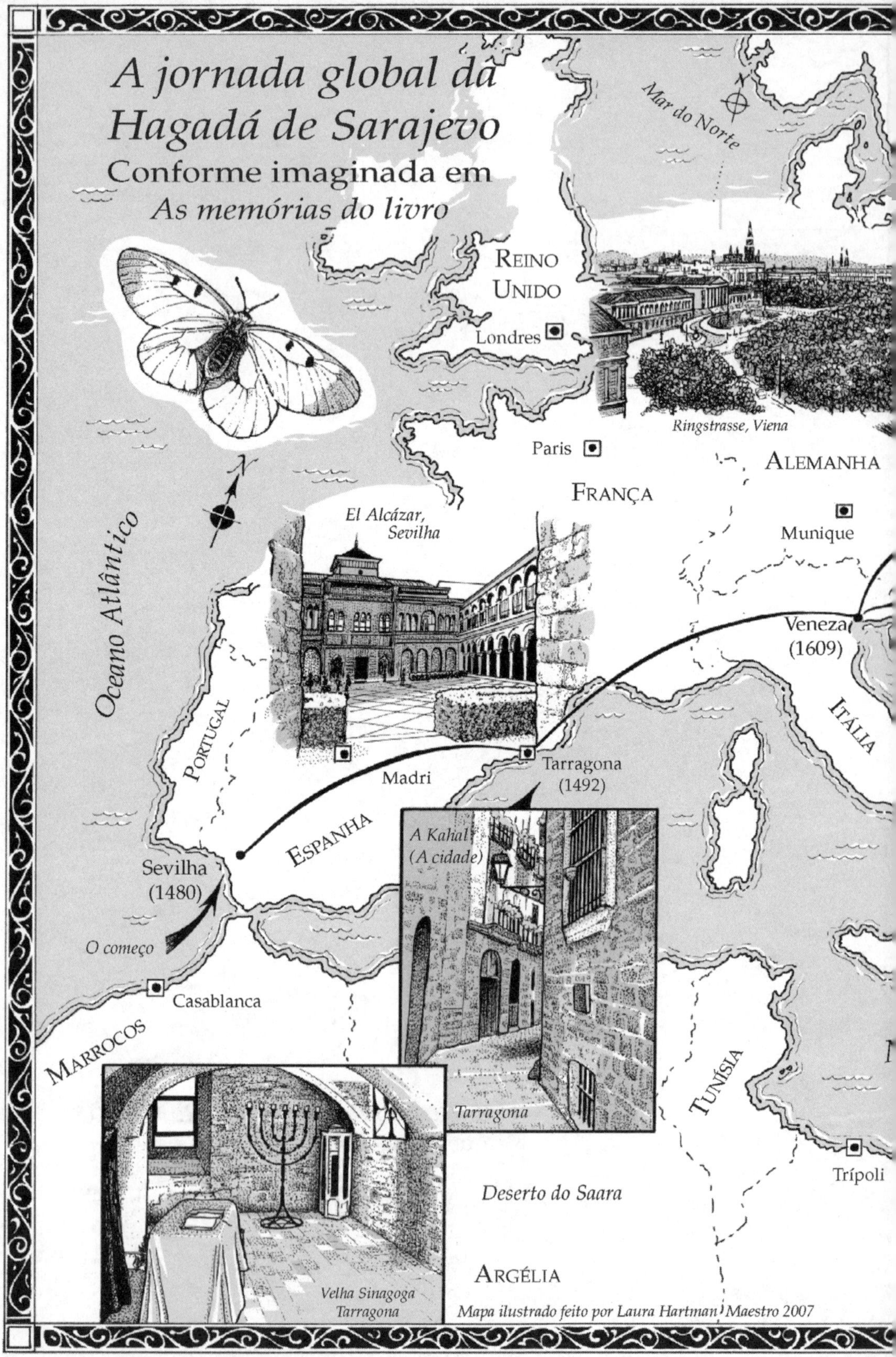
A jornada global da
Hagadá de Sarajevo
Conforme imaginada em
As memórias do livro
Mar do Norte
REINO
UNIDO
Londres
Ringstrasse, Viena
Paris
ALEMANHA
FRANÇA
Munique
El Alcázar,
Sevilha
Oceano Atlântico
Veneza
(1609)
ITÁLIA
PORTUGAL
Madri
Tarragona
(1492)
ESPANHA
A Kahal
(A cidade)
Sevilha
(1480)
O começo
Casablanca
MARROCOS
TUNÍSIA
Tarragona
Trípoli
Deserto do Saara
ARGÉLIA
Velha Sinagoga
Tarragona
Mapa ilustrado feito por Laura Hartman Maestro 2007

Estocolmo
São Petersburgo
Rússia
Moscou
Mar Báltico
Polônia
Varsóvia
Praga
Viena (1894)
Veneza
Budapeste
Rio Miljacka
Sarajevo
Ruínas (1996)
Romênia
Bucareste
Bósnia
Sarajevo (1940/1996)
Bulgária
Mar Negro
Turquia
Grécia
Atenas
Síria
Damasco
Mediterrâneo
Jerusalém (2002)
Israel
Cairo
Yad Vashem
Líbia
Egito
Nilo
Arábia Saudita
Mar Vermelho

Hanna

Sarajevo, primavera de 1996

I

POSSO DIZER LOGO DE INÍCIO: aquele não era o meu tipo normal de trabalho.

Gosto de trabalhar sozinha, em meu laboratório bem iluminado, limpo, silencioso. É verdade que criei a reputação de uma pessoa que consegue trabalhar com eficácia fora do laboratório quando é preciso, quando os museus não querem pagar o seguro de viagem por uma peça ou quando colecionadores particulares não querem que ninguém saiba exatamente o que eles possuem. Também é verdade que já voei por metade do mundo para fazer um trabalho interessante. Mas nunca a um lugar assim: a sala da diretoria de um banco, no meio de uma cidade onde as pessoas pararam de atirar umas contra as outras cinco minutos atrás.

Para começar, em meu laboratório não há guardas pairando sobre mim. Quero dizer, o museu tem alguns profissionais de segurança que patrulham em silêncio, mas nenhum deles jamais sonharia em invadir meu local de trabalho. Diferente do pessoal, aqui. Seis deles. Dois eram guardas de segurança de banco; dois eram da polícia bósnia, que estavam lá para vigiar os seguranças do banco; e os outros dois eram da força de paz das Nações Unidas, que lá se encontravam para vigiar a polícia bósnia. Todos falando em voz alta, em bósnio ou dinamarquês, em seus rádios portáteis. Como se já não fosse uma multidão suficiente, havia ainda o observador oficial da ONU, Hamish Sajjan. Meu *sikh* escocês, todo elegante em seu paletó Harris e turbante índigo. Só nas Nações Unidas. Eu tive de pedir a ele que explicasse aos bósnios que não poderiam fumar em uma sala que, em breve, abrigaria um manuscrito do século XV. E, desde então, eles haviam ficado mais inquietos ainda.

De minha parte, eu também estava ficando inquieta. Já esperávamos havia quase duas horas. Eu preenchia o tempo da melhor maneira possível. Os guardas tinham me ajudado a recolocar a mesa grande de conferência mais perto da janela, para aproveitar a luz. Eu tinha montado o microfone estéreo e disposto minhas ferramentas à minha volta: câmeras de documentação, sondas e bisturis. A proveta de gelatina estava amolecendo em seu suporte de aquecimento, e a pasta de trigo, os fios de linho e a folha de ouro já estavam prontos, junto aos envelopes de glassine, caso eu tivesse a sorte de encontrar algum detrito na encadernação — é incrível o que você pode descobrir a respeito de um livro estudando a química de uma casca de pão. Havia várias amostras de várias peles de bezerro, rolos de papel feito em casa, em diferentes tons e texturas, e formas de espuma posicionadas em uma estrutura própria, pronta para receber o livro. Se eles trouxessem o livro.

— Alguma idéia de quanto tempo ainda temos que esperar? — eu perguntei a Sajjan. Ele balançou os ombros.

— Acho que houve algum atraso com o representante do Museu Nacional. Como o livro é propriedade do museu, o banco não pode tirá-lo de seu repositório sem a presença do representante.

Inquieta, fui até as janelas. Estávamos no último andar do banco, um prédio que mais parecia um bolo de casamento austro-húngaro, cuja fachada em estuque estava cravejada de marcas de morteiro, como todas as outras estruturas na cidade. Quando eu pus as mãos no vidro, senti o frio penetrar. Devíamos estar na primavera; lá embaixo, no pequeno jardim à entrada do banco, os açafrões se abriam. Mas havia nevado no começo da manhã, e a borda de cada uma das pequenas flores estava coberta por uma espuma de flocos de neve, dando-lhe a aparência de minúsculas xícaras de capuccino. Pelo menos a neve proporcionava uma rica claridade à sala. Uma luz perfeita para trabalhar, se eu pudesse trabalhar.

Só para fazer alguma coisa, desenrolei alguns de meus papéis. Linho de moinho francês. Passei uma régua de metal sobre cada uma das folhas, deixando-as lisas. O som da borda de metal deslizando sobre a folha grande era como da rebentação das ondas que eu ouço de meu apartamento em Sydney. Notei que minhas mãos tremiam. Nada bom para o meu tipo de trabalho.

Elas não são o que eu poderia chamar de minhas melhores características físicas. Mãos rachadas e marcadas no dorso, elas parecem não pertencer aos punhos, que, para meu deleite, são finos e macios como todo o restante de meu corpo. Mãos de carvoeira, dissera minha mãe, em nossa última briga. Depois disso, quando me encontrei com ela no Cosmopolitan para tomar um café — encontro rápido, correto, nós duas tão frágeis quanto cristais de gelo —, eu usei um par de luvas do Exército da Salvação, numa espécie de provocação. Claro que o Cosmopolitan é provavelmente o único lugar em Sydney onde uma pessoa poderia não perceber a ironia de tal gesto. Minha mãe não percebeu. Disse algo sobre me dar um chapéu para combinar.

Sob aquela luz branca provocada pela neve, minhas mãos pareciam piores que de costume, rudes e descascando de tanto raspar gordura de entranhas de vaca com pedra-pomes. Quando você mora em Sydney, não é a coisa mais simples do mundo conseguir um metro de intestino de vaca. Desde que mudaram a abatedouro de Homebush e começaram a reformar o lugar para as Olimpíadas de 2000, era preciso ir de carro e, chegando lá, havia tanta segurança por causa dos defensores de animais que você mal conseguia passar pelo portão. Não que eu os culpasse por pensar que eu parecia uma pouco desorientada. É difícil entender por que alguém *precisaria* de um metro de apêndice de um bezerro. Mas se você tem que trabalhar com materiais de 500 anos de idade, precisa saber como eles foram feitos 500 anos atrás. Era nisso que acreditava meu professor, Werner Heinrich. Ele dizia que você podia ler o quanto quisesse sobre a moagem de pigmentos e a mistura de gesso, mas o único modo de entender mesmo era fazendo a moagem. Se eu quisesse saber o que algumas palavras, como *cutch* e *schoder*, descreviam realmente, precisa confeccionar, eu mesma, uma folha de ouro: bater, dobrar, bater de novo, em algo que não gruda, como a base macia do intestino de bezerro raspado. Por fim, você obtinha um pequeno pacote de folhas, cada uma com menos de um milésimo de espessura. E ficava com as mãos horríveis.

Com o punho fechado, eu tentei amaciar a pele rugosa de velha senhora, o que me ajudaria, também, a parar de tremer. Estava nervosa desde que havia mudado de planos em Viena, no dia anterior. Eu viajo muito; mas isso é necessário para uma pessoa que mora na Austrália e quer uma participação nos projetos mais interessantes nessa área, que é a conservação de manuscritos medievais. Não costumo, porém, ir a lugares que são as manchetes das reportagens dos correspondentes em locais de guerra. Eu sei que tem gente que aceita esse tipo de coisa e escreve livros ótimos a respeito do assunto, e suponho que essas pessoas tenham algum tipo de otimismo do tipo "não vai acontecer comigo", que lhes possibilita fazer o trabalho. Eu, porém, sou uma pessimista inveterada. Se há um atirador de plantão no país que estou visitando, já imagino que estarei sob sua mira.

Mesmo antes de o avião aterrissar, dava para ver a guerra. Quando atravessamos a muralha cinza de nuvens, que parece ser a condição permanente do céu europeu, as casinhas com telhas avermelhadas abraçando a costa do mar Adriático pareciam familiares, a princípio, como a vista com a qual estou acostumada, que se estende dos telhados vermelhos de Sydney até o arco azul da praia de Bondi. Naquele panorama, porém, metade das casas já não existia. Não passavam de escombros de alvenaria, com pontas irregulares se projetando para o alto, dando a impressão de dentes podres.

Houve turbulência quando sobrevoamos as montanhas. Eu não tinha coragem de olhar enquanto seguíamos até a Bósnia; por isso, puxei a cortina sobre a janela. O jovem ao meu lado — prestador de primeiros socorros, imaginei, por causa do cachecol cambojano e de seu aspecto pálido, malárico — obviamente queria olhar, mas eu ignorei a linguagem de seu corpo e tentei distraí-lo com uma pergunta.

— Então, o que o traz aqui?

— Minas.

Fiquei tentada a perguntar algo bem tolo como "Os negócios vão bem?", mas consegui me conter, o que não é meu traço característico. Finalmente pousamos, e ele se levantou, como todas as outras pessoas no avião, se encostando no corredor, tateando nos compartimentos para bagagem acima dos assentos. Ele colocou nos ombros uma imensa mochila e em seguida quase quebrou o nariz do homem comprimido contra ele no corredor, bem atrás — o letal giro de 90 graus da mochila. Vemos isso nos ônibus em Bondi, o tempo todo.

A porta da cabine finalmente abriu, e os passageiros deslizaram para fora, como se estivessem todos colados uns aos outros. Eu fui a única a continuar sentada. Sentia como se tivesse engolido uma pedra cujo peso tivesse me atado ao meu assento.

— Dra. Heath? — a comissária de bordo chamou, pairando pelo corredor vazio.

Eu já ia dizer "Não, essa é minha mãe", quando percebi que ela estava falando comigo. Na Austrália, só os entojados se vangloriam do ph.D. Eu não havia colocado nada como título no *check in* além de "Ms." (senhora ou senhorita).

— Sua escolta das Nações Unidas está esperando na pista.

Isso explicava tudo. Já tinha notado, na comoção de aceitar esse encargo, que as Nações Unidas gostavam de dar a todo mundo o tratamento mais luxuoso possível.

— Escolta? — repeti, meio abobada. — Na pista? — Eles haviam dito que me encontrariam, mas eu imaginava que seria recebida por um enfadonho taxista segurando uma folha com meu nome escrito de maneira errada. A comissária me mostrou um daqueles grandes e perfeitos sorrisos germânicos. Ela se debruçou por cima de onde eu estava sentada e puxou a cortina. Olhei para fora. Três enormes carros blindados, com as janelas escuras, do tipo que transporta o presidente americano, estavam parados perto da cauda do avião. O que deveria ser uma cena reconfortante só aumentou o bolo em meu estômago. Muito atrás deles, em meio à grama alta, entre avisos de advertência contra minas, vi a carcaça enferrujada de um enorme avião de carga que devia ter perdido a pista durante algum evento anterior desagradável. Eu olhei de novo para *fräulein* Rosto Sorridente.

— Pensei que estavam observando o cessar-fogo — disse.

— Estão — ela comentou, animada. — Quase todos os dias. A senhora precisa de alguma ajuda com sua bagagem de mão?

Balancei a cabeça e me curvei para pegar a mala pesada, presa com segurança debaixo do assento à minha frente. Geralmente, as companhias aéreas não gostam de coleções de objetos metálicos a bordo, mas os alemães são grandes respeitadores de ofícios, e o atendente no *check in* compreendeu quando eu expliquei que detesto me separar de minhas ferramentas, com medo de que elas saiam passeando pela Europa enquanto fico sentada e incapaz de trabalhar. Eu amo o meu trabalho. Essa é a verdade. Por isso, apesar de ser uma covarde de primeira classe, aceitei esse encargo. Para ser sincera, nunca me ocorreu não aceitá-lo. Não se diz "não" à oportunidade de trabalhar com um dos mais raros e misteriosos livros do mundo.

O telefone tocou às duas horas da manhã, como acontece tantas vezes em Sydney. Fico abismada, às vezes, quando vejo que as pessoas mais bem informadas — diretores de museu que estão na chefia de instituições de renome internacional ou CEOs capazes de dizer até os centavos do valor do Hang Seng em qualquer dia — não se lembram do simples fato de que o horário em Sydney geralmente é nove horas à frente do de Londres e catorze horas do de Nova York. Amitai Yomtov é um homem brilhante. Provavelmente o mais brilhante na área. Mas será que ele conseguia calcular a diferença do fuso horário entre Jerusalém e Sydney?

— *Shalom*, Channa — ele disse, com seu forte sotaque sabra acrescentando um gutural som de *ch* ao meu nome, como sempre. — Acordei você?

— Não, Amitai — eu respondi. — Estou sempre acordada às duas da manhã; é a melhor parte do dia.

— Ah, bem, desculpe, mas acho que você gostaria de saber que a Hagadá* de Sarajevo apareceu.

— Não! — eu disse, subitamente acordada. — Que, hum, ótima notícia. — E era mesmo, mas uma notícia que eu poderia ter lido em um e-mail, em uma hora civilizada. Não imaginava por que Amitai achava necessário me telefonar.

A Hagadá de Sarajevo, criada na Espanha medieval, era uma raridade famosa, um manuscrito hebraico ricamente iluminado, feita em uma época em que a fé judaica era veementemente contra qualquer tipo de ilustração. Acreditava-se que o mandamento do Êxodo,

---

* *Hagadá*: narrativa da libertação e da saída dos judeus do antigo Egito, entremeada de ensinamentos rabínicos, salmos de louvor, canções e trechos bíblicos, conforme compilada da tradição oral, e que é recitada na primeira noite da Páscoa judaica (*Novo Dicionário Aurélio, Século XXI*). (N. do T.)

"Não farás imagem ou semelhança...", havia tido a arte figurativa suprimida pelos judeus medievais. Quando o livro apareceu em Sarajevo em 1894, suas páginas de miniaturas pintadas desafiaram essa idéia e fizeram com que os textos históricos fossem reescritos.

Quando Sarajevo começou a ser sitiada em 1992, e os museus e bibliotecas se tornaram alvos na luta, o códice havia desaparecido. O governo muçulmano da Bósnia o havia vendido para comprar armas, segundo rumores. Não, agentes do Mossad* o haviam retirado do país por um túnel sob o aeroporto de Sarajevo. Eu nunca acreditei em nenhum desses dois cenários. Achava que o belo livro provavelmente fizera parte da nuvem de fumaça de páginas queimadas — escrituras de terra otomanas, Alcorões antigos, pergaminhos eslavos — que se precipitara sobre a cidade depois das chamas das bombas de fósforo.

— Mas, Amitai, onde ele esteve nos últimos quatro anos? Como apareceu, do nada?

— Você sabe que estamos no Pesach, não sabe?

Na verdade, eu sabia; ainda estava sofrendo o finzinho de uma ressaca de vinho tinto da última ceia de Páscoa mais exuberante e altamente inortodoxa que um de meus colegas havia organizado na praia. O nome da refeição ritual em hebraico é *seder*, que significa "ordem". Aquela fora uma das noites mais *des*ordeiras em minha história recente.

— Bem, ontem à noite, a comunidade judaica em Sarajevo realizou seu *seder*, e no meio da celebração — de maneira muito dramática — trouxeram a Hagadá. O líder da comunidade fez um discurso, dizendo que a sobrevivência do livro era um símbolo da sobrevivência do ideal multiétnico de Sarajevo. E sabe quem o salvou? Seu nome é Ozren Karaman, chefe da biblioteca do museu. Guardou-o a sete chaves. — A voz de Amitai de repente parecia um pouco rouca. — Pode imaginar isso, Channa? Um muçulmano, arriscando o pescoço para salvar um livro judaico?

Não era próprio de Amitai se impressionar com contos de bravura. Um colega indiscreto certa vez deixou escapar que o batalhão

---

* *Mossad*: serviço de inteligência de Israel. (N. do T.)

do exército compulsório de Amitai participara de um esquadrão de comando tão supersecreto que os israelenses se referem a ele como "a unidade". Embora isso tivesse acontecido muito antes, quando eu o conheci, surpreendi-me com seu porte físico e seus modos. Ele tinha a musculatura definida de um halterofilista e uma espécie de hipervigilância. Quando falava com uma pessoa, olhava diretamente para ela; mas, a maior parte do tempo, seus olhos pareciam esquadrinhar o ambiente, perceptivos a tudo. Ele pareceu genuinamente irritado quando lhe perguntei sobre "a unidade". "Nunca lhe confirmei isso", respondeu, irritado. Mas achei um fato surpreendente. Você não vê muitos ex-participantes de comandos conversando sobre livros.

— Bem, o que esse sujeito fez com o livro, afinal? — perguntei.

— Colocou-o em um cofre do banco central. Você pode imaginar o que isso causou ao pergaminho... Ninguém em Sarajevo pôde contar com aquecimento pelo menos nos últimos dois invernos... e uma caixa de metal... metal, veja só... Bem, está de volta lá agora... Não agüento pensar nisso. Seja como for, as Nações Unidas querem que alguém inspecione a condição do livro. Vão pagar por qualquer trabalho de estabilização que seja necessário. Querem exibi-lo o mais breve possível, para levantar o moral da cidade, entende? Então, vi o seu nome no programa da conferência do mês que vem em Tate e pensei que, já que você vem a esta parte do mundo, talvez pudesse assumir esse trabalho...

— Eu? — minha voz soou como um trinado. Sem falsa modéstia: eu sou ótima no que faço. Mas, para um trabalho daqueles, um impulso na carreira que só ocorre uma vez na vida, havia no mínimo mais uma dúzia de pessoas com mais anos de experiência e melhores contatos na Europa. — Por que não você? — eu perguntei.

Amitai sabia mais sobre a Hagadá de Sarajevo que qualquer outro ser humano vivo; ele tinha escrito monografias a respeito do livro. Eu sabia que ele adoraria a chance de lidar com o verdadeiro códice. Ele respondeu com um suspiro profundo.

— Os sérvios passaram os últimos três anos — disse — afirmando que os bósnios são muçulmanos fanáticos e parece que, afinal, alguns bósnios começaram a acreditar neles. Parece que os sauditas são grandes doadores lá agora, e há oposição em entregar o trabalho a um israelita.

— Oh, Amitai, eu sinto muito...

— Não faz mal, Channa. Estou bem acompanhado. Não queriam um alemão, também. Sugeri Werner em primeiro lugar. Não se ofenda...

Como *herr Doktor Doktor* Werner Maria Heinrick não só fora meu professor, mas, depois de Amitai, era o maior especialista em manuscritos hebraicos no mundo, eu jamais me ofenderia. Mas Amitai explicou que os bósnios ainda tinham um ressentimento contra a Alemanha por ter iniciado a guerra, reconhecendo a Eslovênia e a Croácia.

— E a ONU — ele continuou — não quer um americano porque o Congresso dos Estados Unidos está sempre falando mal da Unesco. Por isso, achei que você seria ótima, pois quem teria algo contra os australianos? Além disso, eu disse a eles que suas habilidades técnicas não são ruins.

— Obrigada por esse elogio — retruquei. E, em seguida, com sinceridade, acrescentei: — Amitai, nunca vou me esquecer disso. Obrigada, mesmo.

— Você pode me retribuir, fazendo uma boa documentação do livro, para podermos ao menos imprimir um bonito fac-símile. Você pode me enviar as fotos do trabalho e, claro, um rascunho de seu relatório assim que for possível?

A voz de Amitai parecia tão melancólica que me senti culpada por sentir tamanho êxtase. Mas tinha que fazer uma pergunta.

— Amitai, há alguma dúvida quanto à autenticidade? Você sabe dos rumores, durante a guerra...

— Não, quanto a isso não nos preocupamos. O bibliotecário Karaman e seu chefe, o diretor do museu, comprovaram a autenticidade além de qualquer dúvida. O seu trabalho é meramente técnico.

Técnico. Isso é o que veremos, pensei. Muita coisa que eu faço *é* técnica; ciência e destreza manual que qualquer pessoa com uma inteligência decente e boas habilidades motoras pode aprender. Mas sempre há mais alguma coisa envolvida, algo a ver com uma intuição acerca do passado. Unindo a pesquisa à imaginação, às vezes me vejo na cabeça das pessoas que fizeram o livro com o qual estou trabalhando. Consigo perceber quem eram, ou como trabalharam. É assim que acrescento meus poucos grãos à caixa de areia do conhecimento humano. Isso é o que mais amo em meu trabalho. Havia tantas perguntas sobre a Hagadá de Sarajevo! Se ao menos eu pudesse responder a uma delas...

Não consegui conciliar o sono novamente; por isso, vesti um moletom e saí, andando pelas ruas cujo ar noturno ainda exalava vômito de cerveja e gordura frita, chegando à praia, onde o ar sopra, limpo e salgado, sobre um oceano ininterrupto que cobre metade do planeta. Era outono e um dia de semana; por isso, quase não havia ninguém, exceto alguns bêbados recostados no muro do clube de surfe, e um casal de namorados, envoltos em uma toalha de praia. Ninguém para me notar. Comecei a andar rente à espuma, luminosa em contraste com a escuridão da área. Quando percebi, estava correndo e dando saltos, quebrando as ondas de arrebentação como uma criança.

Isso tinha acontecido havia uma semana. Nos dias seguintes, aquele sentimento de exultação foi gradualmente soterrado por pedidos de visto, emissão de passagens áreas, burocracia da ONU e uma boa dose de nervosismo. Enquanto eu descia do avião até a pista, arrastando o peso de minha mala, tentava me lembrar de que aquele era exatamente o tipo de atividade para a qual eu vivia.

Mal tive um segundo para observar as montanhas que se erguiam à nossa volta como as beiradas de uma gigantesca tigela, quando um soldado com capacete azul — alto e de aparência escandinava — saltou do veículo do meio e pegou minha mala, jogando-a na parte de trás do carro.

— Cuidado! — falei. — Há equipamentos delicados lá!

A única resposta do soldado foi me segurar pelo braço e me guiar até o banco de trás, batendo a porta e saltando para o banco da frente, ao lado do motorista. As travas automáticas foram acionadas ruidosamente, e o motorista ligou o motor.

— Bem, é a primeira vez que faço isto — eu disse, só para tentar quebrar o gelo. — Conservadores de livros geralmente não precisam viajar em carro blindado.

Não houve resposta do soldado, nem do civil magro, curvado sobre a direção do imenso veículo, aparentemente encolhendo a cabeça entre os ombros como uma tartaruga no seu casco. Através do vidro escuro, a cidade devastada passava rápido, como um borrão de imagens de prédios metralhados. Os carros seguiam acelerados, desviando de poças cavernosas feitas por morteiros e sacolejando sobre o betume cortado pelas marcas de veículos blindados. O trânsito não era intenso. A maioria das pessoas se locomovia a pé, pessoas com aparência exausta, com o casaco fechado para se protegerem contra o frio de uma primavera que ainda não tinha chegado. Passamos por um prédio de apartamentos que parecia uma casa de bonecas que tive quando criança, cuja parede frontal podia ser levantada, mostrando os cômodos. Nesse prédio, a parede fora arrancada por uma explosão. Mas, assim como a minha casa de bonecas, os cômodos expostos estavam mobiliados. Enquanto passávamos velozmente pelo local, percebi que ainda havia gente morando ali, tendo como única proteção coberturas de plástico que seguravam um pouco o vento. As roupas das casas estavam lavadas. Havia varais cheios delas, amarrados nas pontas retorcidas das barras de reforço que se projetavam do concreto partido.

Pensei que iam me levar logo para ver o livro. Em vez disso, porém, o dia foi tomado por reuniões enfadonhas, intermináveis, primeiro com todos os oficiais das Nações Unidas que se importavam com questões culturais, depois com o diretor do museu da Bósnia, e em seguida com um punhado de funcionários do governo. Eu duvido que teria conseguido dormir, tamanha era a ansiedade para começar o trabalho, mas a dúzia e pouco de xícaras de café turco que me serviram no decorrer do dia não ajudaram. Talvez fosse por isso que minhas mãos ainda tremiam.

Houve um ruído de estática nos rádios da polícia. De repente, todos estavam de pé: a polícia, os guardas, Sajjan. O funcionário do banco puxou estrepitosamente os ferrolhos da porta e muitos outros guardas entraram, formando como uma espécie de muralha humana em volta de um jovem magro que usava jeans desbotados. O pateta do museu, provavelmente, que nos deixara esperando. Mas não tive tempo de ficar irritada com ele, pois o rapaz portava uma caixa de metal. Quando a colocou sobre o banco, eu via que estava lacrada em vários lugares com cera derretida e adesivos. Passei-lhe meu bisturi. Ele quebrou os lacres e levantou a tampa. Desenrolou várias folhas de papel de seda. E, por fim, me entregou o livro.

II

POR MAIS QUE EU TENHA trabalhado com coisas raras e belas, o primeiro toque é sempre uma sensação estranha e poderosa. É um misto entre esfregar algo com palha de aço, aplicando força, e tocar de leve a cabeça de um bebê recém-nascido.

Nenhum conservador jamais havia tocado naquele manuscrito. Eu já tinha os suportes posicionados, prontos. Hesitei por um segundo — um livro hebraico; portanto a lombada para a direita — e o coloquei sobre a espuma.

Fechado, o livro nada tinha que atraísse a atenção do olho leigo mais de uma vez. Era pequeno, e conveniente para ser usado na Páscoa judaica, sobre a mesa de jantar. Sua encadernação era em estilo comum do século XIX, manchada e puída. Um códice tão fartamente ilustrado como aquele deveria ter uma encadernação original mais sofisticada. Ninguém faz um filé-mignon para servir em prato descartável. O encadernador deveria ter usado folha de ouro ou acabamento em prata, talvez com entalhes em marfim ou pérola. Mas aquele livro provavelmente fora reencadernado muitas vezes em sua longa vida. A única encadernação de que sabíamos com certeza, bem documentada, era a última, em Viena, na década de 1890. Infelizmente, o livro fora terrivelmente mal manuseado, nessa ocasião. O encadernador austríaco havia amassado demais o pergaminho e jogado fora a encadernação antiga — algo que ninguém, principalmente se não fosse um profissional a serviço de um grande museu, conseguiria fazer hoje em dia. Era impossível saber quais informações se haviam perdido, por ocasião da encadernação austríaca. Ele havia reencadernado os pergaminhos em capas de papelão simples com uma decoração turca impressa em papel floral, inapropriada, já desbotada e descolorida. Só as bordas e a lombada do livro eram feitas em pele de bezerro, marrom-escura e já se esfacelando, expondo a borda de papel cinza resistente por baixo.

Passei delicadamente o dedo médio sobre as quinas rachadas, as quais me daria ao trabalho de reconstituir nos dias seguintes. Tocando as bordas do papel, notei algo inesperado. O encadernador havia feito um par de canais e uma série de pequenos orifícios na borda para deixar entrar um par de fechos. Os livros feitos em pergaminho costumavam, de fato, ter fechos, para deixar bem separadas as páginas. Aquela encadernação, porém, não tinha fechos. Comprometi-me a investigar aquilo depois.

Movendo os suportes para apoiar a lombada, abri a capa e me curvei para examinar mais de perto o forro rasgado. Eu poderia consertá-lo com pasta de trigo e um papel de linho correspondente. Logo vi que os cordões de linho usados pelo encadernador vienense eram frágeis e mal seguravam o livro. Portanto, teria que separar tudo e recosturar. Respirei fundo e virei a página, chegando ao pergaminho do manuscrito em si. Esse era o que realmente importava. Revelaria o que um período de quatro anos havia causado ao sobrevivente de cinco séculos.

A claridade da neve dava mais brilho ao trabalho. Azul: intenso como o céu no meio do verão, obtido de lápis-lazúli moída transportada por camelo por entre as montanhas do Afeganistão. Branco: puro, creme, opaco. Menos glamouroso, mais complicado que o azul. Naquela época, teria sido feito de acordo com o método descoberto pelos antigos egípcios. Barras de chumbo são cobertas com sedimentos de vinho velho e lacradas em um invólucro cheio de excremento de animal. Eu já tinha feito isso na estufa de minha mãe em Bellevue Hill. Ela havia recebido um carregamento de esterco, e não pude resistir. O ácido no vinho avinagrado converte chumbo em acetato, que por sua vez se liga ao dióxido de carbono liberado do excremento para criar carbonato de chumbo branco básico, $PbCO_3$. Minha mãe fez um escândalo, claro. Disse que não podia chegar perto de suas orquídeas premiadas por uma semana.

Virei uma página. Mais deslumbramento. As iluminuras eram lindas, mas eu não me permiti apreciá-las como arte, no momento. Ainda não. Primeiro, tinha que compreendê-las como substâncias químicas. Havia o amarelo, feito de açafrão. A bela flor de outono, *Crocus sativus linnaeus*, cada uma apenas com três minúsculos preciosos estigmas, era um artigo de luxo para a época, e ainda hoje. Embora saibamos, agora, que a cor rica vem de um caroteno, crocina, com estrutura molecular de carbono 44, hidrogênio 64 e oxigênio 24, ainda não sintetizamos um substituto tão complexo e bonito. Havia o verde malaquita e o vermelho: vermelho intenso conhecido como escarlate vermículo — *tola'at shani* em hebraico —, extraído de insetos que vivem em árvores, moído e fervido em barrela. Posteriormente, quando os alquimistas aprenderam a fazer um vermelho semelhante com enxofre e mercúrio, mantiveram o mesmo nome da cor — vermículo. Algumas coisas não mudam: é daí que vem a palavra que se conhece hoje por *vermelho*.

Mudança. Essa é a inimiga. O melhor para os livros é que temperatura, umidade e o ambiente de modo geral não mudem. Seria difícil encontrar mudanças mais dramáticas do que as sofridas por esse livro: transportado sob dificuldades extremas e sem preparação nem precaução, exposto a violentas mudanças de temperatura. Eu tinha a preocupação de que talvez o pergaminho tivesse encolhido, e os pigmentos estivessem rachados, desmanchados. Mas as cores se mantinham, tão puras e vívidas quanto no dia em que a tinta fora aplicada. Diferente do chumbo na lombada, que havia espedaçado, o ouro polido das iluminuras permanecia como novo, e ainda vívido. O ourives de quinhentos anos atrás sem dúvida era um melhor mestre de seu ofício que o moderno encadernador vienense. Havia também folha de prata. Estava oxidada e cinza-escura, como era de esperar.

— Você vai substituir isso? — perguntou o jovem magro do museu. Ele estava apontando para uma área fosca específica. O rapaz estava perto demais. Como o pergaminho é feito de matéria orgânica, as bactérias humanas podem degradá-lo. Movi o ombro para que ele fosse obrigado a afastar a mão e dar um passo para trás.

— Não — respondi. — De jeito nenhum. — Não levantei a cabeça enquanto falava.

— Mas você é restauradora — ele disse. — Pensei que...

— Conservadora — corrigi. A última coisa que eu queria naquele momento era uma discussão longa sobre a filosofia da conservação de livros. — Olhe — falei —, você está aqui; eu tenho instruções para mantê-la por perto, mas gostaria que não interferisse em meu trabalho.

— Entendo — ele disse, com a voz mais suave após minha resposta ríspida. — Mas você também precisa entender: eu sou o *kustos*, o livro está sob meus cuidados.

Kustos. Levei algum tempo para entender. Virei-me, e olhei fixamente para ele.

— Você não pode ser Ozren Karaman! O homem que salvou o livro?

O representante da ONU, Sajjan, se levantou, desmanchando-se em desculpas.

— Sinto muito — disse. — Eu devia ter feito as apresentações. Mas você estava tão ansiosa para começar a trabalhar. Doutora Hanna Heath, este é o doutor Ozren Karaman, bibliotecário-chefe do Museu Nacional e professor de biblioteconomia na Universidade Nacional da Bósnia.

— Eu... desculpe, fui muito rude — falei. — Achava que você seria muito mais velho, para ser curador-chefe de uma coleção tão importante. — Além disso, eu não esperava que uma pessoa naquela posição tivesse uma aparência tão informal. Ele estava usando um jaqueta de couro puída por cima de uma camiseta branca, amarrotada. Suas calças jeans eram desfiadas. Os cabelos — selvagens, encaracolados, nem penteados nem cortados — caíam por cima de um par de óculos colado no meio com um pedaço de fita adesiva.

Ele ergueu uma sobrancelha.

— Você, claro, de idade tão avançada, teria todos os motivos para pensar isso. — Seu rosto permaneceu totalmente impassível enquanto dizia aquilo. Imagino que ele tivesse trinta e poucos anos, como eu. — Mas eu apreciaria, doutora Heath, se pudesse, por um momento, explicar o que pretende fazer. — Ele dirigiu um olhar significativo para Sajjan, que não pude deixar de entender. A ONU achava que estava fazendo um favor à Bósnia, financiando o trabalho para que a Hagadá fosse devidamente exibida. Mas, quando se trata de tesouro nacional, ninguém quer forasteiros dando ordens. Era óbvio que Ozren Karaman se sentia passado para trás. A última coisa que eu queria era me envolver naquela rixa. Estava lá para cuidar de um livro, não do ego ferido de um bibliotecário. Mesmo assim, ele tinha o direito de saber por que a ONU escolhera uma pessoa como eu.

— Não sei dizer exatamente a extensão de meu trabalho enquanto não inspecionar com atenção o manuscrito, mas posso adiantar uma coisa: ninguém me contrata para providenciar limpeza química ou uma restauração pesada. Eu já escrevi muitos artigos criticando essa abordagem. Restaurar um livro ao que ele era quando foi feito é falta de respeito por sua história. Penso que temos que aceitar um livro da maneira como o recebemos das gerações passadas; e, até certo ponto, os danos e o desgaste refletem essa história. Do modo como vejo, meu trabalho é torná-lo estável o suficiente para que possa ser manuseado com segurança e estudado, só consertando o que for absolutamente necessário. Isto aqui, por exemplo — expliquei, apontando para uma página onde uma mancha avermelhada encobria a candente caligrafia hebraica. — Posso tirar uma amostra microscópica dessas fibras, e nós podemos analisá-las e talvez aprender o que causou essa mancha; minha primeira hipótese seria vinho. Mas uma análise completa poderia fornecer pistas de onde o livro estava quando aconteceu isso. E, se não formos capazes de desvendar isso agora, talvez daqui a cinqüenta ou quinhentos anos, quando as técnicas de laboratório estiverem mais avançadas, meu colega no futuro o fará. Mas se eu apagar quimicamente essa mancha — o tal "dano" —, perderíamos a chance de conhecer o fato para sempre.

Respirei fundo.

Ozren Karaman me olhava com uma expressão atônita. De repente, me senti embaraçada.

— Desculpe, claro que você sabe de tudo isso. Mas é quase uma obsessão para mim, e quando começo... — estava cavando um buraco mais fundo ainda; por isso, parei. — Bem, a questão é que só me deram uma semana para trabalhar com o livro; preciso, portanto, de cada minuto. Gostaria de começar... Tenho até as dezoito horas, hoje, certo?

— Não exatamente. Preciso levá-lo uns dez minutos antes para me assegurar de que ele esteja em segurança antes da troca de turno dos guardas.

— Certo — disse, puxando minha cadeira para mais perto da mesa. Inclinei a cabeça na direção da outra ponta da longa mesa, onde se sentava a equipe de segurança. — Será que podemos nos livrar de alguns deles?

Ele meneou a cabeça e os cabelos despenteados balançaram.

— Acho que ficaremos aqui, todos.

Não pude conter um suspiro. Meu trabalho tem a ver com objetos, não pessoas. Eu gosto de matéria, fibra, a natureza dos variados materiais usados para fazer um livro. Conheço a matéria e os tecidos das páginas, as terras brilhantes e as toxinas letais dos antigos pigmentos. Pasta de trigo — sou capaz de deixar qualquer um enfastiado quando começo a falar de pasta de trigo. Passei seis anos no Japão aprendendo como misturá-la para a quantidade necessária de tensão.

Pergaminho, em particular, eu amo. Tão durável que pode sobreviver por séculos; tão frágil que pode ser destruído em um instante de descuido. Uma das razões, tenho certeza, pela qual me passaram esse trabalho foi o fato de eu ter escrito muitos artigos sobre o pergaminho em periódicos especializados. A julgar pelo tamanho e o espaçamento dos poros, eu sabia que os pergaminhos à minha frente tinham sido feitos da pele de uma raça já extinta de ovelha montanhesa de pêlo grosso, da Espanha. É possível datar manuscritos dos reinos de Aragão e Castela em cerca de cento e poucos anos, se soubermos quando determinada raça de animal era popular entre os artesãos do pergaminho.

Pergaminho é essencialmente couro, mas a aparência e a textura são diferentes porque as fibras dérmicas na pele foram reorganizadas pelo esticamento. Se forem molhadas, as fibras retornam à sua rede original, tridimensional. Eu estava preocupada com a possível condensação dentro da caixa de metal, ou a exposição aos elementos durante o transporte. Mas havia pouco sinal de ambas. Algumas páginas mostravam indícios de dano por água, mas sob o microscópio vi uma cobertura de cristais em forma de cubo que reconheci: NaCl, também conhecido como o velho sal de cozinha. A água que tinha danificado o livro era provavelmente salgada, usada na mesa do *seder* para representar as lágrimas dos escravos no Egito.

Claro que um livro é mais do que a soma de seus materiais. É um artefato da mente e da mão humanas. Os batedores de ouro, os moedores de pedra, os escribas, os encadernadores, são os indivíduos com quem eu mais me sinto à vontade. Às vezes, no silêncio, essas pessoas falam comigo. Permitem-me ver quais são suas intenções, e isso me ajuda com meu trabalho. Eu temia que o *kustos*, com seu escrutínio bem-intencionado, ou os policiais, com a tagarelice baixa de seus rádios, espantassem meus amigos fantasmas. E eu precisava da ajuda deles. Haveria tantas perguntas!

Para começar, a maioria dos livros como aquele, permeados de pigmentos caros, era feita para palácios e catedrais. Mas uma Hagadá só é usada em casa. A palavra vem da raiz hebraica, *hgd*, "dizer" ou "contar", e se origina do mandamento bíblico que instrui os pais a contar aos filhos a história do Êxodo. Essa prática de contar história varia muito, e com o passar dos séculos cada comunidade judaica desenvolveu variações próprias baseadas nessa celebração doméstica.

Mas ninguém sabia por que essa Hagadá era ilustrado com numerosas pinturas em miniatura, em uma época em que a maioria dos judeus considerava a arte figurativa uma violação dos mandamentos. Era improvável que um judeu tivesse condições de aprender as habilidosas técnicas de pintura evidenciadas no livro. O estilo não era diferente do dos iluminadores cristãos. Contudo, a maioria das miniaturas ilustrava cenas bíblicas conforme interpretação no Midrashe, ou a exegese bíblica judaica.

Virei o pergaminho e de repente estava diante da ilustração que mais provocara especulação entre os estudiosos. Era uma cena doméstica. Uma família de judeus — espanhóis, a julgar pelas vestimentas — sentada durante uma refeição da Páscoa*. Viam-se as comidas rituais, o *matzoh* para comemorar o pão ázimo que os hebreus assaram com pressa antes de fugir do Egito e um osso da canela para lembrar o sangue do cordeiro nos batentes das portas que fez o anjo da morte "passar" pelas casas dos judeus, sem feri-los. O pai, reclinando-se como de costume, para mostrar que é um homem livre e

* *Páscoa* significa "passagem". Conferir em Êxodo 12, 22-23. (N. do T.)

não um escravo, prova o vinho de um cálice dourado, enquanto seu filho pequeno, ao seu lado, ergue uma taça. A mãe se senta serenamente, usando um vestido fino e um adorno para cabeça com jóias, da época. Provavelmente a cena é um retrato da família que encomendou essa Hagadá específica. Mas há outra mulher à mesa, com pele cor de ébano e túnica da cor do açafrão, segurando um pedaço de *matzoh*. Vestida de maneira muito elegante para ser uma serviçal, e participando plenamente do rito judaico, a identidade da mulher africana vestindo trajes em tom de açafrão tem deixado os estudiosos do livro aturdidos há um século.

Devagar e deliberadamente, examinei e fiz anotações a respeito da condição de cada página. Cada vez que eu virava um pergaminho, checava e ajustava a posição dos suportes. Nunca estressar o livro: o primeiro mandamento do conservador. Mas as pessoas que foram donas desse livro haviam passado por condições estressantes intoleráveis: pogrom, Inquisição, exílio, genocídio, guerra.

Quando cheguei ao fim do texto hebraico, encontrei uma linha escrita em outra língua, e com outra letra. *Revisto per mi. Gio. Domenico Vistorini, 1609*. O latim, escrito no estilo veneziano, significava "vistoriado por mim". Se não fossem essas três palavras, colocadas lá pelo censor oficial da Inquisição do papa, esse livro talvez tivesse sido destruído naquele ano em Veneza, e nunca teria atravessado o Adriático até os Bálcãs.

— Por que você o salvou, Giovanni?

Olhei para cima. Quem tinha dito aquilo fora o doutor Karaman. Ele deu de ombros ligeiramente, como que se desculpando. Provavelmente pensou que fiquei irritada pela interrupção, mas na verdade eu estava surpresa por ele ter exprimido justamente a pergunta que me ocorria. Ninguém sabia a resposta; assim como ninguém sabia como ou por que — ou sequer quando — o livro fora parar naquela cidade. Um registro de venda de 1894 afirmava que alguém chamado Kohen o tinha vendido à biblioteca. Mas ninguém pensara em questionar o vendedor. E, desde a Segunda Guerra Mundial, quando dois terços dos judeus em Sarajevo foram massacrados e a parte judaica da cidade, saqueada, não havia mais nenhum Kohen na cidade para perguntarmos. Um bibliotecário muçulmano havia salvado o livro dos nazistas, também, mas os detalhes de como fizera isso eram esparsos e conflitantes.

Quando completei minhas anotações após meu exame inicial, montei uma câmera oito-por-dez e trabalhei no livro novamente, desde o começo, fotografando cada página para ter um registro preciso da condição do livro antes de qualquer tentativa de um trabalho de conservação. Quando terminasse o trabalho de conservação, e antes de reencadernar as páginas, eu as fotografaria de novo, uma por uma. Enviaria os negativos a Amitai, em Jerusalém. Ele organizaria a confecção de impressões de alto grau para os museus do mundo e a impressão de uma edição em fac-símile para que pessoas comuns, no mundo todo, pudessem desfrutar o livro também. Normalmente, um especialista faria essas fotos, mas as Nações Unidas não queriam a comoção de encontrar outro perito e mexer com todo o brio da cidade; então, concordei em cuidar da fotografia.

Flexionei os ombros e apanhei meu bisturi. Depois me sentei, com uma mão apoiando o queixo e a outra pousada sobre a encadernação. Sempre surge uma dúvida íntima no instante antes de começar. A luz reluzia sobre o aço brilhante, me fazendo pensar em minha mãe. Se ela fosse hesitante daquele jeito, o paciente sangraria até morrer, na mesa. Mas minha mãe, a primeira mulher a se tornar chefe do departamento de neurocirurgia na história da Austrália, não conhecia a dúvida íntima. Nunca duvidou de seu direito de burlar todas as convenções de sua era, tendo uma filha mas não sentindo a necessidade de marido, ou sequer citando à filha um pai. Até hoje, eu não tenho idéia de quem foi ele. Um homem que ela amava? Alguém que usou? A segunda opção era mais provável. Ela achava que poderia me criar à imagem dela. Que piada. Ela tem pele clara, mas sempre fácil de bronzear. Eu sou morena, mas fico pálida como um godo. Ela gosta de champanhe. Eu prefiro beber cerveja direto da garrafa.

Muito tempo atrás, percebi que ela jamais me respeitaria por preferir ser uma reparadora de livros em vez de reparar corpos humanos. Para ela, meus certificados com honras duplas em química e línguas antigas do Oriente Próximo podiam ser o mesmo que lenço de papel usado. O mestrado em química e ph.D. em conservação de arte fina também não lhe diziam nada.

"Trabalho de jardim-da-infância", ela chamava os meus papéis, pigmentos e pastas. "Você teria terminado o estágio agora", ela disse quando voltei do Japão. "Na sua idade, eu era chefe dos residentes", foi o que ouvi quando voltei de Harvard.

Às vezes, eu me sinto como uma figura em uma das miniaturas persas que conservo, uma pessoa pequenina sempre observada por rostos imóveis, olhando para baixo, do alto das galerias, ou espiando por trás das treliças. Mas, no meu caso, os rostos são sempre um único rosto — o de minha mãe, franzindo os lábios e com aquele olhar reprovador.

E aqui estou eu, com 30 anos de idade, e ela ainda consegue se colocar entre mim e o meu trabalho. Esse sentimento, do escrutínio impaciente, desaprovador, mexeu comigo, finalmente. Passei o bisturi por baixo do fio, e o códice abriu com facilidade, revelando seus preciosos fólios. Levantei o primeiro. Uma minúscula partícula de alguma coisa flutuou para fora da encadernação. Com cuidado, usando um pincel de zibelina, eu a coloquei sobre uma lâmina e a examinei sob o microscópio. Eureca. Era um minúsculo fragmento de asa de inseto, translúcida, venosa. Vivemos em um mundo de artrópodes, e talvez a asa fosse de um inseto comum e nada nos revelasse. Mas podia, quem sabe, ser uma raridade, provinda de um espaço geográfico limitado. Ou talvez fosse de uma espécie já extinta. Qualquer uma dessas revelações acrescentaria conhecimento à história do livro. Eu a guardei em um envelope de glassine, rotulando-o com uma nota de sua posição.

Alguns anos atrás, uma apara prateada de pena de escrever que encontrei em uma encadernação causara um verdadeiro tumulto. A obra era uma lindíssima pequena coletânea de sufrágios, orações curtas a santos individuais, supostamente parte de um Livro das Horas perdido. Pertencia a um influente colecionador francês que havia encantado o Getty*, que chegou a pensar em pagar uma verdadeira fortuna por ela. O colecionador possuía documentos que mostravam sua origem, atribuindo-a ao mestre de Bedford, que pintava em Paris por volta de 1425. Mas alguma coisa não me parecia correta.

---

* O Museu Getty, um dos mais ricos do mundo, em Los Angeles. (N. do T.)

Geralmente uma apara de pena não diz muita coisa. Você não precisa de uma pena exótica para fazer uma pena de escrever. Qualquer pena boa de qualquer pássaro robusto pode servir para escrever. Eu sempre rio quando vejo atores em filmes épicos escrevendo com extravagantes penas de avestruz. Para começar, não havia muitos avestruzes na Europa medieval. E, em segundo lugar, os escribas sempre podavam a pena a ponto de ela parecer uma vareta, para que as aparas fofas não atrapalhassem o trabalho. Mas eu insisti em verificar a apara com um ornitologista, e adivinhe! Era feita de pena de pato Mucovi. Esse tipo de pato, Mucovi, é comum em todo lugar hoje em dia, mas, no século XV, só existia no México e no Brasil. Esses animais só chegaram à Europa no século XVII. Descobrimos que o "colecionador" francês vinha falsificando manuscritos havia anos.

Quando levantei delicadamente o segundo fólio da Hagadá, puxei o fio quebradiço que a segurava, e notei um fino cabelo branco, com cerca de 1 centímetro de comprimento, preso na fibra do fio. Observando-o sob amplificação, vi que o cabelo tinha deixado uma leve indentação na página que reproduzia o *seder* da família espanhola. Com muita delicadeza, usando pinças cirúrgicas, eu o desembaracei e o coloquei em um envelope.

Não precisei me preocupar com as pessoas na sala me distraindo a atenção. Aliás, nem notei que estavam lá. Entravam e saíam pessoas, e eu nem levantava a cabeça. Só quando começou a ficar escuro percebi que havia trabalhado o dia todo, sem um intervalo. De repente, senti-me enrijecida pela tensão, e terrivelmente faminta. Fiquei de pé, e Karaman se aproximou imediatamente, com a temível caixa de metal pronta. Coloquei o livro, com seus fólios separados, dentro dela, com todo cuidado.

— Temos que mudar isso já — falei. — Metal é o pior transmissor de variações em calor e frio. — Coloquei uma folha de vidro por cima e forrei com os pequenos saquinhos de areia cobertos de veludo, para deixar os pergaminhos retos. Ozren ficou mexendo em sua cera, seus selos e fios enquanto eu limpava e organizava minhas ferramentas.

— O que você achou de nosso tesouro? — ele perguntou, inclinando a cabeça em direção ao livro.

— Notável, pela idade — respondi. — Não há nenhum dano aparente causado pelo manuseio. Vou fazer alguns testes em novas amostras microscópicas para ver o que descobrimos. Fora isso, é só cuidar da estabilização, e providenciar o conserto da encadernação. Como você sabe, é uma encadernação do fim do século XIX, tão exaurida física e mecanicamente quanto se poderia esperar.

Karaman se curvou sobre a caixa, pressionando o selo da biblioteca na cera. Em seguida, se afastou e deu espaço para o funcionário do banco, que aplicou o selo da instituição. O intricado arranjo de cordões e selos em cera significava que, se houvesse algum acesso não autorizado ao conteúdo da caixa, seria imediatamente detectado.

— Ouvi dizer que você é australiana — disse Karaman. Eu suprimi um suspiro. Ainda estava exausta após o longo dia de trabalho e indisposta para bate-papo. — Parece uma ocupação estranha para uma pessoa de um país tão jovem: cuidar dos tesouros antigos de outros povos. — Não fiz comentário algum, e ele acrescentou: — Imagino sua fome por cultura, nascendo e sendo criada lá!

Como eu tinha sido rude antes, fiz um esforço agora. Um esforço pequeno. Aquele país jovem de que ele falava... o material cultural desértico envelhece muito. A Austrália tinha a mais longa e contínua tradição artística do mundo. Os povos aborígines já estavam fazendo arte sofisticada nas paredes de suas cavernas habitadas trinta mil anos antes de o povo de Lascaux mastigar a extremidade de seus pincéis para pintar nas cavernas. Mas resolvi poupá-lo de uma aula completa.

— Bem — eu disse —, acontece que a imigração fez de nós o país mais etnicamente diversificado no mundo. As raízes dos australianos são muito profundas e disseminadas. Isso nos dá um acesso à herança cultural de todo o mundo. Até mesmo à de vocês.

Não acrescentei que cresci em uma época na qual os iugoslavos eram famosos por ser o único grupo migrante que conseguira importar suas injúrias do Velho Mundo. Todos os outros povos logo sucumbiram em uma espécie de apatia quanto ao passado, mas os sérvios e croatas continuaram beligerantes, bombardeando os clubes de futebol um do outro, se engalfinhando mesmo nos confins mais esquecidos da Terra, como Coober Pedy.

Ele recebeu o golpe com bom humor, lançando-me um sorriso por cima da caixa. Seu sorriso era bonito, eu devo admitir; parecia que a boca se voltava para cima e para baixo ao mesmo tempo, como em um desenho de Charles Schulz*.

Os guardas se colocaram de pé para escoltar Karaman e o livro. Eu segui pelo longo corredor decorado até eles descerem pela escadaria de mármore, que terminava nas caixas-fortes. Estava esperando alguém destrancar as portas principais quando Karaman se virou para trás e me chamou.

— Posso convidá-la para jantar? Conheço um lugar na Cidade Velha. Reabriu o mês passado. Para ser bem franco e sincero, não posso garantir a qualidade da comida, mas pelo menos será bósnia.

Eu ia dizer não. É um ato reflexo no meu caso. Mas, pensei, por que não? Melhor do que alguma carne misteriosa, insípida, trazida pelo serviço de quarto em meu pequeno e lúgubre hotel. Disse a mim mesma que seria o caso de pesquisa legítima. O resgate de Ozren Karaman levara-o a se tornar parte da história do livro, e eu queria saber mais a respeito daquilo.

Esperei por ele no alto da escadaria, ouvindo o zunido pneumático da caixa-forte e o clangor das grades de metal que a fechavam. O som era derradeiro e reconfortante. O livro, pelo menos, estaria seguro durante a noite.

III

SAÍMOS PARA AS RUAS ESCURAS da cidade, e eu senti um tremor. A maior parte da neve tinha desaparecido durante o dia, mas agora a temperatura estava caindo de novo, e nuvens pesadas escondiam a lua. Os postes de luz não estavam funcionando. Quando percebi que Karaman propunha ir a pé até a Cidade Velha, a sensação de um bolo no estômago voltou.

---

* Charles Schulz (já falecido), cartunista, criador de Charlie Brown e Snoopy. (N. do T.)

— Você tem certeza de que não há problema? — perguntei. — Por que não pedimos ao meu escolta das Nações Unidas que nos leve de carro?

Ele contorceu ligeiramente o rosto, como se sentisse um aroma desagradável.

— Aqueles tanques gigantescos — disse — não passam pelos caminhos estreitos da Bascarsija. E já faz uma semana que não há tiroteio nem bomba.

Que ótimo. Fantástico. Deixei-o tratar disso com os vikings das Nações Unidas, esperando que ele não conseguisse convencê-los a me deixar a ir sem escolta. Infelizmente, ele era um sujeito muito persuasivo — teimoso, na verdade — e, por fim, nós saímos, a pé mesmo. Ele andava rápido, e eu tive que apressar o passo para acompanhá-lo. Enquanto caminhávamos, ele iniciou um tipo de monólogo de turismo negativo — uma espécie de guia do inferno — descrevendo as várias estruturas destruídas da cidade.

— Aquele é o Edifício da Presidência, estilo neo-renascentista e o alvo favorito dos sérvios. — E algumas quadras adiante: — Aquelas são as ruínas do Museu Olímpico. Aquilo já foi o correio. Essa é a catedral. Neogótica. Iriam rezar uma missa lá à meia-noite, no último Natal, mas mudaram para o meio-dia porque ninguém saía de casa à noite a menos que fosse suicida. Do lado esquerdo da igreja, você vê a sinagoga e a mesquita. Do lado direito, a igreja ortodoxa. Todos os lugares aonde nenhum de nós vai para venerar, situados convenientemente a cem metros um do outro.

Eu tentei imaginar como me sentiria se Sydney, de repente, ficasse cheia de cicatrizes daquele jeito, os marcos de minha infância arruinados ou destruídos. Imaginei acordar um dia e descobrir que os moradores do norte de Sydney haviam montado barricadas na Ponte do Porto e começavam a bombardear a Casa da Ópera.

— Creio que é um luxo andar na cidade — falei — depois de quatro anos fugindo das bombas e dos tiros.

Ele estava um pouco à minha frente, e parou, de maneira súbita.

— Sim — ele disse. — Com certeza. — De alguma forma, aquela resposta seca estava carregada de sarcasmo.

As largas avenidas da Sarajevo austro-húngara cediam espaço às vielas estreitas de pedra da cidade otomana, nas quais, se você esticar o braço, consegue tocar os edifícios dos dois lados. Estes eram pequenos, como se fossem construídos para pigmeus, e tão próximos uns dos outros que me lembravam amigos de bebedeira, segurando-se enquanto iam para casa, saindo de um *pub*. Grandes partes dessa área escaparam do alcance das armas sérvias; por isso, os danos nesse local eram muito menos evidentes que na cidade moderna. De um minarete, o *khoja* chamava os fiéis para *aksham*, a oração da noite. Era um som que eu associava a lugares quentes — Cairo, Damasco —, não a um lugar onde a geada se desmanchava sob os pés e onde montículos de neve não derretida se acumulavam nos espaços entre a cúpula da mesquita e sua paliçada de pedra. Eu me lembrei de que o islã havia se espalhado pelo norte, até os portões de Viena; e, quando a Hagadá foi feita, o vasto império dos muçulmanos era a luz brilhante da Idade das Trevas, o lugar onde a ciência e a poesia ainda floresciam; onde os judeus, torturados e mortos pelos cristãos, encontravam certa paz.

O *khoja* daquela pequena mesquita era um homem idoso, mas sua voz, resoluta e bonita, soava poderosa no ar frio da noite. Apenas um punhado de outros homens idosos respondia, movendo-se pelo pátio cujo piso era de pedras, diligentemente lavando as mãos e o rosto na água gelada da fonte. Parei por um instante para observá-los. Karaman ia na minha frente, mas ele se virou e seguiu meu olhar.

— Lá estão eles — ele disse. — Os ferozes terroristas muçulmanos da imaginação dos sérvios.

O restaurante que ele tinha escolhido era quente e barulhento, e cheio de deliciosos aromas de carne grelhada. Uma foto na porta mostrava o proprietário, em uniforme militar, brandindo uma imensa bazuca. Pedi um prato de *cevapcici*. Ele pediu uma salada de repolho ralado e um prato de iogurte.

— Um tanto peculiar — eu disse.

Ozren sorriu, e respondeu:

— Sou vegetariano desde a infância. Foi bom, durante o cerco, pois não havia carne. Claro que as únicas coisas verdes que conseguíamos, a maior parte do tempo, eram folhas de grama. Sopa de grama, que se tornou minha especialidade. — Ele pediu duas cervejas. — Cerveja, nós sempre encontrávamos, mesmo durante o cerco. A cervejaria foi a única coisa na cidade que nunca fechou.

— Os australianos aprovariam isso — tornei.

— Estava pensando no que você disse, sobre as pessoas deste país que migraram para a Austrália. Na verdade, muitos australianos visitavam a biblioteca do museu, pouco antes da guerra.

— Ah, é? — eu disse, distraída, sorvendo minha cerveja, que, devo dizer, estava um tanto aguada.

— Bem-vestidos, falando muito mal nossa língua. E vinham os mesmos tipos dos Estados Unidos, também. Calculávamos cerca de cinco por dia, procurando descobrir a história de suas famílias. Na biblioteca lhes dávamos um apelido, baseado naquele homem negro da série de TV americana, Kinta Kunte.

— Kunta Kinte — corrigi.

— Ele mesmo; nós os chamávamos de os Kunta Kintes porque estavam procurando suas raízes. Queriam ver as gazetas originais, de 1941 a 1945. Nunca procuravam revolucionários na árvore genealógica. Não queriam ser descendentes de esquerdistas. Eram sempre os fanáticos nacionalistas: Chetniks, Ustashe, os matadores da Segunda Guerra Mundial. Imagine só, alguém desejar ter parentesco com essas pessoas. Pena que eu não sabia, na época, que eles eram os semeadores de tempestades. Mas não queríamos acreditar que tal loucura chegaria aqui.

— Eu sempre admirei os moradores de Sarajevo por ficarem tão surpresos com a guerra — falei. Parecia-me uma reação racional. Quem não entraria em estado de negação quando o vizinho de repente começa a atirar nele, sem o menor remorso, como se fosse uma espécie indesejável, como os fazendeiros na Austrália, que tentam erradicar os coelhos?

— É verdade — Ozren disse. — Anos atrás, testemunhamos o Líbano se despedaçar e dizíamos: "Assim é o Oriente Médio, essa gente é primitiva". Depois vimos Dubrovnik em chamas e dissemos: "Nós somos diferentes em Sarajevo". Era o que todos pensávamos. Como poderíamos ter uma guerra étnica aqui, nesta cidade, onde cada pessoa é produto de um casamento misto? Como ter uma guerra religiosa numa cidade onde ninguém freqüenta a igreja? Para mim, a mesquita é como um museu, um local curioso para você visitar com seus avós. Pitoresco, entende? Uma vez por ano, talvez, íamos ver o *zikr*, onde os dervis dançam, e era como teatro. Como vocês dizem? Uma pantomima. Meu melhor amigo, Danilo, é judeu, e nunca sequer foi circuncidado. Não há nenhum *mohel* aqui; era preciso ir ao barbeiro para fazer a circuncisão. De qualquer forma, nossos pais eram todos esquerdistas, achavam que tais coisas eram primitivas... — ele se interrompeu, bebendo a cerveja em dois goles, e pedindo mais duas.

— Eu gostaria de lhe perguntar a respeito do dia em que você salvou a Hagadá.

Ele mostrou um sorriso debochado e olhou para as mãos, que repousavam sobre o Laminex manchado da mesa de café. Seus dedos eram longos e delicados. Interessante que eu não os tivesse notado antes, quando fui rude e temia que ele colocasse as patas não autorizadas sobre meu precioso pergaminho.

— Você tem que compreender — ele começou. — Foi como eu disse. Nós não acreditávamos na guerra. Nosso líder dizia: "São necessários dois lados para haver uma guerra, e nós não vamos lutar." Não aqui, não em nossa preciosa Sarajevo, nossa idealística cidade olímpica. Éramos inteligentes demais, cínicos demais para uma guerra. Claro que você não precisa ser estúpido e primitivo para ter uma morte estúpida e primitiva. Agora, nós sabemos disso. Mas naquela época, naqueles primeiros dias, todos fazíamos coisas um pouco loucas. Garotos, adolescentes, saíam em demonstrações contra a guerra, com cartazes e música, como se estivessem indo a um piquenique. Mesmo depois de uma dúzia de tiros neles, nós ainda não acreditávamos. Esperávamos que a comunidade internacional pusesse um fim naquilo. Eu acreditava nisso. Preocupava-me que pudesse durar alguns dias, e nada mais, enquanto o mundo — como se diz? — tomaria uma providência.

Ele estava falando tão baixo que eu mal podia ouvi-lo em meio ao barulho de fundo de risadas, que enchia o restaurante.

— Eu era o *kustos*; e o museu estava sendo atacado. Nós não estávamos preparados. Tudo lá era exposto. Havia dois quilômetros de livros no museu, que se encontrava apenas a vinte metros das armas do

Chetnik. Eu temia que uma bomba de fósforo derrubasse todo o prédio, ou que essas... essas... a palavra na língua bósnia é *papci*. Não sei traduzir. — Ele fechou a mão, e moveu o punho fechado sobre a mesa. — Como se chama o pé de um animal? De uma vaca ou cavalo?

— O casco? — sugeri.

— Sim, é isso. Nós chamávamos os inimigos de "cascos" — uma coisa do estábulo. Temia que, se eles entrassem no museu, pisoteariam tudo, procurando ouro, e destruiriam coisas cujo valor eram ignorantes demais para sequer imaginar. Fui à delegacia. A maior parte da polícia tinha saído para defender a cidade da melhor maneira possível. O oficial de plantão perguntou: "Quem vai arriscar a cabeça só para salvar umas coisas antigas?". Mas quando percebeu que eu arriscaria, sozinho, ele chamou dois "voluntários" para me ajudar. Disse que não podia deixar as pessoas dizerem que um bibliotecário empoeirado tinha mais coragem que a polícia.

Algumas coisas maiores tiveram de ser levadas às salas internas. Objetos valiosos menores foram escondidos onde os saqueadores não pensariam em procurar, como o quartinho de produtos de limpeza. As mãos longas de Ozren se agitavam no ar, enquanto ele descrevia os artefatos que havia guardado: esqueletos de antigos reis e rainhas da Bósnia, espécimes raras da história natural.

— E, por fim, tentei encontrar a Hagadá — ele disse.

Na década de 1950, um funcionário do museu fora implicado em uma trama para roubar a Hagadá; por isso, desde então, o diretor do museu era o único que sabia a combinação do cofre onde o livro era guardado. Mas o diretor morava do outro lado do rio, onde a luta era mais intensa. Ozren sabia que ele nunca chegaria ao museu.

Ozren continuou falando baixinho, usando frases curtas, sem o menor tom de drama. Luz cortada. Um cano rompido e água jorrando. Granadas atingindo as paredes. Enquanto ele falava, eu tinha que preencher as lacunas nas frases. Já estive em muitos porões de museus para imaginar como era; como cada granada que atingia o prédio devia provocar uma chuva de reboque que caía sobre os objetos preciosos, e sobre ele também, entrando-lhe nos olhos, enquanto ele se agachava no escuro, com as mãos tremendo, acendendo um fósforo atrás de outro para ver aonde estava indo. Aguardando uma pausa no bombardeio para ouvir o som correto enquanto tentava toda combinação possível, uma atrás da outra. E não conseguindo ouvir nada, enfim, porque o sangue pulsando na cabeça era ruidoso demais.

— Como é que você conseguiu abrir, afinal?

Ele ergueu as mãos, virando as palmas para cima.

— Era um cofre velho, não muito sofisticado — disse.

— Mesmo assim...

— Como eu lhe disse, não sou um homem religioso, mas se acreditasse em milagres... o fato de eu pegar esse livro, naquelas condições...

— O milagre — falei — foi que você...

Ele não me deixou terminar.

— Por favor — interrompeu-me, contorcendo o rosto, irritado. — Não me veja como herói. Não me sinto assim. Francamente, eu me sinto péssimo, por causa de todos os livros que não consegui salvar... — Ele desviou o olhar.

Acho que foi isso que me pegou, aquele olhar. Aquela reticência. Talvez por eu ser o oposto de corajosa, sempre tive certas suspeitas dos heróis. Sou inclinada a pensar que eles não têm imaginação; do contrário, não poderiam fazer as coisas loucas que fazem. Mas aquele era um homem que arriscava a vida por causa de livros perdidos, e do qual você tinha de arrancar informações a saca-rolha para saber o que ele tinha feito. Eu começava a gostar dele, e bastante.

A comida chegou, suculentos bolinhos de carne, apimentados e aromatizados com tomilho. Eu estava faminta. Ataquei o prato, devorando a carne com pedaços de pão turco macio. Fiquei tão entretida com a comida que levei um tempo até perceber que Ozren não estava comendo, apenas olhando fixamente para mim. Seus olhos eram verdes, de um tom profundo, da cor do musgo, salpicados com leves tons de cobre e bronze.

— Sinto muito — tornei. — Não deveria ter feito todas essas perguntas. Agora, você perdeu o apetite.

Ele sorriu. De novo, aquele sorriso atraente, assimétrico.

— Não é isso.

— O que é, então?

— Bem, enquanto eu observava você trabalhando hoje, seu rosto parecia tão plácido e sereno, que você me lembrou uma Madona segundo as imagens dos ortodoxos. Parece-me divertido um rosto celestial com um apetite tão terreno.

Não pude agüentar isso e ainda fiquei corada como uma colegial. Senti o sangue esquentar, e tentei fingir que aquilo não era um elogio.

— Essa é uma maneira de dizer que eu como feito um porco! — respondi, rindo.

Ele estendeu a mão e tirou um pouquinho de gordura que me marcara o rosto. Eu parei de rir. Segurei a mão de Ozren antes que ele a retirasse e a coloquei sobre a minha. Era a mão de um estudioso, com certeza, com unhas limpas e bem aparadas. Mas havia calos, também. Imagino que até os estudiosos tiveram que cortar madeira, se conseguissem encontrar, durante o cerco à cidade. As pontas de seus dedos brilhavam com a gordura de carneiro que ele tirara de meu rosto. Aproximei-os de meus lábios e comecei a lambê-los, devagar, um por um. Os olhos verdes de Ozren me observavam, fazendo uma pergunta que qualquer um entenderia.

Seu apartamento era perto, um sótão em cima de uma confeitaria chamada Doce Esquina, que ficava num cruzamento. A porta da confeitaria estava embaçada por vapor, e uma onda de calor nos atingiu quando entramos. O proprietário levantou a mão coberta de farinha, cumprimentando-nos. Ozren acenou de volta e me conduziu através do café, lotado de gente, até a escada que daria no sótão. O aroma de doce fresco e açúcar queimado nos acompanhou.

Ozren mal podia ficar de pé, sob o beirado do sótão. As pontas de seus cabelos despenteados roçavam as vigas mais baixas. Ele se virou para pegar meu casaco e, nesse gesto, tocou de leve minha garganta. Deslizou o dedo médio pelo minúsculo arco em minha nuca, no ponto onde o cabelo se erguia e se prendia num coque, descendo ao longo do ombro, e finalmente tocando minha blusa. Quando chegou aos quadris, deslizou as mãos por baixo do *cashmere* e o puxou para cima, passando-o por minha cabeça. A lã arrastou minha presilha, que caiu ruidosamente no chão, e os cabelos até então presos se soltaram sobre meus ombros nus. Eu estremeci e ele me envolveu em seus braços.

Mais tarde, estávamos deitados em um emaranhado de lençóis e roupas. Ele vivia como um estudante, sua cama era um colchão fino dobrável, e havia pilhas de livros e jornais empurradas descuidadamente contra as quinas das paredes. Seu corpo era tão formoso quanto o de um cavalo de corrida, com ossos longos e músculos em ótima forma. Sem um grama de gordura. Passou o dedo em um fio de meus cabelos.

— Tão liso. Como uma japonesa — ele disse.

— Especialista, é? — brinquei. Ele sorriu, levantou-se e encheu dois pequenos cálices com uma ardente *rakija*. Ele não tinha ligado as luzes quando entramos, mas agora estava acendendo duas velas. Quando a chama se firmou, vi que a parede oposta do sótão estava tomada por uma grande pintura figurativa, o retrato de uma mulher e um bebê, em uma grossa, urgente mistura. O bebê estava parcialmente oculto pela curva do corpo da mãe, que parecia protegê-lo, aparentemente se curvando sobre ele. O corpo da mulher dava as costas ao observador e estava voltado para a criança, mas ela olhava para trás, para o artista — para nós; era um olhar firme, apreciativo, bonito e grave.

— É uma pintura linda — comentei.

— Sim, meu amigo Danilo, aquele de que lhe falei, a pintou.

— Quem é ela?

Ele franziu as sobrancelhas, e suspirou. Em seguida, ergueu o copo, como que para brindar.

— Minha esposa.

IV

QUANDO VOCÊ FAZ um bom trabalho, não deve haver nenhum sinal de que trabalho algum foi feito.

Werner Heinrich, meu instrutor, me ensinou isso. "Nunca se confunda com uma artista, senhorita Heath. Você sempre deve estar oculta por seu objeto.

Ao cabo de uma semana, provavelmente não haveria dez pessoas no mundo que tivessem certeza de que eu tinha desmontado o livro e o remontado de volta. Meu próximo passo era fazer algumas visitas a velhos amigos que poderiam me dizer o que as minúsculas amostras extraídas do códice significavam. A ONU havia me pedido que escrevesse um ensaio para ser incluído no catálogo quando o livro fosse exibido. Não sou ambiciosa no sentido tradicional. Não quero uma casa grande ou uma conta bancária gorda; não dou a mínima para essas coisas. Não quero ser chefe de nada nem supervisionar outra pessoa que não seja eu mesma. Mas tenho imenso prazer em surpreender meus velhos colegas empertigados, publicando algo que eles não conhecem. Adoro rolar a bola para a frente, mesmo que seja apenas um milímetro, na grande empreitada humana de revelar tudo.

Levantei-me e me afastei da mesa, e me espreguicei.

— Bem, meu *kustos*, acho que posso devolver a Hagadá aos seus cuidados, agora.

Ozren não sorriu, nem ao menos me olhou; apenas se levantou e foi pegar a nova caixa que tinha feito de acordo com minhas orientações, um receptáculo arquival apropriado que guardaria o livro em segurança, até as Nações Unidas terminarem o trabalho de controle de temperatura na sala de exibição do museu.

Seria um santuário à sobrevivência da herança multiétnica de Sarajevo. A Hagadá teria um lugar de honra e destaque; mas, em todas as paredes ao redor, haveria manuscritos islâmicos e ícones ortodoxos, mostrando como as pessoas e sua arte provinham das mesmas raízes, influenciando e inspirando umas às outras.

Quando Ozren pegou o livro, pus minha mão sobre a dele.

— Eles me convidaram para a inauguração. Tenho que fazer uma apresentação no Tate uma semana antes. Se eu vier aqui, de Londres, será que vou vê-lo?

Ele se mexeu de um modo que fez minha mão deslizar para fora da dele.

— Na cerimônia, sim.

— E depois?

Ele deu de ombros.

* * *

Havíamos passado três noites juntos na Doce Esquina, mas não tinha dito nada sobre a esposa que nos olhava da pintura. E então, na quarta noite, eu acordei um pouco antes de amanhecer, porque o mestre-cuca na confeitaria já estava trabalhando, fazendo barulho enquanto acendia os fornos para pães. Rolei na cama e vi Ozren acordado, olhando para a pintura. Tinha um ar desolado, muito triste. Toquei-lhe delicadamente no rosto.

— O que foi? — perguntei.

Ele se virou e olhou para mim, segurando meu rosto com as duas mãos. Em seguida, levantou-se do colchão e vestiu os jeans, jogando-me as roupas que eu tinha usado na noite anterior. Quando nos vestimos, eu o segui escada abaixo. Ele conversou com o mestre-cuca por alguns minutos, e o homem lhe jogou um molho de chaves de um carro.

Encontramos o velho e desgastado Citroën no fim do estreito beco. Em silêncio, saímos da cidade e rumamos para as montanhas. A cena era belíssima, lá em cima; os primeiros raios de sol deixavam a neve dourada, rosa e tangerina. Um forte vento agitava os ramos dos pinheiros, e o aroma trazia lembranças incongruentes: os ramos resinosos de árvores de Natal, o perfume de sua seiva tão forte em meio à onda de calor de dezembro, no pleno verão de Sydney.

— Este é o monte Igman — ele disse, enfim. — Aqui se corria com trenós nas Olimpíadas de Inverno, antes de os sérvios tomarem tudo com seus rifles de alta potência e miras telescópicas, convertendo o lugar em um ninho de atiradores. — Ele estendeu a mão para me segurar, enquanto eu me aproximava do precipício. — Ainda há minas em toda parte aqui. Precisamos ficar na estrada.

De onde estávamos, tínhamos uma vista perfeita da cidade, lá embaixo. Eles a haviam mirado daquele ponto, enquanto ela segurava o bebê em uma fila da ONU para receber água. A primeira bala cortou a artéria femoral. Ela se arrastou, carregando o bebê, até a muralha mais próxima e jogou o corpo por cima do filho. Ninguém se atreveu a ajudá-la, nem os soldados, que estavam perto enquanto ela sangrava até morrer, nem os civis apavorados que corriam para todos os lados, aos gritos e prantos, em busca de qualquer forma de abrigo, por mais precário que fosse.

— O heróico povo de Sarajevo. — A voz de Ozren soava cansada e amargurada, suas palavras eram difíceis de ouvir, enquanto ele as cuspia ao vento. — Era disso que a CNN sempre nos chamava. Mas a maioria de nós não era heróica, acredite. Quando o tiroteio começava, nós corríamos o mais rápido que podíamos.

Aida, ferida, sangrando, fora um alvo irresistível para o assassino sobre o monte Igman. O segundo tiro perfurou-lhe o ombro e atingiu o osso. A bala se despedaçou, e só um pequeno fragmento de metal passou por ela e alcançou a cabeça do bebê. O nome dele era Alia. Ozren o pronunciou em um sussurro, mais como um suspiro.

O *insulto inicial* — esse é o termo técnico neurocirúrgico. Quando eu era adolescente, ouvia minha mãe ao telefone, atendendo chamadas que eram uma bem-vinda interrupção às nossas brigas à mesa de jantar. Era algum residente nervoso, no pronto-socorro. Eu sempre achei que "insulto" era um termo bastante apropriado para um tiro ou uma pancada violenta na cabeça. Nada poderia ser um insulto maior que isso. No caso de Alia, o insulto inicial fora agravado pelo fato de que Sarajevo não tinha neurocirurgião, muito menos com especialidade pediátrica. O clínico geral fizera o melhor que podia, mas havia inchaço e infecção — um "insulto secundário" —, e o garotinho entrara em coma. Quando um neurocirurgião chegou à cidade, meses depois, ele declarou que nada mais podia ser feito.

Quando descemos da montanha, Ozren perguntou se eu queria ir ao hospital para ver seu filho. Eu não queria. Detesto hospitais. Sempre detestei. Às vezes, nos fins de semana, quando a governanta estava de folga, minha mãe me arrastava com ela para acompanhá-la em seu trabalho. As luzes brilhantes, as paredes verde-escuras, o ruído de metal sobre metal, os suportes de bolsas de sangue nos corredores — eu odiava tudo aquilo. A covarde dentro de mim é quem comanda minha imaginação em hospitais. Eu me vejo em todos os leitos: inconsciente em alguma maca, meu sangue escorrendo para aqueles drenos, presa a cateteres urinários. Todo rosto é o meu rosto. Parece aquele tipo de livro infantil que você vira as páginas com figuras, mas só o corpo muda, e o rosto é sempre o mesmo. Patético, sei disso. Mas não consigo evitar. E minha mãe não entendia por que eu não quis ser médica.

Ozren, porém, olhava-me com aquela expressão, como de um cãozinho manso, com a cabeça meio inclinada, esperando gentileza. Não pude dizer não. Ele me disse que ia todos os dias, antes do trabalho. Eu não havia percebido isso. Nas manhãs anteriores, ele me acompanhara a pé até o hotel, para eu poder tomar banho — se houvesse água corrente — e trocar de roupa. Eu não sabia que ele ia ao hospital depois, para passar uma hora com seu filho.

Tentei não olhar para a esquerda nem para a direita, enquanto passávamos pelas diversas alas do hospital. Quando chegamos ao quarto onde estava Alia, não havia outra coisa para olhar, exceto ele. Um rosto meigo, imóvel, ligeiramente inchado por causa dos fluidos que eles bombeavam no garoto para mantê-lo vivo. Um corpo minúsculo atrelado a tubos plásticos. O som dos monitores, medindo os minutos de sua limitada vidinha. Ozren havia-me dito que sua mulher morrera um ano atrás; portanto, Alia não devia ter mais de três anos. Era difícil saber. Seu corpo subdesenvolvido poderia ser o de uma criança mais nova, mas as expressões que lhe passavam pelo rosto pareciam registrar emoções de uma pessoa muito idosa. Ozren afastou os cabelos castanhos da pequena testa, sentou-se na cama, sussurrou algo em bósnio, e delicadamente endireitou aquelas pequenas mãos rígidas.

— Ozren — chamei, em voz baixa. — Você já pensou em obter uma segunda opinião? Eu poderia levar as chapas comigo e...

— Não — ele disse, interrompendo-me.

— Mas por que não? Os médicos são humanos, eles se enganam. — Eu tinha perdido a conta de quantas vezes minha mãe desconsiderava as opiniões de um colega supostamente renomado: "Aquele ali? Eu não o consultaria nem para tratar uma unha encravada!". Mas Ozren só balançou os ombros e não me respondeu.

— Você tem as imagens de ressonância magnética dele, ou pelos menos tomografia? A imagem por ressonância mostra muito mais, ela...

— Cale-se, Hanna, por favor. Eu disse que não.

— Engraçado — falei —, não consigo imaginar você acreditando nessas baboseiras, *insha'Allah*, mentalidade fatalista.

Ele saiu da cama, deu um passo em minha direção, segurou meu rosto entre as mãos e se aproximou tanto de mim, que seus traços de zanga pareciam até fora de foco.

— Você — ele disse; e a voz mais parecia um sussurro contido. — Você é que é consumida por baboseiras.

Aquela súbita ferocidade me assustou. Eu me afastei.

— Você — ele prosseguiu, agarrando meu punho. — Todos vocês, do mundo seguro, com seus *air bags*, e suas embalagens hermeticamente fechadas e suas dietas livres de gordura. Vocês é que são os supersticiosos. Vocês se convencem de que podem tapear a morte, e se sentem absolutamente ofendidos quando descobrem que não podem. Vocês ficam sentados em seus apartamentos confortáveis e assistem à guerra, e nos vêem sangrando, pela televisão. E pensam: "Que horror!", e depois se levantam e tomam outra xícara de café expresso.

Estremeci quando ele disse aquilo. Era uma descrição corretíssima. Mas ainda não havia acabado. Ele estava tão zangado que chegava até a cuspir.

— Coisas ruins acontecem. Algumas coisas muito ruins aconteceram comigo. E eu não sou diferente de mil outros pais nesta cidade cujos filhos sofrem. Eu convivo com isso. Nem toda história tem um final feliz. *Cresça*, Hanna, e aceite isso.

Ele largou meu punho com rispidez. Eu estava tremendo. Queria ir embora, sair de lá. Ozren se virou novamente para Alia e se sentou na cama mais uma vez, sem olhar mais para mim. Eu forcei o caminho, passando por ele, até a porta, e vi que ele tinha nas mãos um livro infantil, escrito na língua bósnia. Pelas ilustrações conhecidas, percebi que era uma tradução do Ursinho Puff. Ele pôs o livro sobre a cama e esfregou as palmas das mãos no rosto. Olhou para mim, sem expressão.

— Eu leio para ele. Todo dia. Não é possível uma criança passar a infância sem essas historinhas.

Ele abriu o livro na página onde havia um marcador. Eu já estava com a mão na porta, mas o som de sua voz me segurou. De vez em quando, ele olhava para Alia e falava com ele. Talvez estivesse explicando o significado de uma palavra difícil, ou partilhando com ele a sutileza do humor inglês de Milne. Jamais vira tamanha ternura entre um pai e seu filho.

E sabia que não agüentaria ver, novamente. À noite, depois do trabalho, Ozren começou a pedir desculpas por sua aspereza. Eu não tinha certeza se seria um prelúdio de outro convite para passarmos a noite juntos, mas não o deixei chegar a esse ponto. Inventei uma desculpa frouxa para ter de voltar ao meu hotel. Fiz o mesmo na noite seguinte. E, na terceira noite, ele parou de convidar. De qualquer forma, já era o momento de eu ir embora.

Certa vez, um botânico muito bonito e muito magoado me disse que a minha atitude em relação ao sexo era parecida com algo que ele tinha lido num livro-texto de sociologia a respeito da década de 1960. Ele disse que eu agia como o macho pré-feminista descrito no livro, que arrumava parceiros para uma aventura sexual e depois os descartava se houvesse risco de algum envolvimento emocional. Segundo sua hipótese, como eu não tinha pai e como minha mãe era emocionalmente ausente, nunca tivera um modelo saudável, acolhedor, de um relacionamento de reciprocidade em minha vida.

Eu lhe disse que, se quisesse ouvir tagarelice psicológica, procuraria um psiquiatra barato em Medibank. Não sou adepta do sexo casual. Longe disso. Na verdade, sou muito exigente quanto ao sexo. Prefiro poucos parceiros com qualidade às massas medíocres. Mas não sou boa para tratar as obsessões dos outros, e, se eu quisesse um parceiro, mais como sócio, procuraria um escritório de advocacia. Se eu escolho ficar com alguém, tem que ser leve e divertido. Não me dá o menor prazer ferir os sentimentos das pessoas, principalmente os casos trágicos como Ozren, que certamente é um ser humano espetacular, corajoso, inteligente e tudo o mais. Até boa aparência ele tem, se você ignorar o desleixo. Eu me senti mal em relação ao botânico também. Mas ele já estava começando a falar de andar no mato levando as crianças nas costas. Não podia ficar com ele. Não tinha nem 25 anos ainda. Filhos são definitivamente um luxo para a meia-idade, em minha opinião.

Quanto à minha assim chamada família disfuncional, é verdade que eu herdei uma crença básica, para ficar alerta: Não confie em ninguém para sustento emocional. Encontre alguma coisa para fazer que a absorva — que a absorva a ponto de você não ter tempo para entrar no esquema de "Oh, pobre de mim". Minha mãe ama o trabalho dela, e eu amo o meu. Portanto, o fato de nós não amarmos uma à outra... bem, eu quase nunca penso nisso.

Quando Ozren acabou seu trabalho com os selos e cordões, eu desci a escada do banco ao lado dele pela última vez. Se eu voltasse a Sarajevo para a inauguração, o livro estaria onde devia estar, em seu novo e moderno espaço de exibição devidamente protegido, no museu. Esperei até Ozren colocar o livro no cofre, mas, quando ele voltou, estava conversando em bósnio com os guardas, e não se virou.

O guarda destrancou a porta para ele.

— Boa noite — eu disse. — Adeus. Obrigada.

Ele estava com a mão no trinco da porta prateada e decorada. Olhou para trás, para mim, e assentiu com a cabeça, friamente. Em seguida, abriu a porta e saiu, na escuridão. Subi a escada novamente, sozinha, para guardar minhas ferramentas.

Eu tinha meus envelopes de glassine com o pedacinho da asa de um inseto e o fio de cabelo branco da encadernação, e amostras minúsculas, nenhuma maior que o ponto final de uma frase, que eu havia apanhado com a ponta do bisturi das páginas manchadas. Coloquei com cuidado esses objetos em minha pasta de documentos. Em seguida, folheei o livro para me certificar de que não tinha esquecido nada. Reli rapidamente minhas anotações feitas no primeiro dia, quando desmontei a encadernação. Vi o memorando que havia escrito sobre os canais nas bordas e a minha dúvida quanto aos fechos desaparecidos.

Para ir de Sarajevo a Londres, era preciso trocar de avião em Viena. Eu planejava usar essa escala necessária para fazer duas coisas. Havia uma conhecida minha lá, uma entomologista que foi pesquisadora e curadora no Museu de História Natural. Ela poderia me ajudar a identificar o fragmento de inseto. Além dela, eu queria visitar meu velho professor, Werner Heinrich. Ele era um homem muito querido, gentil e cortês, o tipo de avô que eu nunca tive. Tinha certeza que ele gostaria de saber de meu trabalho com a Hagadá, e queria alguns de seus conselhos. Talvez sua influência me permitisse burlar as formalidades vienenses no museu onde a encadernação fora feita em 1894. Se ele conseguisse me providenciar o acesso aos arquivos, quem sabe eu pudesse encontrar alguns registros antigos sobre as condições do livro quando ele chegou ao museu. Guardei o caderno com anotações em minha pasta. Por último, coloquei o envelope grande do hospital.

Eu havia forjado o pedido em nome de minha mãe, usando palavras ambíguas: "... solicitando uma consulta a pedido de um colega do Dr. Karaman no caso de seu filho...." O nome dela era conhecido. Ela é co-autora de um texto sobre aneurismas que se tornou a referência-padrão na área. Não que eu tivesse o hábito de lhe pedir favores. Mas ela tinha me dito que estava indo a Boston para fazer uma apresentação no encontro anual dos neurocirurgiões americanos, e eu tinha um cliente em Boston, um biliardário e importante colecionador de manuscritos, que estava me procurando para avaliar um códice que ele pensava em comprar de uma biblioteca em Houghton que estava promovendo uma venda especial.

Os australianos, de modo geral, são muito casuais com viagens. Quando você tem que viajar da Austrália, precisa tolerar vôos longos — quinze horas, vinte e quatro horas. Estamos acostumados a isso. Para nós, oito horas sobre o Atlântico parece coisa de criança. Ele se ofereceu para pagar uma passagem de primeira classe, e eu não costumo me sentar na parte pontuda do avião. Achei que poderia encaixar minha avaliação do códice, ganhar um bom cachê e voltar a Londres a tempo de fazer minha apresentação no Tate. Geralmente, bolava um itinerário de modo que minha mãe e eu não nos encontrássemos. Um breve telefonema: "Que pena!". "Pois é, você acredita nisso?". Uma mais falsa que a outra. Na noite anterior, quando eu sugeri que realmente nos encontrássemos em Boston, houve um minuto de silêncio no telefone, o ruído da estática entre Sarajevo e Sydney. E então, em uma voz impassível: "Que bom. Tentarei ver um horário."

Eu não me perguntei exatamente por que estava me sujeitando àquilo. Por que estava me intrometendo, invadindo a privacidade de um homem, frustrando seu desejo, que não podia ter sido exprimido de modo mais claro. Suponho que o motivo seria que se uma pergunta tem uma resposta, eu não suporto não sabê-la. Nesse sentido, as imagens tiradas do cérebro de Alia eram como pedaços de fibra em meus envelopes de glassine, mensagens em um código que os olhos dos especialistas talvez pudessem interpretar, para mim.

V

VIENA PARECIA ESTAR se dando muito bem após a queda do comunismo. Toda a cidade estava recebendo uma cara nova, como uma matrona rica passando por uma cirurgia plástica. Quando meu táxi se misturou ao trânsito da Ringstrasse, comecei a ver guindastes de construção em todo lugar, curvando-se sobre o bolo de casamento que era a linha do horizonte da cidade. Os frisos de Hofburg recém-folheados a ouro reluziam, jatos de areia tinham removido a crosta de fuligem de dezenas de fachadas neo-renascentistas, revelando a calorosa pedra cor de creme, que permanecia obscurecida após séculos de sujeira acumulada. Os capitalistas ocidentais evidentemente queriam escritórios elegantes para seus novos negócios com países vizinhos como a Hungria e a República Checa. E agora eles tinham mão-de-obra barata para fazer o trabalho.

Quando estive em Viena no começo da década de 1980, com uma bolsa de estudos, a cidade era um lugar cinzento, obscuro. Todos os prédios eram imundos, embora eu não percebesse isso na época. Achava que a intenção era que todos fossem pretos. Achava a cidade um local deprimente e um pouco assustador. A posição de Viena, equilibrando-se na borda extrema da Europa Ocidental, fizera dela um posto de escuta na Guerra Fria. As matronas gorduchas e os cavalheiros formalmente vestidos, com sua solidez burguesa, existiam em uma atmosfera que sempre parecia um pouco agitada, um pouco carregada, como fica o ar depois do relâmpago. Mas eu gostava das Kaffehäuser* douradas e em estilo rococó e da música que se ouvia por toda parte — pulso e coração da cidade. Havia uma piada ali: qualquer pessoa

---

* Em inglês, *coffee shops*, ou cafeterias. (N. do T.)

em Viena que não carregasse um instrumento musical era ou pianista, ou harpista ou espião estrangeiro.

A cidade não era vista como a capital da ciência; entretanto, ela tinha sua quota de empresas de alta tecnologia e laboratórios inovadores. Minha velha colega, Amalie Sutter, a entomologista, era chefe de um deles. Eu conheci Amalie anos antes, quando ela estava se preparando para o pós-doutorado e morava o mais longe possível dos cafés rococós dourados. Deparei com ela na lateral de uma montanha na remota região de Queensland. Ela vivia em um tanque de ferro corrugado, virado de cabeça para baixo. Eu estava sempre com a mochila nas costas. Abandonei uma caríssima escola para meninas elitistas, aos dezesseis anos, na primeira oportunidade em que pude fazê-lo.

Tinha tentado fazer que me expulsassem antes, mas eles tinham medo de minha mãe, por piores que fossem meus ultrajes contra o decoro. Saí de meu lar palaciano e me juntei ao bando errante — os saudáveis garotos e garotas da Escandinávia em férias do trabalho, os surfistas amadores e os drogados esqueléticos —, me deslocando para a baía de Byron e prosseguindo litoral acima, passando por Cairns, Cooktown, até a estrada acabar.

Viajei pelo tempo de tirar quase duas mil fotos, para me afastar de minha mãe, e acabei encontrando alguém que era, em certos aspectos, exatamente como ela. Ou como ela seria em um universo paralelo. Amalie era minha mãe, sem as pretensões sociais e a ambição material. Mas era igualmente motivada por sua ocupação — estudar como uma determinada espécie de borboleta dependia das formigas para manter protegidas suas crisálidas contra os predadores. Ela me deixou ficar em seu tanque de água e me ensinou tudo sobre os sanitários compostáveis (fossas secas) e banhos solares. Embora não percebesse na época, penso agora que aquelas semanas na montanha, vendo-a examinar o mundo com uma atenção tão devota, tão entusiasmada, e o modo como se esfolava pela chance de descobrir algo novo sobre como o mundo funcionava foi o que me levou a dar meia-volta e regressar a Sydney, para começar minha verdadeira vida.

Anos depois, quando voltei a Viena e me tornei aprendiz de Werner Heinrich, encontrei-a de novo. Werner havia me pedido que investigasse o DNA de um piolho de livro que ele tinha extraído de uma encadernação, e alguém havia dito que o laboratório de DNA no Museu de História Natural era o melhor na cidade. Achei isso estranho na época. O museu era um fantástico antiquário, cheio de animais empalhados comidos pelas traças e coleções de rochas de cavalheiros do século XIX. Eu adorava passear lá porque nunca sabia o que poderia encontrar. Era como um armário de curiosidades. Havia um rumor, embora eu nunca o tenha verificado, de que eles tinham inclusive a cabeça decepada de um vizir turco, que perdera o cerco de Viena em 1623. Supostamente, era guardada no porão.

Mas o laboratório de Amalie Sutter era uma instalação de primeira linha para a pesquisa de biologia evolucionária. Lembrei-me das estranhas direções para chegar à sala dela: tomar o elevador até o terceiro andar, seguir o esqueleto do diplódoco, e, quando chegar ao osso do maxilar, é a porta à esquerda. Um assistente me disse que ela estava na sala de coleções e me encaminhou até lá, pelo corredor. Eu abri a porta e logo senti um odor pungente de naftalina. Lá estava Amalie, quase igual a quando eu a vira da última vez, debruçada sobre uma gaveta cheia de pó azul-prateado.

Ela gostou de me ver, mas gostou mais ainda de meu espécime.

— Achei que você ia me trazer outro piolho de livro. — Da outra vez, ela tivera de moê-lo para extrair o DNA, ampliá-lo, e esperar dias para fazer a análise. — Mas isto — ela disse, segurando o envelope com cuidado —, se não estou enganada, vai ser muito mais fácil. Acho que o que você tem aqui é uma velha amiga minha.

— Uma mariposa?

— Não, não uma mariposa.

— Não pode ser parte de uma *borboleta*! — Pedaços de borboleta não costumam ir parar em livros. De mariposas, sim; porque elas voam para dentro de casa, onde há livros. Mas as borboletas são criaturas do ar livre.

— Acho que pode ser. — Ela ficou de pé, e fechou o armário de coleções. Voltamos ao seu escritório, onde ela vasculhou as estantes do chão até o teto, e então puxou um volume enorme sobre venação de asas. Em seguida, empurrou uma porta alta, que, ao se abrir, revelava uma foto em tamanho real dela mesma ainda como universitária, na floresta tropical da Malásia, brandindo uma rede de quatro metros para caçar borboletas. Incrível como tinha envelhecido pouco, desde então. Creio que o entusiasmo por seu trabalho funcionava como uma espécie de elixir. Do outro lado da porta, havia um laboratório iluminado, com pós-doutorados manuseando pipetas e examinando gráficos de DNA em monitores de computador. Delicadamente, ela pegou meu minúsculo pedaço de asa e o levou até uma lâmina, colocando-o sob um potente microscópio.

— Olá, querida — ela disse. — É você. — Amalie olhou para mim, radiante. Nem ao menos tinha olhado nos diagramas de venação. — *Parnassius mnemosyne leonhardiana*. Comum em toda a Europa.

Droga. Senti um peso no coração, e meu rosto deve ter demonstrado isso. Nenhuma informação nova.

— Não ajudou muito? — Amalie perguntou, sorrindo. Fez um sinal para que eu a acompanhasse pelo corredor até a sala cheia de armários de coleções. Parou na frente de uma delas e abriu uma porta de metal, que se moveu ruidosamente. Puxou uma gaveta de madeira. Fileiras de borboletas *Parnassius* pairavam em posição estática, perenemente flutuando acima de seus nomes escritos com todo o cuidado.

As borboletas eram adoráveis, de uma maneira sutil, discreta. Tinham asas frontais de um branco-creme, salpicadas de pontinhos pretos. As asas traseiras eram quase translúcidas, como contas de vidro, divididas em seções pelo traçado distinto de veias pretas.

— Não são as mais vistosas borboletas do mundo — disse Amalie. — Mas os colecionadores as amam. Talvez porque seja preciso escalar uma montanha para pegar uma. — Ela fechou a gaveta e se virou para mim. — Comum em toda a Europa, sim. Mas confinadas às regiões alpinas, geralmente num perímetro de mil metros. As lagartas das borboletas se alimentam apenas de uma variedade alpina de uma flor chamada delfim, em ambientes íngremes e pedregosos. O seu manuscrito, minha cara Hanna. Será que ele esteve nos Alpes?

A asa de um inseto

Sarajevo, 1940

Aí está a tumba. Fiquem, por um instante,
enquanto a floresta escuta.
Tirem os quepes! Aqui repousa a flor
de um povo que sabe morrer.

— inscrição em Memorial à
Segunda Guerra Mundial, Bósnia

O VENTO SOPRAVA SOBRE o rio Miljacka, cortante como um tapa no rosto. O casaco fino de Lola não oferecia proteção alguma. Ela corria pela ponte estreita, com as mãos enfiadas nos bolsos. Do outro lado do rio, erguiam-se abruptamente degraus toscos esculpidos em pedra que iam dar em um emaranhado de vielas estreitas, ladeadas por prédios residenciais mal conservados. Lola galgou os degraus, dois a cada passo, e virou na segunda viela, finalmente encontrando proteção das fortes lufadas de vento.

Ainda não era meia-noite; por isso a porta de entrada do prédio não estava trancada. Lá dentro estava muito mais confortável que no frio da rua. Ela parou por um momento, para recuperar o fôlego. O saguão estava impregnado com o cheiro de repolho cozido e urina de gato. Lola subiu devagar a escada e girou cuidadosamente o trinco do apartamento de sua família. Embora sua mão direita se estendesse instintivamente para tocar o Mesusá na soleira da porta antes de entrar, ela não saberia dizer por que fazia isso. Tirou o casaco, desamarrou os sapatos e os levou para dentro na mão, andando nas pontas dos pés enquanto passava pelas formas adormecidas de sua mãe e seu pai. O apartamento era de um cômodo, tendo como única privacidade uma cortina divisória.

Sua irmãzinha era apenas uma saliência por baixo da colcha. Lola levantou a coberta e deslizou para o lado da irmã. Dora estava enrolada como um animal pequeno, irradiando um bem-vindo calor. Lola se aproveitou do calor das costas da irmã, que reclamou em meio ao sono, emitindo um baixo resmungo choroso e se afastando. Ela colocou as mãos geladas debaixo das próprias axilas. Apesar do frio, seu rosto ainda estava quente, e a testa ainda suada de tanto dançar; se seu pai acordasse, poderia notar.

Lola adorava dançar. Era a única coisa que a atraía para os encontros dos Jovens Guardiões. Ela gostava de caminhadas, também; as longas e duras caminhadas nas montanhas até um lago suspenso ou às ruínas de uma antiga fortaleza. Quanto ao restante, ela não ligava muito. Achava enfadonhas as infindáveis discussões políticas. E hebraico — não gostava de ler nem na própria língua, muito menos se esforçar para decodificar os estranhos rabiscos pretos que Mordechai estava sempre tentando lhe ensinar.

Ela pensava no braço dele sobre seus ombros, no círculo. Ainda sentia o peso agradável do corpo dele, musculoso pelo trabalho na fazenda. Quando ele arregaçou as mangas, revelou antebraços bronzeados e duros como avelãs. Embora ela não soubesse os passos, era fácil seguir a dança com ele ao seu lado, encorajando-a com um sorriso. Uma nativa de Sarajevo — mesmo pobre como Lola — jamais olharia duas vezes para um camponês bósnio. Ainda que o fazendeiro estivesse muito bem de vida, um morador da cidade se sentia superior a ele. Mas, com Mordechai, a situação era totalmente diferente. Ele crescera em Travnik, que, embora não fosse como Sarajevo, era uma cidade boa também. Ele era uma pessoa estudada; freqüentara o ginásio. Dois anos antes, porém, com dezessete anos de idade, partira de barco para a Palestina, para trabalhar em uma fazenda. E, pela descrição dele, não era uma fazenda nada próspera; um pedaço de terra estéril, seco, onde as pessoas quebravam as costas para cultivar qualquer coisa. E sem lucros, apenas a comida na boca e as roupas de trabalho. Pior que um camponês, na verdade. Entretanto, quando ele falava disso, era como se não houvesse no mundo profissão mais fascinante ou nobre que cavar valas para irrigação e colher tâmaras.

Lola adorava ouvir Mordechai quando ele falava de todas as coisas práticas que um pioneiro tinha que saber, por exemplo, tratar uma picada de escorpião ou estancar o sangue de um corte feio; como fazer uma latrina sanitária ou improvisar um abrigo. Lola sabia que jamais sairia de casa para ser uma pioneira na Palestina, mas gostava de pensar no tipo de vida aventurosa que exigia essas técnicas. E gostava de pensar em Mordechai. O jeito que ele falava fazia-a se lembrar das antigas canções ladinas que seu avô cantava para ela quando era garotinha. Ele tinha uma barraca de sementes em uma feira pública, e a mãe de Lola às vezes a deixava lá enquanto ia trabalhar. Seu avô sempre tinha um grande repertório de histórias de cavaleiros e fidalgos, e poemas de um lugar mágico chamado Sepharad, onde, ele dizia, seus ancestrais tinham vivido muito tempo atrás. Mordechai falava de sua nova terra como se fosse Sepharad. Ele dizia ao grupo que mal podia esperar para voltar àquele lugar, a Eretz Israel.

— Tenho inveja de cada nascer do sol em que eu não estou lá para ver as pedras brancas do vale do Jordão virarem ouro.

Lola não falava durante as discussões em grupo. Ela se sentia ignorante, em comparação com os outros. Muitos deles eram Svabo Jijos, judeus que falavam iídiche, que tinham vindo para a cidade após a ocupação austríaca, no fim do século XIX. Famílias que falavam a língua ladina, como a de Lola, habitavam a cidade desde 1565, quando Sarajevo fazia parte do império otomano, e o sultão muçulmano lhes oferecia refúgio da perseguição cristã. Os que vieram eram, na maioria, indivíduos errantes desde a expulsão da Espanha em 1492, incapazes de encontrar um lar permanente. Em Sarajevo, encontraram paz e aceitação, mas apenas algumas poucas famílias prosperaram. A maioria continuou na atividade de pequeno mercador, como seu avô, ou os artesãos com habilidades simples. Os Svabo Jijos eram mais educados, mais europeus em sua aparência. Não tardou até conseguirem empregos melhores e se mesclarem com as altas camadas da sociedade de Sarajevo. Seus filhos freqüentavam o ginásio e às vezes entravam para a universidade. Nos Jovens Guardiões, eles eram os líderes natos.

Uma era filha de um conselheiro da cidade; um era o filho do farmacêutico, um viúvo, para quem a mãe de Lola lavava roupa. O pai de outra garota era guarda-livros no ministério das finanças, onde o pai de Lola trabalhava como zelador. Mas Mordechai tratava todos como iguais, de modo que aos poucos eles tinham coragem de fazer perguntas.

— Mas, Mordechai — ela havia perguntado —, você não se sente feliz por estar de volta ao seu país, falando a sua língua, não tendo que trabalhar tanto?

Mordechai se voltou para ela com um sorriso.

— Meu lar não é aqui — ele disse, com delicadeza. — Nem o seu. O único verdadeiro lar para os judeus é Eretz Israel. E é por isso que estou aqui, para lhe falar da vida que você poderia ter, para prepará-la e levá-la comigo, para construirmos nossa terra natal judaica.

Ele levantou os braços, como que para incluí-la em um abraço comunal.

— Se você desejar, mesmo, não é um sonho. — Fez uma pausa, deixando as palavras pairando no ar. — Um grande homem disse isso uma vez, e eu acredito. E você, Lola, vai fazer seus sonhos se tornarem realidade? — Ela corou, não acostumada a receber atenção; e Mordechai sorriu, benevolente. E, então, estendeu as mãos para incluir o grupo todo. — Mas pensem nisso. O que vocês desejam? Fazer a dança do pombo, rastejando para pegar as migalhas dos outros, ou querem ser gaviões do deserto, e voar alto, para o seu destino?

Isak, o filho do farmacêutico, era um garoto estudioso, magérrimo, com braços e pernas finos como lápis. A mãe de Lola vivia dizendo que, apesar de toda a sua cultura, o farmacêutico não tinha a mínima idéia de como alimentar direito uma criança em fase de crescimento. Mas, de todos os jovens na sala, Isak era o único que se mexia impacientemente durante a preleção retórica de Mordechai. Mordechai observou isso e dirigiu toda a força de seu entusiasmo para ele.

— O que foi, Isak? Tem alguma coisa que gostaria de partilhar conosco?

Isak empurrou para trás seus óculos de armadura fina, e disse:

— O que você diz pode ser verdade para os judeus na Alemanha. Todos nós ouvimos notícias preocupantes de lá. Mas, aqui, não. O anti-semitismo nunca fez parte de nossa vida, em Sarajevo. Veja onde está a sinagoga: entre a mesquita e a igreja ortodoxa. Desculpe, mas a Palestina é o lar dos árabes, não o seu. E, com certeza, não o meu. Nós somos europeus. Por que daríamos as costas a um país que nos ofereceu prosperidade e educação, e nos tornaríamos camponeses em meio a um povo que não nos quer?

— Então, você se contenta em ser um pombo? — Mordechai perguntou, sorrindo, mas sua intenção de diminuir Isak era clara, mesmo para Lola.

Isak beliscou o osso do nariz e coçou a cabeça.

— Talvez — disse. — Mas pelo menos o pombo não faz mal a ninguém. O gavião vive à custa de outras criaturas que habitam o deserto.

Lola tinha ouvido os dois discutirem, até sentir dor de cabeça. Ela não tinha idéia de quem estava certo. Virou-se sobre o colchão fino e tentou aquietar a mente. Precisava dormir; do contrário, ficaria sonolenta durante as tarefas no dia seguinte, e seu pai quereria saber por quê. Lola trabalhava na lavanderia com a mãe, Rashela. Ficava cansada da tarefa de andar pelas ruas entregando roupa limpa e engomada e pegando roupas sujas. O vapor quente, úmido, a deixava com sono, quando ela deveria cuidar do cobre. Sua mãe às vezes a encontrava encolhida num canto, enquanto a água esfriava e uma escória gordurosa se formava na superfície.

Lujo, o pai, não era um homem agressivo, mas era rigoroso e prático. A princípio, ele tinha permitido a Lola ir aos encontros dos Jovens Guardiões, Hashomer Haza'ir em hebraico, depois que terminasse o trabalho. Seu amigo, Mosa, o custódio do centro da comunidade judaica, havia falado bem do grupo, dizendo que era uma saudável e inofensiva organização de jovens, assim como os escoteiros dos gentios. Mas Lola tinha caído no sono e deixado o fogo que aquecia o cobre apagar. Sua mãe a repreendeu, e o pai perguntou por quê. Quando soube que era por causa da dança, a *hora*, que meninos e meninas faziam juntos, ele proibiu Lola de freqüentar outras reuniões. "Você só tem quinze anos, filha. Quando for um pouco mais velha, nós lhe arrumaremos um noivo para ser seu parceiro, e aí você poderá dançar."

Ela implorou para que ele reconsiderasse, dizendo que ficaria sentada durante a dança.

— Há coisas lá que eu posso aprender — disse.

— Coisas! — repetiu Lujo, em tom de desprezo. — Coisas que a ajudarão a ganhar o pão para a sua família? Não? Achei que não, mesmo. Idéias loucas. Idéias comunistas, pelo que eu sei. Idéias que são proibidas em nosso país, e que vão colocá-la numa encrenca da qual você não precisa. E uma língua morta que ninguém fala, exceto alguns velhos na sinagoga. Realmente, eu não sei o que passou pela cabeça de Mosa. Vou zelar pela sua honra, mesmo que os outros se esqueçam do valor de tal coisa. Com a caminhada, aos domingos, eu não me importo, se sua mãe não tiver tarefas para você. Mas de agora em diante você vai passar as noites em casa.

Desde aquele dia, Lola começara a viver uma exaustiva vida dupla. O Hashomer se reunia duas noites por semana. Nessas noites, ela ia para a cama cedo, com sua irmãzinha. Às vezes, depois de ter trabalhado muito, precisava de uma tremenda força de vontade para permanecer acordada, ouvindo a respiração suave, regular do corpinho de Dora ao seu lado. Mas geralmente a expectativa facilitava-lhe manter-se acordada, fingindo dormir, até perceber, pelo ronco dos pais, que já podia sair. Esgueirava-se furtivamente, vestindo as roupas no corredor e torcendo para que nenhum vizinho abrisse a porta e a visse.

Na noite em que Mordechai disse ao grupo que ia embora, Lola, a princípio, não entendeu.

— Vou para casa — ele disse.

Lola achou que ele estava falando de Travnik. Finalmente, porém, compreendeu que ele ia embarcar num trem de carga para a Palestina, e que ela nunca mais o veria. Ele convidou a todos que fossem se despedir dele na estação, no dia da partida. Em seguida, anunciou que Avram, um aprendiz de gráfico, decidira ir com ele.

— Ele é o primeiro. Espero que muitos de vocês venham em seguida. — Ele olhou para Lola, e ela teve a impressão que o rapaz não ia desviar o olhar. — Quando vierem, nós estaremos lá, para lhes dar as boas-vindas.

No dia em que Mordechai e Avram iam partir, Lola queria ir à estação de trem, mas sua mãe tinha uma pilha imensa de roupas para lavar e engomar. Rashela pelejava com o ferro pesado enquanto Lola assumia seu lugar costumeiro com o cobre e o rolo. Na hora em que o trem ia partir para o litoral, Lola olhou para as paredes cinza da lavanderia, observando o vapor condensar e escorrer pela pedra fria. O cheiro de mofo lhe enchia as narinas. Ela tentou imaginar os fortes e brancos raios de sol que Mordechai descrevera, tingindo de dourado as oliveiras, e o aroma dos brotos de laranja nascendo nos jardins circundados por muros de pedra, em Jerusalém.

O líder que assumiu o lugar de Mordechai, um jovem chamado Samuel, de Novi Sad, era um competente e habilidoso professor de atividades ao ar livre, mas não possuía aquele carisma que deixava

Lola acordada durante as reuniões. Agora, mais do que nunca, ela adormecia enquanto esperava seus exaustos pais dormirem. Ela acordava com o chamado à oração da madrugada pelo *khoja*, convidando seus vizinhos muçulmanos à devoção. Percebia então que havia perdido uma reunião e se sentia apenas levemente arrependida.

Outros garotos e garotas seguiram Avram e Mordechai à Palestina, sempre com a despedida dos outros na estação de trem. De vez em quando, escreviam para o grupo. Seus relatos eram sempre parecidos; o trabalho era duro, mas a terra valia o esforço, e o que mais importava era você ser um judeu construindo uma terra judaica. Lola às vezes achava o tom das cartas estranho. Com certeza, algum deles deveria sentir falta de casa! Com certeza, nem todos deviam se dar bem com aquele tipo de vida! Mas parecia que aqueles que partiam se tornavam uma única pessoa, falando com a mesma voz monótona.

O ritmo das partidas foi aumentando à medida que as notícias da Alemanha pioravam. A anexação da Áustria deixava o Reich bem próximo das fronteiras. Mas a vida no centro comunitário prosseguia, como de costume, os velhos se encontrando para tomar café e conversar, os religiosos para o Oneg Shabbat, nas noites de sexta-feira. Não havia o senso de perigo, mesmo quando o governo fechou os olhos para as gangues fascistas que começavam a rondar as ruas, molestando todos que eles sabiam ser judeus, e entrando em luta física com os ciganos. "São só uns arruaceiros tolos", Lujo dizia, dando de ombros. "Toda comunidade tem arruaceiros, mesmo a nossa. Isso não significa nada."

Às vezes, quando Lola estava pegando roupas sujas de um apartamento na parte afluente da cidade, ela via Isak, sempre carregando nos ombros uma pesada mochila com livros. Ele estava na universidade agora, estudando química, como fizera seu pai. Lola queria lhe perguntar o que ele achava dos arruaceiros, e se estava preocupado com a ocupação da França. Mas ela tinha vergonha, por causa do cesto de roupa malcheirosa que carregava. E não tinha certeza se sabia o suficiente para fazer perguntas de uma maneira que não parecesse tola.

Quando Stela Kamal ouviu a suave batida na porta de seu apartamento, levou as mãos até o alto da cabeça e puxou o véu de renda, antes de abrir. Estava em Sarajevo havia mais de um ano, mais ainda seguia os costumes conservadores de Prístina, onde nenhuma família muçulmana tradicional permitia que suas mulheres mostrassem o rosto a um homem estranho.

Àquela tarde, porém, a visita não era de um homem, e sim apenas da lavadeira que seu marido havia arrumado. Stela tinha pena da menina. Ela carregava nas costas um cesto de vime cheio de roupas passadas. Sobre os ombros se apoiavam sacos de morim, cheios de roupas sujas. A jovem parecia cansada e com frio. Stela lhe ofereceu uma bebida quente.

A princípio, Lola não entendeu o sotaque albanês. Stela, então, tirou o fino tecido rendado que lhe cobria o rosto e repetiu a oferta, fazendo o gesto de despejar café de um *džezva*. Estava muito frio lá fora, e ela tinha andado quilômetros. Stela a convidou para entrar e foi até o *mangala*, onde as brasas ainda estavam quentes. Ela jogou o café no *džezva* e deixou ferver uma, duas vezes.

Lola sentiu água na boca com o delicioso aroma. Olhou ao redor. Ela nunca tinha visto tantos livros. As paredes do apartamento estavam forradas deles. Não era um apartamento grande, mas tudo nele tinha uma certa graça, como se sempre estivesse lá. Mesas de madeira baixas, incrustadas com madrepérola em estilo turco, sobre as quais se encontravam ainda mais livros abertos. Selins em cores neutras acentuavam o piso encerado, brilhante. O *mangala* era muito velho, com o cobre lustrado, e a tampa hemisférica decorada com luas crescentes e estrelas.

Stela se virou e deu a Lola um delicado *fildžan* de porcelana, também decorado com lua crescente e estrelas, no fundo da xícara. Ela ergueu o *džezva* e deixou escorrer longamente o café. Lola segurou com todos dedos a xícara sem asa e sentiu o calor fragrante acariciar-lhe o rosto. Enquanto bebia o café forte, olhou por cima da beira da xícara, para a jovem mulher muçulmana. Mesmo em casa, Stela deixava os cabelos amarrados, puxados para trás e presos, por baixo de uma seda branca imaculada, seu véu de seda elegantemente dobrado por cima, mas pronto para ser puxado de novo, se a modéstia assim o exigisse. A jovem era muito bonita, com seus olhos escuros e pele cor de creme. Logo notou, surpresa, que as duas deviam ter mais ou menos a mesma idade. Ela sentia uma ponta de inveja. As mãos de Stela, segurando o *džezva*, eram macias e pálidas, não vermelhas e ásperas como as de Lola. Como devia ser bom ter uma vida tão tranqüila, em um apartamento tão bom, com outra pessoa para fazer as tarefas deploráveis.

Lola viu, em seguida, uma fotografia emoldurada em prata da jovem mulher talvez no dia de seu casamento, embora sua expressão não demonstrasse alegria alguma. O homem ao seu lado era alto e distinto, usando um fez e uma túnica escura longa. Mas ele parecia ter o dobro da idade dela. Um casamento arrumado, provavelmente. Lola tinha ouvido dizer que a tradição albanesa exigia que a noiva permanecesse absolutamente quieta, do amanhecer até o escurecer, no dia de seu casamento, proibida de participar da celebração. Um mero sorriso era considerado imodesto e repreensível. Lola, acostumada a festejar com muita alegria até nos casamentos dos judeus mais conservadores, não podia sequer imaginar uma coisa dessas. Gostaria de saber se era verdade, ou apenas um dos boatos que as diferentes comunidades criavam uma da outra. Olhando para a fotografia, não sentiu mais inveja. Ela, pelo menos, se casaria com alguém jovem e forte. Como Mordechai.

Stela viu Lola examinando a foto.

— É meu marido, Serif efêndi Kamal — ela disse. Estava sorrindo agora, e ligeiramente corada. — Você o conhece? Parece que a maioria das pessoas em Sarajevo conhece. — Lola balançou a cabeça. Não havia o menor ponto de intersecção entre sua família pobre, inculta, e os Kamal, um grande e influente clã de álimes, ou intelectuais, muçulmanos. Os Kamal tinham dado à Bósnia muitos muftis, o mais alto posto religioso em uma província.

Serif Kamal estudara teologia na universidade em Istambul e línguas orientais em Sorbonne, Paris. Tinha sido professor e oficial superior no ministério de questões religiosas antes de se tornar bibliotecário-chefe no Museu Nacional. Falava dez línguas e tinha escrito livros acadêmicos de história e arquitetura, embora sua especialidade fosse o estudo de manuscritos antigos. Sua paixão intelectual era a literatura que se desenvolveu no cruzamento cultural de Sarajevo: poesia lírica escrita por eslavos muçulmanos na língua árabe clássica, seguindo, no entanto, sonetos petrarquianos que entraram no continente provindos da corte de Diocleciano na costa da Dalmácia.

Serif tinha postergado o casamento até completar seus estudos, mas acabara se casando, finalmente, apenas para calar aqueles em seu círculo que o pressionavam para isso. Ele costumava ir à casa do pai de Stela, que lhe ensinava a língua da Albânia. Seu velho professor começara a cutucá-lo por sua já prolongada vida de solteiro. Impertinente, Serif disse que só se casaria se seu professor e amigo lhe desse uma de suas filhas. Quando Serif menos esperava, já tinha uma noiva. Mais de um ano depois, ele ainda se surpreendia com a felicidade de ter aquela presença jovem e doce em sua vida. Principalmente, após ela lhe ter contado que estava grávida.

Stela tinha dobrado com esmero os lençóis e as roupas sujas. Entregou-os a Lola, quase com desconfiança. Ela sempre lavara a própria roupa. Era algo que se esperava dela. Mas, com o bebê chegando, Serif tinha insistido em diminuir as tarefas domésticas da esposa.

Lola apanhou o cesto, agradeceu a Stela pelo café, e seguiu seu caminho.

Em uma manhã de abril, quando a neve recém-derretida liberava os primeiros perfumes da grama das montanhas, a Luftwaffe mandou uma onda após outra de bombardeiros Stuka para atacar Belgrado. Exércitos das quatro nações hostis irrompiam fronteiras adentro. Em menos de duas semanas, a Iugoslávia se rendeu. Mesmo antes desse dia, a Alemanha já tinha declarado Sarajevo parte de um novo estado. "Essa terra agora é o Ustashe e o estado independente da Croácia", declarou o líder nomeado pelos nazistas. "Deve ser purificada dos sérvios e dos judeus. Não há espaço para eles aqui. Não sobrará pedra sobre pedra do que já pertenceu a eles."

No dia 16 de abril, as tropas alemãs entraram em Sarajevo, e nos dois dias seguintes dizimaram o setor judeu. Tudo que era de valor fora saqueado. Incêndios se alastravam, sem controle, nas velhas sinagogas.

As leis antijudaicas para a "proteção do sangue ariano e da honra do povo croata" fizeram com que Lujo, o pai de Lola, perdesse seu emprego no ministério das finanças. Ele foi forçado a entrar para uma brigada de trabalho com outros homens judeus, inclusive profissionais como o pai de Isak, o farmacêutico. Todos eram obrigados a usar uma estrela amarela. A irmãzinha de Lola, Dora, foi expulsa da escola. A família, sempre pobre, agora tinha que depender das poucas moedas que Lola e Rashela pudessem ganhar.

Stela Kamal estava preocupada. Seu marido, geralmente tão cortês, tão interessado na condição dela, mal havia trocado seis palavras com a mulher em dois dias. Ele voltara tarde do museu, mal tocara o jantar, e havia se fechado em seu escritório. Pela manhã, falara pouco durante o desjejum, saindo cedo. Quando Stela foi arrumar o escritório, viu a mesa do marido coberta de páginas, algumas cheias de correção, com muitas frases riscadas, outras amassadas e jogadas no chão.

Serif geralmente tinha um ritmo calmo de trabalho. Sua mesa estava sempre impecavelmente limpa e organizada. Quase se sentindo culpada, Stela desamassou uma das folhas jogadas no chão. "A Alemanha nazista é uma cleptocracia", estava escrito. Ela não conhecia a palavra. "Os museus têm o dever de resistir à pilhagem da herança cultural. As perdas na França e na Polônia poderiam ter sido impedidas se os diretores dos museus não tivessem oferecido sua habilidade e seus conhecimentos para facilitar os saques dos alemães. Em vez disso, para a nossa vergonha, nós nos tornamos uma das profissões mais nazificadas na Europa..." Não havia mais nada na folha. Ela pegou outra, que estava amassada. Esta trazia um cabeçalho sublinhado: O ANTI-SEMITISMO É INACEITÁVEL PARA OS MUÇULMANOS DA BÓSNIA E HERZEGÓVINA. A página parecia conter um artigo, ou alguma espécie de carta aberta, depreciando as novas leis antijudaicas. Havia muita coisa riscada, mas Stela conseguiu ler parte das frases: "... apenas como um pára-raios usado para desviar a atenção das pessoas de seus verdadeiros problemas. [...] Oferecer ajuda aos pobres da população judaica, cujo número é muito maior que o estimado...."

Stela amassou o papel e o jogou num cesto de lixo. Pressionou as juntas das mãos contra a nunca, que estava doendo um pouco. Ela nunca tinha duvidado que seu marido era o mais sábio dos homens. E não duvidava agora. Mas seu silêncio, aquelas folhas amassadas, as frases alarmantes... Pensou em falar com ele sobre tais coisas. O dia todo, ela ficou ensaiando o que poderia dizer. Mas, quando ele chegou em casa, ela lhe serviu o café do *džezva* e não disse nada.

Algumas semanas depois, começaram as prisões. No início do verão, Lujo recebeu a ordem de se apresentar para transporte até um campo de trabalho. Rashela chorou e lhe implorou que não atendesse à convocação, que fugisse da cidade, mas Lujo disse que era forte, e um bom trabalhador, e que se daria bem. Ele pôs a mão no queixo da esposa e falou:

— É melhor assim. A guerra não pode durar para sempre. Se eu fugir, ele virão pegar você. — Mesmo não sendo um homem que demonstrasse sentimentos, ele a beijou, longa e ternamente, e subiu no caminhão.

Lujo não sabia que não havia campos de trabalho, mas apenas lugares de fome e tortura. Antes do fim daquele ano, ele marcharia para as colinas de Herzegóvina, onde a cal é devorada em um labirinto de buracos de minhocas. Lá, os rios desaparecem, entrando por cavernas subterrâneas, subitamente vindo a borbulhar a muitos quilômetros de distância. Com outros homens marcados por hematomas e muito magros — judeus, ciganos, sérvios —, Lujo se encontrava na beira de uma caverna profunda cujo chão ele não conseguia ver. Um guarda do Ustashe bateu-lhe na parte de trás dos joelhos e o empurrou abismo abaixo.

Eles vieram buscar Rashela quando Lola estava fora, entregando roupas recém-passadas. Os soldados tinham listas com os nomes de todas as mulheres judias cujos maridos e filhos já haviam sido deportados. Agruparam-nas em caminhões e as depositaram na sinagoga em ruínas.

Quando Lola voltou, sua mãe e irmãzinha tinham desaparecido, a porta estava aberta e seus poucos objetos pessoais se encontravam jogados por toda parte, numa vã tentativa de se encontrar algo de valor. Ela correu até o apartamento de sua tia, algumas ruas distante dali, e bateu até sentir dor nas juntas. Uma vizinha muçulmana, uma mulher gentil que ainda usava o tradicional xador, abriu a porta e deixou Lola entrar. A mulher lhe deu água e contou o que tinha acontecido.

Lola lutou contra o pânico que lhe esvaziava a mente. Ela tinha que *pensar*. O que deveria fazer? O que *poderia* fazer? A única idéia que lhe ocorria em meio à confusão era que precisava encontrar sua família. Ela se virou, decidida a ir embora. A vizinha segurou-a pelo braço.

— Você será reconhecida lá fora. Leve isto. — Ela deu a Lola um xador. Lola colocou o manto e partiu para a sinagoga. A porta da frente, rachada por golpes de machadinha, estava despregada do batente. Havia guardas lá; então Lola andou sorrateiramente até o lado do edifício, à sala pequena onde os *sidurim* eram guardados. A janela fora quebrada. Ela puxou um pedaço de vidro partido do suporte da janela, enfiou o braço e puxou o fecho. A estrutura da janela, sem o vidro, tombou para dentro. Lola se forçou para entrar pelo menos até a soleira. A pequena sala estava em total desordem, as prateleiras, arrancadas e os livros de orações espalhados por todo o chão. Havia um fedor no local. Alguém havia defecado sobre as páginas dos livros.

Com os braços fortes de tanto levantar roupas molhadas, Lola içou o próprio corpo até encostar as costelas na soleira. Batendo os pés, esperneando, com o parapeito chumbado da janela raspando contra suas roupas, ela conseguiu se espremer e passar pela abertura, pulando para dentro com o maior cuidado possível. Uma vez lá dentro, forçou até rachar e abrir a pesada porte de madeira polida. Um cheiro pungente, de medo e suor, de papel queimado e urina, permeava o santuário deflagrado. A arca que havia abrigado a antiga Torá, trazida em segurança da Espanha tantos séculos atrás, estava escancarada, enegrecida pelas chamas. Os bancos danificados e os corredores cheios de cinza estavam tomados por mulheres entristecidas, velhas, jovens, algumas tentando consolar seus bebês, cujo choro era amplificado pela alta cúpula de pedra da sala. Outras, recurvadas, apoiavam a cabeça nas mãos. Lola andou devagar entre a multidão, tentando não chamar atenção para si. Sua mãe, sua irmãzinha e a tia estavam juntas, encolhidas num canto da sala. Ela chegou por trás da mãe e colocou delicadamente a mão sobre seu ombro.

Rashela, pensando que Lola fora presa também, gritou.

Lola fez sinal para ela se calar, e disse, com urgência:

— Há uma saída, por uma janela. Foi por lá que eu entrei. Nós podemos fugir, todas.

A tia de Lola, Rena, levantou os braços rechonchudos, num gesto de derrota que indicava o estado de seu corpo.

— Eu não, minha querida menina — ela disse. — Meu coração não está bem. Estou sem fôlego. Não vou a lugar algum.

Lola, exasperada, sabia que a mãe não abandonaria sua amada irmã mais velha.

— Eu posso ajudá-la — ela insistiu. — Por favor, vamos tentar.

O rosto de sua mãe, sempre marcado por sinais de preocupação, parecia ter adquirido as rugas profundas de uma mulher muito mais velha. Ela balançou a cabeça e disse:

— Lola, eles têm listas. Perceberiam nossa falta nos caminhões. E, além do mais, para onde iríamos?

— Podemos ir para as montanhas — Lola disse. — Eu conheço os caminhos, há cavernas onde podemos nos abrigar. Chegaríamos às aldeias dos muçulmanos. Eles nos ajudarão, a senhora vai ver...

— Lola, os muçulmanos estavam aqui na sinagoga, também. Eles atearam fogo e quebraram as coisas, pilharam e comemoraram, como os Ustashe.

— Só alguns deles, os arruaceiros.

— Lola, querida. Eu sei que você tem boa intenção, mas Rena está doente, e Dora é muito pequena.

— Mas nós conseguiremos. Acredite em mim, eu conheço as montanhas, eu…

Rashela segurou com força o braço da filha.

— Eu sei que você conhece. Todas aquelas noites no Hashomer, eu espero que lhe tenham ensinado alguma coisa. — Lola arregalou os olhos. — Você achava mesmo que eu estava dormindo? Não. Eu queria que você fosse. Não sou como seu pai, preocupado com sua honra. Eu sei que você é uma garota modesta. Mas agora eu quero que você saia deste lugar. Sim — ela disse, com firmeza, enquanto Lola balançava a cabeça. — Eu sou sua mãe, e nisso você deve me obedecer. Vá. O meu lugar é aqui com Dora e minha irmã.

— Por favor, mamãe, por favor, deixe-me ao menos levar Dora.

Sua mãe balançou a cabeça. Ela estava se esforçando para segurar as lágrimas. A pele já começava a ficar manchada com o esforço.

— Sozinha, você tem mais chance. Ela nunca conseguiria acompanhá-la.

— Eu posso carregá-la...

Dora, agarrada à mãe, olhou para uma, depois para outra das pessoas que ela mais amava, e, percebendo que o resultado da discussão seria a perda de uma delas, começou a chorar.

Rashela a acariciou e olhou em volta, esperando que o barulho não atraísse a atenção dos guardas.

— Depois da guerra, nós nos reencontraremos.

Ela estendeu as duas mãos até o rosto de Lola e acariciou-lhe as faces.

— Vá agora — disse. — Permaneça viva.

Lola deslizou as mãos pelos cabelos, puxando com força os fios embaraçados, até doer. Em seguida, aproximou-se da mãe e da irmã e abraçou-as com força. E beijou sua tia. Depois se virou e saiu cambaleando entre a multidão de corpos vergados, esfregando os olhos com a palma da mão. Quando chegou à porta do depósito, esperou até os guardas desviarem o olhar para outro ponto, antes de abrir a porta e entrar. Ela descansou as costas contra a porta, limpando o nariz com a manga da blusa. Ao baixar o braço, uma pequena mão branca o tocou. Era de uma menina com uma expressão de fada no rosto, olhos grandes por trás de óculos grossos, e um dedo apertando com firmeza os lábios. Ela puxou Lola para baixo, com força, e apontou para uma janela. Lola viu a forma de um capacete alemão e o cano de um rifle passando pela janela quebrada.

— Eu sei quem você é — sussurrou a garota, que parecia ter nove ou dez anos de idade. — Você ia ao Hashomer com meu irmão, Isak. Eu pretendia ir este ano...

— Onde está Isak? — Lola sabia que ele tinha sido expulso da universidade. — Foi levado para o trabalho forçado?

A menina balançou a cabeça.

— Eles levaram papai, mas Isak está com os partidários. Há outros do seu grupo, também. Maks, Zlata, Oskar... talvez mais, agora. Isak não quis me levar com eles porque sou muito nova. Eu disse que podia levar mensagens. Posso espionar. Mas ele não quis saber. Disse que seria mais seguro eu ficar com os vizinhos. Mas estava enganado. Ele precisa me levar agora, porque aqui só há morte.

Lola estremeceu. Uma criança daquela idade não devia dizer aquilo. Mas ela estava certa. Lola tinha visto a morte nos rostos das pessoas que ela amava.

Lola observou a irmãzinha de Isak. Uma criancinha, não muito maior que Dora. Seu rosto, porém, era animado pela mesma intensa preocupação que o de seu irmão.

— Não sei — Lola disse. — Vai ser uma caminhada dura, e perigosa, sair da cidade... Acho que o seu irmão...

— Se você quer saber onde ele está, tem que me levar. Senão, eu não falo. E, seja como for, eu tenho isso.

A criança enfiou a mão debaixo do bibe e tirou uma Luger* alemã. Lola ficou boquiaberta.

— Onde você arrumou isso?

— Roubei.

— Como?

— Quando eles vieram para nos tirar de casa, eu forcei o vômito em cima do soldado que estava me carregando até o caminhão. Eu tinha comido guisado de peixe, e ficou nojento. Ele me largou e xingou. Enquanto tentava se limpar do vômito, eu arranquei isso do coldre dele e corri. Estava me escondendo naquele prédio onde mora a sua tia. Segui você até lá. Eu sei onde meu irmão está, mas não sei chegar lá. Você me leva ou não?

Lola sabia que aquela criança obstinada, manhosa, não se deixaria enganar nem convencer a revelar onde Isak e os outros estavam. Gostasse ou não da idéia, elas precisavam uma da outra. Assim que começou a escurecer, elas escapuliram pela janela e desapareceram nos becos da cidade.

Por dois dias, Lola e Ina dormiram em cavernas e se esconderam em celeiros, roubando ovos e comendo-os crus, até chegarem ao terri-

---

* Pistola militar fabricada na Alemanha. (N. do T.)

tório dos partidários. Isak tinha dado a Ina o nome de um fazendeiro, um senhor idoso com o rosto enrugado e grandes mãos nodosas.

Ele não fez perguntas. Abriu a porta do chalé e as deixou entrar. Sua esposa, chocada e reclamando do cabelo imundo das meninas e de seus rostos sujos, ferveu água em uma grande chaleira preta e a despejou em duas tigelas, para as meninas se lavarem. Em seguida, ela colocou uma suculenta caçarola de carneiro com batatas e cenouras na frente delas, a primeira refeição decente que iriam ter desde que tinham fugido da cidade. A mulher tratou as bolhas nos pés das meninas com pomada e colocou-as na cama por dois dias, antes de deixar seu marido levá-las ao acampamento dos partidários na montanha.

Lola se sentia gratificada pela comida e pelo repouso, enquanto faziam uma exaustiva escalada sobre rochas quase verticais. Enquanto subia, começava a se dar conta da realidade de sua situação. Tinha pensado, a princípio, apenas em sair da cidade. Não se sentia suficientemente corajosa para ser uma lutadora da resistência. O que uma lavadeira podia fazer de útil? Havia rumores de ataques dos partidários às linhas férreas e pontes, e terríveis relatos de partidários feridos, capturados pelos nazistas. Havia uma história sobre homens feridos estendidos na estrada enquanto os alemães passavam com um caminhão por cima e de volta sobre seus corpos. Lola se agarrou a um sedimento protuberante e se ergueu sobre a rocha, com os pensamentos ocupados com aquelas histórias aterradoras.

Quando chegaram a uma ampla serrania, onde o solo era plano e a grama e o musgo cresciam em montículos, como almofadas, ela se jogou no chão, exausta. De repente, uma figura vestida de cinza emergiu por detrás de algumas árvores baixas, à frente deles. O uniforme era alemão. O fazendeiro se estendeu no chão e apontou a espingarda. E então ele riu, levantou-se, e abraçou o rapaz.

— Maks! — gritou Ina. Ela correu em direção ao jovem, e ele a levantou nos braços. Maks era um dos melhores amigos de Isak. Ina colocou o dedo no lugar onde a insígnia nazista fora arrancada de seu uniforme. No lugar, havia uma mal costurada estrela de cinco pontas, o emblema da resistência.

— Olá, irmãzinha de Isak. Olá, Lola. Então vocês são nossas novas partidárias?

Maks esperou até as meninas agradecerem ao fazendeiro e se despedirem. Então, ele as conduziu pela serrania até uma construção de só um andar, feita com vigas pesadas, pinos de madeira e reboco. Lola reconheceu Oskar, sentado na grama quentinha, recostado contra a parede. Havia dois meninos que ela não conhecia, espreguiçando-se ao lado dele. Todos estavam ocupados tirando piolhos dos casacos, dois dos quais eram uniformes alemães, e o outro fora confeccionado de um cobertor cinza.

Passando pelos garotos, Maks conduziu Lola e Ina através do chiqueiro que formava a entrada da única porta da casa. A porta se abria para a cozinha. Um telhado longo, colmado, na parte da frente da casa abria espaço no alto para um sótão, que podia ser alcançado por uma escada.

— É um bom lugar para dormir — disse Maks. — Quente. Um pouco enfumaçado. — O piso da cozinha era feito de terra batida, parcialmente coberto de tijolos, e sobre ele ardia um fogo aterrado. A fumaça subia direto até as vigas e saía pelo espaço no colmo. Não havia chaminé. Uma corrente pesada segurava as panelas sobre o fogo. Lola viu várias tinas de água perto da porta. Atrás delas, havia dois cômodos com piso de madeira, com tábuas. Um continha um *pec*, ou um forno de cimento. Lola viu os mastros para secar roupa suspensos sobre ele e assentiu com a cabeça, aprovando o arranjo. Seria possível deixar a roupa secar mesmo em dias úmidos ou com neve, quando não se podia pendurá-la lá fora.

— Bem-vindas ao quartel-general de nossa *odred** — Maks disse. — Somos apenas dezesseis... dezoito agora, contando com vocês, se o comandante as aceitar. Nove de nós nos conhecemos de Hashomer. Os demais são camponeses locais. Bons garotos e garotas, mas jovens. Embora não tão jovens quanto você — ele acrescentou, fazendo cócegas em Ina, que riu. — Seu irmão ficará surpreso. Ele é o segundo em comando da *odred*. Nosso comandante, Branko, é de Belgrado. Era líder estudantil secreto do Partido Comunista lá.

---

* *Odred*: literalmente, "esquadra voadora"; uma esquadra, ou esquadrão. Neste caso, grupo de resistência. (N. do T.)

— Onde eles estão? — Lola perguntou. Apesar dos modos gentis de Maks, as palavras "se o comandante as aceitar" a encheram de temor. Por mais medo que tivesse de ser uma partidária, atemorizava-a ainda mais a idéia de ser mandada de volta à cidade mortal.

— Foram pegar uma mula. Logo estaremos nos mudando daqui. Precisaremos de uma mula para carregar nossos suprimentos quando partirmos em missão. Da última vez, os explosivos e detonadores que tivemos de carregar ocuparam todo o espaço em nossas mochilas. Ficamos sem comida na metade do caminho até a seção dos trilhos que queríamos explodir. Passamos dois dias sem uma casca de pão.

A ansiedade de Lola aumentava com as palavras de Maks. Ela nada sabia sobre explosivos ou armas. Olhou em volta da cozinha, e finalmente viu uma coisa que sabia fazer.

— Essa água, eu posso usar? — ela perguntou.

— Claro — disse Maks. — Há uma fonte a menos de dez jardas daqui. Use o quanto quiser.

Lola encheu a maior das chaleiras pretas e a pendurou sobre o fogo. Atiçou as chamas e colocou um pouco de madeira. Então, saiu da casa.

De pé, ela olhou para Oskar e os dois garotos que não conhecia. Nervosa, esfregou o pé sobre a grama.

— O que foi, Lola? — Oskar perguntou.

Ela sentiu o rosto corar.

— Vocês não querem... não querem me dar seus casacos e calças?

Os meninos se entreolharam e riram.

— Bem que nos disseram que as garotas de Sarajevo eram rápidas! — um deles disse.

— Vocês não conseguem se livrar dos piolhos, pegando-os. — Lola falou rápido. — Eles se escondem nas costuras, e não dá para tirá-los de lá. Se eu ferver as roupas, eles morrem. Vocês vão ver.

Os jovens, dispostos a fazer qualquer coisa para acabar com a coceira infernal, entregaram suas roupas a ela, cutucando-se um ao outro e brincando na grama, como cachorrinhos.

— Dê a ela suas roupas de baixo!

— Nem em sonho!

— Bem, eu vou dar. Não adianta tirar os piolhos do casaco se eles continuarem correndo pelos testículos!

Pouco depois, Lola estava pendurando as roupas fervidas — casacos, calças, meias e roupas de baixo — sobre os arbustos, quando Branko e Isak surgiram por trás das árvores, trazendo uma mula carregada de sacos.

Branko era um rapaz alto, austero, com cabelos escuros e olhos que pareciam sempre semicerrados, numa expressão de ceticismo. Isak mal chegava aos ombros dele. Mas Lola notou, enquanto ele abraçava sua irmãzinha, que o menino parecia mais forte no peito e nos braços do que em seus dias de estudante. Seu rosto havia perdido aquela palidez de falta de sol e ele estava até um pouco bronzeado. Parecia feliz por ver Ina; Lola teve a impressão de que seus olhos estavam um pouco úmidos. Mas, dali a pouco, ele já estava questionando a irmã para ter certeza de que ela não tinha dado nenhum passo em falso, que revelasse a posição deles.

Satisfeito, ele se voltou para Lola:

— Obrigado por trazê-la. Obrigado por vir.

Lola sacudiu os ombros, sem saber o que dizer. Não tivera muita escolha, mas não queria dizer isso na frente de Branko, que decidiria se ela podia ficar ou não. Quanto à pequena Ina, parecia ter utilidade para eles. Uma criança podia passear pela cidade sem ser notada, observando as atividades do inimigo. A utilidade de Lola era menos clara para Branko, e a apresentação de Isak não ajudou.

— Lola é uma camarada de Hashomer Haza'ir — Isak disse a Branko. — Ela vinha a todas as reuniões. Bem, a quase todas. É uma boa andarilha... — Nunca tendo prestado atenção a Lola, Isak não tinha mais o que dizer para recomendá-la ao seu comandante.

Branko fixou os olhos semicerrados em Lola, até ela sentir o rosto queimar. Ele ergueu uma ponta de um casaco que ela havia estendido para secar.

— E uma boa lavadeira — ele disse. — Infelizmente, não temos tempo para esses luxos.

— Piolhos! — ela mal conseguia falar. — Eles transmitem tifo — disse apressada, antes de perder de vez a coragem. — Em caso de infestação, você... você tem que ferver todas as roupas e panos, pelo menos uma vez por semana... para... matar os ovos... senão, toda a *odred* pode ficar infectada. — Mordechai tinha lhe ensinado isso. Era o tipo de informação prática que Lola compreendia e se lembrava.

— Então — disse Branko —, você sabe alguma coisa.

— Eu... eu... sei como amarrar uma fratura, e estancar hemorragia, e tratar de mordidas e picadas... posso aprender...

— Bem que precisamos de cuidados médicos. — Branko continuava olhando para ela, como se, com isso, pudesse avaliar suas habilidades. — Isak tem se encarregado disso, mas ele tem outras responsabilidades pesadas. Ele poderia lhe ensinar o que sabe, talvez. E, depois, se você se der bem, podemos enviá-la a um dos hospitais secretos para aprender a tratar feridas. Vou pensar nisso.

Ele se virou, e Lola respirou aliviada. De repente, ele pareceu reconsiderar, e mais uma vez voltou os olhos azuis para ela.

— Enquanto isso, nós precisamos de muladeiro. O que você sabe de mulas?

Lola poderia dizer que nem sabia qual era a frente ou o traseiro da mula. Mas temia que Isak a achasse imbecil demais para ser médica. Ela olhou para o animal, que estava comendo grama. Aproximou-se da mula e levantou as correias, no ponto onde elas tinham lhe cortado a pele. Estava em carne viva e sangrando.

— Eu sei que é preciso colocar um pano embaixo da sela, quando se usa uma carga pesada assim — ela disse —, se você quiser que o animal trabalhe para você. — Ela abriu os sacos e começou a tirar vários pacotes, levando-os para dentro da casa. Quando Oskar se aproximou para ajudá-la, ela balançou a cabeça. — Pode deixar — disse. E sorriu, tímida. — Na minha família, eu era a mula.

Todos riram, inclusive Branko. Nada mais precisou ser dito, e Lola entendeu que fora aceita como membro da *odred*.

À noite, em volta do *pec*, enquanto Branko falava aos outros de seus planos, as dúvidas de Lola retornaram. Branko era um zelote. Em Belgrado, ele tinha sido interrogado e surrado por seu ativismo político. Falou de Tito e de Stalin, e do dever que eles tinham de seguir aqueles dois gloriosos líderes, sem questionar. — Sua vida não é mais sua — ele disse. — Cada dia extra que vocês vivem pertence àqueles de sua família que morreram. Nós veremos nosso país livre, ou também morreremos. Não há outro futuro para nós.

Mais tarde, deitada sobre sua paleta dura, e ainda acordada, Lola se sentia perdida e sozinha, com saudade do gostoso calor das costas pequenas de Dora. Ela não queria aceitar a verdade do que dissera Branko, que sua família estava morta. O vazio que ela sentia por dentro, no entanto, deixava pouco espaço para esperança. A fuga da cidade e a corrida pelo campo lhe haviam ocupado a mente. Mas agora, ouvindo roncos de estranhos, ela sentia uma dor profunda. Daquele momento em diante, tudo que ela fizesse seria como se andasse em meio a um nevoeiro.

Nos dias seguintes, Lola pensou na mula. Ela podia fazer muito pouca coisa com o animal que já não tivesse sido feito. A primeira vez que ficou encarregada de levar o animal até determinado ponto para pegar suprimentos, a mula se rebelou contra o peso e jogou tudo sobre uma plantação de amoreira-preta. Lola precisou se livrar dos espinhos para recolher as caixas de munição, debaixo dos palavrões de Branko desferidos contra ela, como golpes.

Todos os dias, Lola se aproximava da mula com cuidado, passando pomada do suprimento limitado do grupo sobre sua ferida aberta, enquanto o animal relinchava e zurrava, como se estivesse apanhando. Aos poucos, a ferida cicatrizou. Lola costurou pequenas almofadas para colocar debaixo da sela. Além disso, ela fez uma estrutura em forma de A, com ramos leves de salgueiro, para distribuir melhor a carga. Em marchas longas, ela pedia que eles deixassem a mula parar um pouco para pastar quando chegavam a uma plantação de erva-doce ou cravo.

Maltratada, a mula se comportava mal. Mas começou a corresponder aos cuidados de Lola, e logo passou a se esfregar nela, mostrando afeição. Lola gostava de acariciar as orelhas sedosas do animal. Ela lhe deu o nome de Vermelha, por causa do tom vermelho-alaranjado de seu pêlo, e também porque o vermelho era a cor do movimento partidário.

Lola percebeu rapidamente que, a despeito de toda a conversa de Branko, a *odred* dele não era uma grande força armada. Com exceção do próprio Branko, só Isak e Maks tinham armas Sten. Os garotos e as moças das fazendas haviam chegado com uma espingarda cada um. O comandante da brigada prometeu mais armas, mas após cada contratempo parecia que a *odred* tinha outras necessidades mais prementes.

Oskar era quem mais reclamava disso, até que Branko lhe disse que, se ele queria tanto uma arma, devia capturar uma.

— Ina fez isso, e só tem dez anos de idade — ele disse, em provocação.

Naquela noite, Oskar saiu do acampamento. Só retornou no dia seguinte. Lola ouviu Isak repreender Branko:

— Você o encorajou a fazer uma coisa tola. Como ele pode capturar uma arma, se não tem uma arma para usar?

Branko deu de ombros.

— Sua irmã fez isso.

Ele tinha se apoderado da Luger de Ina, e a carregava agora na cintura, com certa pompa. À noite, Lola estava ajudando Zlata a pegar lenha para cozinhar, quando Oskar chegou esbaforido entre as árvores, com um sorriso tão grande quanto o de um palhaço de circo. Sobre o ombro, ele trazia um rifle alemão. Vestia um uniforme cinza, largo, muitos números maior que o seu tamanho, e carregava uma mochila nazista que transbordava de suprimentos.

Ele se recusou a contar a história de seu triunfo até que Branko, Isak e o restante da *odred* estivessem reunidos. Enquanto distribuía fatias de salsicha alemã, contou que tinha entrado sorrateiramente na aldeia próxima, ocupada, e se escondido entre os arbustos à beira da estrada.

— Tive que ficar deitado lá quase o dia todo, vendo os alemães indo e vindo — falou. — Havia sempre dois ou três, andando juntos. Por fim, apareceu um sozinho. Esperei até ele passar. Saltei do meio dos arbustos, encostei com força uma vareta em suas costas, entre os ombros, e gritei: "*Stoi*!". O imbecil acreditou mesmo que eu estava armado. Levantou as mãos. Eu peguei sua arma, e disse para tirar toda a roupa, menos a cueca.

A essa altura todos se contorciam de tanto rir, exceto Branko.

— E, então, você deu um tiro nele — sua voz soou ríspida e fria.

— Não, eu... não achei necessário... Ele estava desarmado... eu pensei...

— E, amanhã, ele estará armado novamente, e no dia seguinte matará um camarada seu. Tolo sentimental. Dê a arma a Zlata. Ela saberá como usá-la.

Lola não podia ver o rosto de Oskar, no escuro. Mas sentia sua raiva silenciosa.

Na noite seguinte, a *odred* recebeu ordens de ajudar a reforçar a segurança de um ponto de descida e limpar a área. A tarefa de Lola era deixar a mula quieta e calma, pronta para carregar armas, rádios ou equipamentos que desceriam em pára-quedas. Enquanto a *odred* se escondia pouco atrás da fileira de árvores, partidários de outra *odred*, trabalhando sob a direção de um estrangeiro — um espião britânico, alguém tinha dito —, preparavam mato seco e faziam mecha para acender pequenas fogueiras como sinais que fossem vistos do alto, dispostos em uma clareira de um modo predefinido para que os pilotos aliados reconhecessem. Lola tremia de medo e de frio. Recostou-se contra o pêlo grosso de Vermelha, procurando se aquecer. Ela não tinha arma, exceto a granada que os partidários eram obrigados a carregar no cinto.

— Se você estiver prestes a ser capturada, use-a para se matar e matar o maior número de inimigos que puder — Branko tinha dito. — Sob hipótese alguma, se deixe ser levada viva. Use a granada, e assim não será forçada por meio de tortura a nos trair.

A lua ainda não aparecera. Lola olhou para o alto, procurando a luz das estrelas. Mas a folhagem densa das árvores lhe negava até isso. Sua imaginação estava cheia de alemães espreitando no escuro, esperando pelo momento de atacá-los em emboscada. A noite se arrastava. Pouco antes do amanhecer, o vento ficou mais forte, agitando os galhos dos pinheiros. Branko decidiu que a operação deveria ser abortada, e deu um sinal a Lola, para que se preparasse para sair de lá. Cansada, dura de frio, Lola se pôs de pé, e arrumou o cabresto de Vermelha.

Nesse exato momento, o discreto ruído de um avião se fez ouvir a distância. Branko gritou, dando a ordem de que os fogos fossem acesos. O sinal de Isak não pegava. Ele xingou e persistiu. Lola não se achava corajosa. Não diria que o sentimento que a dominava agora era de coragem. Só sabia que não podia deixar Isak lá, exposto, se esforçando sozinho. Ela correu entre as árvores e até a clareira. Jogou-se ao chão, rente à fogueira, soprando com força sobre a mecha recalcitrante. Uma chama surgiu bem no instante em que a silhueta escura do Dakota se tornava visível, no céu acima de suas cabeças. O piloto fez uma volta de reconhecimento e em seguida soltou uma verdadeira chuva de pacotes, cada um com seu pequeno pára-quedas. Os partidários avançaram de dentro da floresta ao redor da clareia, correndo para pegar a preciosa carga. Lola cortou as cordas do pára-quedas e enrolou a seda, que ela usaria depois para fazer bandagens.

As *odreds* trabalharam rápido, pois o céu começava a clarear no leste. Ao romper da manhã, Lola andava com dificuldade ao longo da estreita beira da serrania, com Vermelha caminhando obedientemente ao seu lado, carregando a carga, enquanto todos tentavam aumentar a distância entre si e o ponto de descida, antes que os alemães chegassem ao local. Sempre que passavam por um riacho, Branko ordenava a Maks que entrasse na água para virar as pedras cobertas de musgo. Depois que toda a *odred* tivesse passado, as pedras eram viradas novamente para sua posição original, com o musgo intacto, sem marcas de botas ou do casco da mula.

A *odred* de Lola passou sete meses de contínua mudança, raramente acampando no mesmo lugar mais que uma ou duas noites, planejando demolições de trilhos férreos ou de pequenas pontes. Vários fazendeiros lhes ofereciam abrigo à noite em seus celeiros, onde dormiam aquecidos, perto de animais, usando a palha como travesseiro. Mas, em outras ocasiões, eles acampavam na floresta, só com um cobertor improvisado de pinhos como proteção contra o frio implacável. Embora nunca estivessem a mais de oito quilômetros do posto inimigo mais próximo, a *odred* deles conseguiu escapar de emboscadas das quais outras unidades não se livraram. Branko se gabava disso, como se fosse o resultado de sua liderança. Ele esperava ser servido e reverenciado como um general. Em uma ocasião, no fim de uma exaustiva marcha, ele se deitou, recostando-se contra uma árvore, enquanto todos os outros se apressavam em apanhar madeira seca para fazer fogo antes de serem engolidos pela escuridão. Oskar, jogando um feixe pesado de ramos ao lado de Branko, ainda deitado, resmungou algo sobre como os comunistas supostamente acabariam com o privilégio elitista.

Branko se levantou imediatamente. Agarrou Oskar pelo peito, puxando-lhe o uniforme, e o empurrou com força contra o tronco de uma árvore.

— Vocês, crianças mimadas, têm sorte por eu ser o líder. Deveriam me agradecer todos os dias por mantê-los vivos.

Isak se colocou entre os dois e delicadamente afastou Branko.

— O que nos mantém vivos — ele disse, em voz baixa — não é sorte, nem a sua *excelente* liderança. É a lealdade da população civil. Nós não duraríamos cinco minutos aqui sem o apoio deles.

Por um momento, parecia que Branko ia bater em Isak. Mas conseguiu se conter, e deu um passo atrás, cuspindo no chão, em desprezo.

Lola já tinha sentido a impaciência crescente de Isak com Branko. Ela sabia que ele deplorava os incessantes discursos de Branko, tarde da noite, mesmo depois de longas marchas, quando os jovens exaustos preferiam dormir a escutar a eterna exegese sobre valor excedente e falsa consciência. Isak tentava encerrar as arengas políticas, mas, muitas vezes, Branko se estendia, em oblívio.

A maior frustração estava na diferença entre o autoconceito de Branko e a má opinião que o comandante da brigada tinha dele. Branko prometera armas melhores, mas elas ainda não tinham aparecido. Ele disse a Lola que ela passaria por um treinamento hospitalar, que nunca aconteceu.

Mesmo assim, ela se sentia útil como muladeira, e o próprio Branko, econômico nos elogios, de vez em quando a parabenizava. Com a proximidade do inverno, muitos adoeciam. A tosse provocada pela umidade se tornara a cantiga matinal. Lola pedia cebolas aos fazendeiros para fazer cataplasmas. Isak lhe mostrara como preparar os ingredientes para expectorantes, que ela administrava com destreza. Ela propôs uma redistribuição da comida racionada, de modo que aqueles que estavam se recuperando recebessem mais. Branko prometeu levá-los a acampamentos de inverno, mas as semanas passavam e a *odred* continuava acampada nas cruéis montanhas. O número de partidários diminuía. Zlata, doente havia várias semanas, sofrendo de uma violenta infecção no peito, foi acolhida por uma família de camponeses local e morreu lá, em uma cama quente, ao menos. Oskar, cansado das dificuldades e da constante má vontade de Branko, desertou no meio da noite, levando consigo Slava, uma das garotas que viera das fazendas.

Lola se preocupava com Ina. A criança tinha a mesma tosse aguda que a maior parte da *odred*. Mas, quando mencionou a Isak a possibilidade de encontrar um abrigo de inverno para ela, ele descartou a idéia.

— Primeiro, ela não iria. Depois, eu não lhe pediria isso. Prometi a ela que nunca mais a deixaria. É simples assim.

Em um dia de forte borrasca, no começo de março, Milovan, o comandante regional da brigada, convocou os membros restantes da *odred* para uma reunião. Assim que os adolescentes adoentados, magros, se reuniram à sua volta, ele começou a falar. Tito, disse Milovan, tinha uma nova visão para o seu exército. Deveria ser consolidado em unidades fortes, profissionais, que abordariam os alemães diretamente. As forças inimigas seriam forçadas a retroceder às cidades, suas fileiras, rompidas, até que fosse obtido o controle partidário da zona rural.

Lola, com um cachecol enrolado em volta da cabeça e o gorro puxado por cima das orelhas, achou que não tinha entendido o que o coronel havia dito em seguida. Mas a expressão de perplexidade no rosto dos outros confirmava o que ela acreditara ter ouvido. A *odred* deles deveria ser desmanchada, imediatamente.

— O marechal Tito agradece a todos pelo serviço, que será lembrado no glorioso dia da vitória. Agora, aqueles de vocês que tiverem armas, por favor, coloquem-nas em uma pilha, para as coletarmos. Você, garota da mula, se encarregará de carregá-las. Partiremos amanhã. Vocês devem esperar até a noite, antes de sair.

Todos olharam para Branko, esperando que dissesse alguma coisa. Mas ele baixara a cabeça contra o vento e a neve, e se mantivera calado. Foi Isak quem protestou.

— Senhor, posso perguntar para onde o senhor propõe que nós sigamos?

— Vocês podem ir para casa.

— Casa? Que casa? — Isak já estava gritando. — Nenhum de nós tem mais casa. A maior parte de nossas famílias foi assassinada. Nós somos marginais, agora. O senhor não espera realmente que caminhemos desarmados até as mãos do Ustache! — Ele se virou para Branko. — Diga isso a ele, diabos!

Branko ergueu a cabeça e olhou friamente para Isak.

— Você ouviu o coronel. O marechal Tito disse que não há mais lugar para bandos de crianças maltrapilhas carregando varetas e rojões. Agora, nós somos um exército profissional.

— Ah, entendo! — a voz de Isak estava carregada de desprezo. — Você pode ficar com a sua arma, a arma que minha irmãzinha, uma "criança maltrapilha", arrumou para você. E o resto de nós recebe a pena de morte!

— Silêncio! — Milovan levantou a mão enluvada. — Obedeça às ordens, e seu serviço será recompensado no futuro. Desobedeça, e serão fuzilados.

Lola, mortificada e confusa, colocou a carga sobre Vermelha, como fora ordenada a fazer. Com os poucos rifles e o saco de granadas devidamente atrelados com segurança, ela segurou o focinho macio da mula com as duas mãos, olhou-a nos olhos, e disse:

— Fique segura, amiga — sussurrou. — Você, pelo menos, tem alguma utilidade para eles. Espero que a tratem com mais lealdade e atenção do que a nós.

Ela deu o cabresto ao ajudante de Milovan e lhe entregou um saco onde guardava uma preciosa quantidade de aveia. Ele olhou dentro do saco e, pela expressão em seu rosto, Lola percebeu que dificilmente Vermelha veria a aveia de novo, antes que o precioso alimento esquentasse a barriga do ajudante.

Ela, então, enfiou as mãos enluvadas no saco e tirou duas generosas porções. O hálito úmido de Vermelha aqueceu suas mãos por um momento. Antes de o animal desaparecer entre vento e neve, sua saliva havia se congelado em suas luvas de lã. Ela notou que Branko não olhou para trás.

O grupo dos remanescentes se reuniu em torno de Isak, esperando que ele lhes oferecesse um plano.

— Acho que o melhor é nos dividirmos em pares ou grupos pequenos — Isak disse.

Sua intenção era procurar território liberado. Lola se sentou em silêncio, enquanto a discussão passava de um para outro, em torno da fogueira. Alguns queriam ir para o sul, para áreas ocupadas pelos italianos. Outros diziam que procurariam o auxílio de membros distantes da família. Lola não tinha ninguém, e a idéia de fazer uma jornada incerta a uma cidade desconhecida no sul a assustava. Ela esperou até alguém lhe perguntar quais eram seus planos, e lhe oferecer um lugar ao seu lado. Mas ninguém disse nada. Era como se ela já não existisse mais. Quando se levantou e saiu do círculo, ninguém lhe desejou boa-noite.

Lola encontrou um lugar num canto da clareira e se deitou, agitada. Tinha enrolado seus pertences e amarrado os pés em camadas de tecido que havia guardado para fazer bandagens. Estava deitada, com os olhos fechados, mas não dormia, quando sentiu os firmes olhos castanhos de Ina voltados para ela. A criança estava envolta em seu cobertor, como se fosse um casulo. Estava usando um chapéu de lã, que puxara apertado sobre a testa, de modo que os olhos eram o único traço visível.

Lola só percebeu que tinha adormecido quando sentiu a mãozinha de Ina sacudindo-a. Ainda estava escuro, mas Ina e Isak estavam de pé, com suas mochilas já prontas. Ina pôs a mão sobre a boca, pedindo para a outra ficar quieta, e estendeu a outra mão a Lola, ajudando-a a se levantar. Com dificuldade, ela enrolou o cobertor e o enfiou na mochila com seus parcos suprimentos; e seguiu Ina e seu irmão.

Os detalhes dos dias e noites que se seguiram voltariam a Lola em sonhos. Mas, enquanto estava acordada, eles nada mais eram que um borrão misto de dor e medo. Os três andavam no escuro e se escondiam durante as curtas horas do dia, dormindo pouco e mal quando encontravam um celeiro ou uma pilha de feno para se abrigarem, acordando assustados ao som de cães latindo, pois poderiam ser de uma patrulha alemã. Na quarta noite, a febre de Ina piorou. Isak teve de carregá-la, tremendo, suando, murmurando em delírio. Na quinta noite, a temperatura caiu. Isak tinha dado suas meias a Ina, e a enrolara em seu casaco, numa vã tentativa de parar os tremores. Na metade do caminho, em uma de suas marchas noturnas, logo depois de terem atravessado um rio congelado, ele parou e se sentou sobre os pinhos enrijecidos e frios.

— O que foi? — Lola sussurrou.

— Meu pé. Eu não sinto — Isak disse. — Em um lugar de gelo fino, meu pé mergulhou, ficou molhado; e agora está duro. Não posso mais andar.

— Não podemos parar aqui — Lola disse. — Precisamos encontrar algum abrigo.

— Vá você. Eu não posso.

— Deixe-me ver. — Lola dirigiu o facho de sua lanterna para o couro rasgado e aberto da bota de Isak. A carne exposta estava preta, com ulceração. O pé já estava machucado muito antes do acidente no rio. Ela pôs as mãos enluvadas sobre o pé de Isak, tentando aquecê-lo. Mas não adiantava. Os artelhos estavam congelados e duros, quebradiços como ramos secos. A menor pressão os deceparia. Lola tirou o casaco e o colocou no chão. Ergueu Ina e a deitou sobre o casaco. A respiração de Ina era fraca e irregular. Ela tentou sentir o pulso da menina, mas não conseguiu.

— Lola — Isak disse —, eu não posso mais andar, e Ina está morrendo. Você tem que ir sozinha.

— Não vou abandonar vocês — ela disse.

— Por que não? — perguntou Isak. — Eu abandonaria você.

— Talvez. — Ela se levantou e começou a arrancar varetas congeladas do chão duro.

— Fazer fogo é perigoso demais — disse Isak. — E, além disso, você não pode acender nada com essa madeira congelada.

Lola sentiu a exasperação, a raiva, crescer por dentro.

— Você não pode desistir — falou.

Isak não respondeu. Com dificuldade, se apoiou sobre as mãos e os joelhos e, de alguma forma, conseguiu se levantar.

— Seu pé — disse Lola.

— Não preciso ir muito longe com ele.

Lola, confusa, tentou pegar Ina. Delicadamente, Isak a empurrou para o lado.

— Não — ele disse. — Ina vem comigo.

Ele pegou a criança, tão magra agora que quase não tinha peso. Mas, em vez de prosseguir adiante, ele se virou e cambaleou de volta ao rio.

— Isak!

O rapaz não se virou. Abraçando sua irmãzinha, ele deu um passo para fora da margem, e pisou no rio congelado. Caminhou até o centro, onde o gelo estava fino. A cabeça de sua irmã repousava em seu ombro. Eles ficaram ali por um momento, enquanto o gelo guinchava e se partia. E, então, o gelo cedeu.

Lola chegou a Sarajevo quando os primeiros raios de sol iluminavam as bordas das montanhas e tingiam de prata os becos molhados de chuva. Sabendo que ela não conseguiria chegar sozinha ao território liberado, ela resolvera voltar à cidade. Caminhou por ruas conhecidas, passando pela fileira de edifícios, procurando qualquer pequena proteção que encontrasse neles, contra a chuva e os olhos inamistosos. Ela sentiu o cheiro familiar da cidade, do asfalto molhado, de repolho podre e carvão em brasa. Faminta, ensopada, e em desespero, andou sem destino, até perceber que estava nos degraus do ministério das finanças, onde seu pai havia trabalhado. O edifício estava deserto, em silêncio. Lola subiu os amplos degraus da entrada. Passou a mão sobre o baixo-relevo escuro que adornava a entrada, e se agachou, ficando encolhida em frente à porta. Via os pingos de chuva cair sobre os degraus, cada um formando círculos concêntricos que se ligavam por um instante para depois se dissolver. Nas montanhas, ela se recusara a abrir a porta para a dor da lembrança de sua família, temendo que, do contrário, não pudesse mais fechá-la. Ali, naquele edifício, porém, não se lembrar do pai era impossível. Ela queria ser criança de novo, protegida, segura.

Devia ter adormecido por alguns minutos. Passos, vindos de trás da porta pesada, acordaram-na. Ela se encolheu nas sombras, incerta se devia correr ou ficar ali. Os ferrolhos foram puxados com um guincho de metal que precisasse de óleo, e um homem com macacão de operário apareceu, com cachecol alto cobrindo-lhe o queixo.

Ele ainda não a tinha visto.

Ela disse as palavras tradicionais de cumprimento:

— Que Deus nos salve.

O homem se virou, assustado. Seus olhos de um azul-água se arregalaram quando viu aquela figura espectral, molhada, encolhida nas sombras. Ele não a reconheceu, tão mudada a menina estava após meses de uma vida dura nas montanhas. Mas ela o conhecia. Era Sava, um velho bondoso que trabalhara junto com seu pai. Ela disse o nome dele, depois o dela.

Quando ele percebeu quem era, estendeu a mão e a ergueu, abraçando-a. Sentindo-se aliviada e comovida pela gentileza, ela começou a chorar. Sava vasculhou a rua para ter certeza de que ninguém os observava. Com o braço ainda em volta dos ombros trêmulos de Lola, ele a levou para dentro, fechou a porta e passou os ferrolhos.

Ele a levou até o vestuário dos zeladores e a envolveu em seu casaco. Do *džezva*, serviu-lhe um café forte. Quando conseguiu falar, Lola lhe contou sobre o exílio da unidade partidária. No ponto em que falaria da morte de Ina, não conseguiu continuar. Sava colocou o braço em torno dos ombros da jovem e a balançou, gentilmente.

— O senhor pode me ajudar? — ela perguntou, enfim. — Se não puder, por favor entregue-me agora ao Ustashe, porque não posso mais correr.

Sava a observou por um momento, sem dizer coisa alguma. Então, levantou-se e pegou-lhe a mão. Conduziu-a para fora do ministério, trancando a porta atrás de si. Os dois andaram em silêncio por uma, duas quadras. Quando chegaram ao Museu Nacional, Sava a levou até a entrada dos atendentes e fez um gesto para que esperasse num banco dentro de uma alcova próxima à porta.

Ele demorou a voltar. Lola ouvia pessoas começando a se mexer em volta do prédio. Ela pensou que talvez Sava a tivesse abandonado lá. Mas a exaustão e o sofrimento a tinham deixado apática. Ela não podia mais tomar nenhuma atitude para se salvar. Por isso, se sentou e se pôs a esperar.

Sava voltou em companhia de um homem alto. Era de meia-idade e estava muito bem vestido, usando um fez vermelho que cobria parte de seus cabelos escuros, marcados com tons grisalhos. Havia algo familiar nele, mas Lola não imaginava onde eles teriam se conhecido. Sava pegou-lhe a mão e a apertou, com carinho. E depois foi embora. O homem alto fez um gesto, pedindo que Lola o seguisse.

Eles saíram do prédio. Ele a conduziu até o banco de trás de um carro pequeno, indicando-lhe por meio de gestos que ela deveria se deitar no chão. Só quando ele ligou o motor e o carro saiu, o homem falou. Seu sotaque era refinado e a voz, gentil quando ele perguntou a Lola onde ela tinha estado e o que tinha feito.

Não tinha ido muito longe quando ele parou o carro e saiu, dizendo a Lola que ficasse onde estava. O homem se ausentou apenas por alguns minutos. Quando voltou, deu um xador a ela. Em seguida, fez um gesto insistindo para que ela ficasse deitada.

— Que Deus nos salve, efêndi! — ele disse, trocando gentilezas com o vizinho que passava por ali, fingindo estar procurando algo no bagageiro do carro. Quando o homem virou a esquina, ele abriu a porta de trás e gesticulou novamente, pedindo que Lola o seguisse. Ela puxou o xador sobre o rosto e voltou os olhos para baixo, como vira muitas modestas mulheres muçulmanas fazer. Dentro do prédio, ele bateu ruidosamente na porta, e ela abriu imediatamente.

Sua esposa o aguardava. Lola levantou os olhos e a reconheceu. Era a jovem esposa que lhe servira café quando ela fora buscar a roupa para lavar. Stela não demonstrava reconhecê-la, o que não a surpreendeu, tendo em vista a mudança em sua aparência. Aquele ano a envelhecera. Ela estava pálida e magra, com os cabelos cortados bem curtos, como os de um menino.

Stela olhou para o rosto abatido de Lola e depois para o do marido, preocupada. Falou com ele em albanês. Lola não tinha idéia do que fora dito, mas viu Stela arregalar os olhos. Ele continuou falando, de modo gentil, mas com um tom de urgência. Os olhos de Stela se encheram de lágrimas, mas ela os enxugou com um lenço de renda e, depois, olhou para Lola.

— Seja bem-vinda à nossa casa — ela disse. — Meu marido me disse que você sofreu muito. Venha se lavar, comer, descansar. Mais tarde, depois que você tiver dormido, vamos conversar sobre a melhor maneira de mantê-la em segurança.

Serif olhou para sua mulher, com uma doce expressão que era um misto de ternura e orgulho. Lola viu o olhar, e percebeu como Stela enrubesceu ao olhar para ele. Ser amada daquela forma, ela pensou, devia realmente ser maravilhoso.

— Preciso voltar ao museu agora — ele disse. — Vejo você hoje à noite. Minha esposa cuidará bem de você.

O toque da água quente e o aroma fragrante de sabonete eram luxos que, para Lola, pareciam pertencer à outra existência. Stela lhe deu uma sopa quente e pão fresco, e Lola se esforçou para comer devagar, embora, em sua fome extrema, ela poderia agarrar a tigela com as duas mãos e tomar tudo de uma vez. Quando terminou, Stela a conduziu a uma saleta pequena. Havia lá um berço, e nele dormia um bebê.

— É meu filho, Habib, que nasceu no outono passado — ela disse. Indicou um sofá baixo e longo, ao longo da parede. — Pode ser o seu quarto, também.

Lola se deitou, e, mesmo antes de Stela voltar com uma colcha, ela já tinha caído no sono, de tão exausta que estava.

Quando acordou, parecia que estava nadando em águas profundas. O berço ao lado dela estava vazio. Ela ouvia vozes discretas, uma ansiosa, outra reconfortante; e, depois, o delicado chorinho de um bebê, rapidamente tranqüilizado. Lola viu que havia roupas colocadas para ela na cama. Eram roupas estranhas, uma saia longa, como de uma camponesa muçulmana da Albânia, e um grande cachecol branco para cobrir seus cabelos curtos, que também podia ser puxado sobre o osso do nariz para esconder a parte inferior do rosto. Ela sabia que suas roupas, trapos partidários costurados meses atrás a partir de um pedaço de cobertor cinza, seriam queimadas.

Vestiu-se, pelejando um pouco com o esquisito cachecol de cabeça. Quando entrou na sala de estar forrada de livros, Serif e Stela estavam sentados juntos bem próximos, em profunda conversa. Serif segurava o filho, um bonito garotinho com cabelos escuros, que estava sentado em seu joelho. A outra mão segurava a de sua esposa. Eles olharam quando Lola entrou e rapidamente largaram as mãos. Lola sabia que os muçulmanos conservadores achavam inapropriado, mesmo para pessoas casadas, expressar afeição física na presença de outros.

Serif sorriu para Lola, gentil.

— Puxa, você será uma boa camponesa! — ele disse. — Se não se importar, a história que contaremos para explicar sua presença aqui é que você é uma empregada enviada pela família de Stela, para ajudála com o bebê. Você vai fingir que não sabe falar a língua bósnia, assim não terá que conversar com ninguém. Na presença dos outros, Stela e eu falaremos com você em albanês. Só precisa assentir com a cabeça a tudo que lhe dissermos. Será melhor você não sair do apartamento, assim pouquíssimas pessoas saberão que está aqui. Teremos de lhe dar um nome muçulmano... Leila está bom?

— Eu não mereço essa gentileza — ela sussurrou. — Vocês, muçulmanos, ajudando uma judia...

— Ora, vamos! — disse Serif, percebendo que ela ia chorar. — Judeus e muçulmanos são primos, descendentes de Abraão. Sabe que seu novo nome significa "noite" tanto em árabe, a língua de nosso sagrado Alcorão, quanto em hebraico, a língua de sua Torá?

— Eu... eu... nunca aprendi hebraico — ela balbuciou. — Minha família não era religiosa.

Os pais de Lola iam ao clube social judaico, mas nunca à sinagoga. Tentavam dar roupas novas às suas crianças no Hanuká, nos anos em que podiam se dar a tal luxo; mas, fora isso, Lola pouco sabia de sua religião.

— Bem, é uma língua bonita e fascinante — disse Serif. — O rabino e eu estávamos trabalhando juntos na tradução de alguns textos, antes... bem, antes de começar este pesadelo que estamos vivendo. — Ele esfregou a mão sobre a testa e suspirou. — Ele era um bom homem, um grande estudioso, e sinto por seu passamento.

Nas semanas seguintes, Lola foi aos poucos se adaptando aos ritmos de uma vida muito diferente. O medo de ser descoberta se dissolvia com o passar do tempo, e, logo, a longa e tranqüila rotina da vida como babá do bebê dos Kamal parecia mais real que sua vida de antes como partidária. Ela se acostumou à voz suave, insegura de Stela, chamando-a pelo novo nome, Leila. Ela amara o bebê desde a primeira vez que o segurara. E rapidamente se afeiçoara a Stela, cuja vida física em famílias muçulmanas conservadoras sempre fora doméstica e privada, mas cujos horizontes intelectuais, como filha e esposa de indivíduos cultos, haviam-se expandido. A princípio, Lola tinha um pouco de medo de Serif, que era quase tão frio quanto seu pai. Mas seus modos gentis e bondosos logo a deixaram tranqüila. Por algum tempo, ela não saberia dizer o que havia de tão diferente entre ele e a maioria das pessoas que ela conhecia. De repente, um dia, enquanto ele pacientemente a incluía em um ou outro assunto, escutando sua opinião como se fosse digna de consideração, e em seguida guiando-a com sutileza a um panorama mais amplo, ela compreendeu qual era a diferença. Serif, o indivíduo mais culto que ela já conhecera, era também o único que nunca a fazia se sentir nem um pouco estúpida.

O dia dos Kamal era organizado em torno de duas coisas, oração e aprendizagem. Cinco vezes por dia, Stela parava o que estava fazendo, lavava-se com todo o esmero, e colocava perfume. Em seguida, estendia um pequeno tapete de seda que ela usava apenas para orações, e fazia as prostrações e recitações exigidas por sua religião. Lola não entendia as palavras, mas achava tranqüilizador ouvir as rimas sonoras da língua árabe.

À noite, Stela trabalhava com seu bordado enquanto Serif lia em voz alta para ela. No começo, Lola se retirava com Habib nesse momento, mas eles a convidaram para ficar e ouvir, se quisesse. Ela se colocava um pouco fora do círculo de luz amarela projetada pela lâmpada, segurando Habib sobre o joelho, balançando-o delicadamente. Serif escolhia histórias animadas ou lindos poemas para a leitura, e Lola percebeu que aguardava, cada vez mais animada, aquelas horas da noite. Se Habib se incomodasse e ela tivesse de sair da sala com ele, Serif esperava seu retorno ou resumia o que ela tinha perdido.

Às vezes ela acordava no meio da noite, suada após sonhar que os cães das tropas alemãs a estavam perseguindo, ou que sua irmãzinha chamava por ela aos prantos, pedindo-lhe ajuda, enquanto as duas tropeçavam no caminho, em meio a densas florestas. Em outros sonhos, Isak e Ina desapareciam repetidas vezes através do gelo que se partia. Quando ela acordava, tirava Habib do berço e o abraçava, sentindo o conforto do peso de seu corpinho contra o dela.

Um dia, Serif chegou cedo da biblioteca. Ele não cumprimentou a mulher nem perguntou pelo filho, sequer tirou o casaco ao entrar, como sempre fazia; foi direto ao escritório.

Alguns minutos depois, ele as chamou. Lola não costumava entrar no escritório de Serif. Era Stela quem arrumava aquela sala. Dessa vez, ela olhou para os livros que forravam as paredes. Os volumes eram mais velhos e requintados que aqueles que se encontravam em outras partes do apartamento; livros em uma meia dúzia de línguas antigas e modernas, com uma encadernação primorosa feita à mão, de couro reluzente. Mas Serif segurava nas mãos enluvadas um livro pequeno, de encadernação simples. Ele pôs o livro sobre a mesa à sua frente e ficou olhando para ele, com a mesma expressão que demonstrava ao olhar para o filho.

— O general Faber visitou o museu hoje — disse. Stela perdeu o fôlego e bateu com uma das mãos na cabeça. Faber era o temível comandante das unidades da Mão Negra, supostamente o responsável pelo massacre de milhares de pessoas.

— Não, não, nada de terrível aconteceu. Na verdade, o que aconteceu foi muito bom. Hoje, com a ajuda do diretor, nós conseguimos salvar um dos grandes tesouros do museu.

Serif não pretendia contar em detalhes o que havia ocorrido no museu aquele dia. Nem ao menos planejara lhes mostrar a Hagadá. Mas a presença do livro — em sua casa, em suas mãos — parecia vencer sua prudência. Ele virou as páginas para que elas pudessem admirar a arte do livro, e lhes disse apenas que o diretor do museu lhe havia confiado os cuidados do volume.

O superior de Serif era o Dr. Josip Boscovic, um croata que conseguira negociar uma aparente cumplicidade com o regime do Ustashe em Zagreb enquanto seu coração ainda era de Sarajevo. Boscovic era curador de moedas antigas antes de entrar para a administração do museu. Era uma figura popular em Sarajevo, presença marcante em eventos culturais. Seus cabelos pretos eram lisos e puxados para trás, com uma pasta altamente perfumada, e suas idas semanais à manicure eram um rito imutável.

Quando Faber mandou informar que ele pretendia visitar o museu, Boscovic percebeu que era hora de começar realmente a andar na corda bamba. Como não falava bem o alemão, chamou Serif ao seu escritório e disse que ele seria necessário como intérprete. Ele e Serif tinham uma formação diferente, bem como interesses distintos. Mas os dois homens partilhavam do mesmo inquebrantável compromisso para com a história da Bósnia e do amor pela diversidade que moldara essa história. Os dois também reconheciam que Faber representava a extinção da diversidade.

— Você sabe o que ele quer? — perguntou Serif.

— Ele não disse. Mas posso imaginar. Meu colega em Zagreb me disse que eles pilharam a coleção judaica do museu. Você sabe e eu sei que o que nós temos aqui é infinitamente mais importante. Creio que ele quer a Hagadá.

— Josip, não podemos entregá-lo. Ele o destruirá, como seus homens destruíram tudo que é judaico na cidade.

— Serif, meu amigo, que escolha nós temos? Talvez ele não o destrua. Ouvi dizer que Hitler planeja um Museu para a Raça Perdida, para exibir os mais belos objetos judaicos, depois do desaparecimento das pessoas...

Serif bateu no encosto da cadeira à sua frente.

— Não há limite para a depravação dessas pessoas?

— Shhh! — Boscovic levantou as duas mãos para silenciar seu colega. Baixou o tom de voz, sussurrando. — Eles estavam fazendo piadas disso, em Zagreb, no mês passado. Chamavam a empreitada de *Judenforschung ohne Juden*: estudos dos judeus sem judeus. — Boscovic saiu de trás de sua mesa e colocou a mão sobre o ombro de Serif. — Se você tentar esconder esse livro, colocará sua vida em perigo.

Serif olhou para ele, sério.

— E que escolha eu tenho? Sou *kustos*. Será que o livro sobreviveu por quinhentos anos para ser destruído enquanto estiver sob minha tutela? Se você pensa que eu posso permitir tal coisa, meu amigo, não me conhece.

— Faça o que tiver de fazer, então. Mas seja rápido, eu lhe peço.

Serif voltou à biblioteca. Com as mãos trêmulas, ele tirou uma caixa onde havia colocado uma etiqueta, ARCHIV DER FAMILIE KAPETANOVIC — TURKISHCHE URKUNDEN (Arquivos da família Kapetanovic — documentos turcos). Levantou algumas escrituras de terras turcas de cima da caixa. Por baixo delas, havia vários códices judaicos. Pegou o menor deles e o colocou por baixo do cinto, puxando o casaco por cima, escondendo a saliência. Recolocou as escrituras turcas na caixa e a lacrou novamente.

Faber era um homem reservado, magro e não exatamente alto. Tinha uma voz suave, e raramente falava em um tom muito acima de um sussurro, de modo que as pessoas tinham de prestar muita atenção ao que ele dizia. Seus olhos tinham a tonalidade fria, verde opaca da ágata, incrustados em uma pele tão pálida e translúcida quanto a carne de um peixe.

Josip fora promovido a administrador por causa de seus modos encantadoramente educados, que às vezes beiravam a insinceridade. Quando ele cumprimentou o general, dando-lhe calorosas boas-vindas, ninguém diria que a parte de trás de seu pescoço pinicava com um suor nervoso. Pediu desculpas por seu alemão ruim, mais enfático do que necessário. Serif apareceu à porta, e Josip o apresentou:

— Meu colega é um excelente lingüista; envergonho-me perto dele.

Serif se aproximou do general e lhe estendeu a mão. O aperto de mão do general era inesperadamente delicado. Serif sentiu uma mão flácida mal tocando a sua. Percebeu que o manuscrito se movia um pouco, pressionado contra a cintura.

Faber não informou o propósito de sua visita. Em um silêncio constrangedor. Josip ofereceu ao general mostrar-lhe as coleções. Enquanto andava em meio às amplas salas abobadadas, Serif falava, com autoridade, das várias exibições, enquanto Faber caminhava atrás dele, batendo com as luvas de couro pretas contra a pálida palma da outra mão, sem dizer nada.

Quando chegaram à biblioteca, Faber assentiu com a cabeça, friamente, e falou pela primeira vez.

— Deixe-me seus manuscritos e incunábulos judaicos.

Estremecendo ligeiramente, Serif selecionou volumes das prateleiras e os dispôs sobre a mesa grande. Havia um texto de matemática de Elia Mizahi, uma edição rara de um dicionário hebraico-árabe-latino publicada em Nápoles em 1488 e um volume do Talmude impresso em Veneza.

As mãos pálidas de Faber acariciaram cada um dos volumes. Ele virou as páginas com todo o cuidado. Quando tocou os códices mais raros, observando a tinta desbotada e os delicados pergaminhos nervurados, sua expressão mudou. Umedeceu os lábios. Serif notou que suas pupilas se dilatavam, como as pupilas de um amante. Serif desviou o olhar. Sentiu um misto de desgosto e violação, como se estivesse assistindo a um espetáculo pornográfico. Por fim, Faber fechou o exemplar do Talmude veneziano e levantou os olhos, franzindo a testa, em gesto de interrogação.

— E agora, por favor, a Hagadá.

Serif sentiu uma torrente de suor queimar-lhe as costas. Virou as palmas das mãos para cima e balançou os ombros.

— Isso é impossível, *herr* General — ele disse.

O rosto de Josip, até então vermelho, de repente empalideceu.

— Como assim, "impossível"? — perguntou Faber, com um tom frio na voz.

— O que o meu colega quis dizer — interveio Josip — é que um de seus oficiais veio aqui ontem e pediu a Hagadá. Disse que o queria para um projeto específico de um museu do *führer*. Claro que nos sentimos honrados de lhe entregar nosso tesouro para tal propósito...

Serif começou a traduzir as palavras de Josip, mas o general o interrompeu.

— Que oficial? Quero seu nome. — Ele deu um passo em direção a Josip. Apesar de seu porte modesto, o general, de repente, parecia transmitir ameaça. Josip deu um passo para trás, esbarrando contra a estante.

— Senhor, ele não me disse o nome. Eu... eu... não achei que me cabia lhe perguntar... Mas, se vier comigo ao meu escritório, posso procurar o documento que ele assinou, como recibo.

Enquanto Serif traduzia as palavras de seu diretor, Faber engolia em seco.

— Muito bem — disse. Ele girou sobre os calcanhares e caminhou em direção à porta.

Josip não teve mais que um instante para trocar um olhar com Serif. E ele fez questão de que aquele fosse o olhar mais eloqüente se sua vida. Então, em uma voz tão plácida quanto um lago em um dia tranqüilo, Serif chamou o general:

— Por favor, senhor, siga o diretor. Ele o conduzirá à escada principal.

Serif sabia que tinha muito pouco tempo. Esperava ter adivinhado corretamente o plano do diretor. Escreveu um recibo com os números catalogados da Hagadá e, com uma caneta diferente, assinado abaixo, um garrancho ilegível. Chamou um atendente e disse ao homem que levasse o papel à sala do diretor.

— Use a escada de serviço, e vá o mais rápido possível. Coloque-o sobre a mesa, onde ele possa ver assim que entrar.

Em seguida, de forma deliberada, forçando-se a se mexer devagar, ele caminhou até o porta-chapéus e apanhou seu sobretudo e seu fez. Saiu da biblioteca e atravessou o saguão até a entrada principal do museu. Fez questão de acenar para os homens de Faber, que o aguardavam, cumprimentando-os com um aceno de cabeça, reconhecendo sua presença lá. Na metade do caminho, enquanto descia a escada, parou para conversar com um colega que estava subindo. Passou pelo grande carro preto dos funcionários, estacionado em frente. Sorrindo e cumprimentando seus conhecidos, ele parou no seu café favorito. Saboreou o café lentamente, como um verdadeiro bósnio faria, aproveitando cada gota. Só então resolveu ir para casa.

Enquanto Serif virava as páginas da Hagadá, Lola se admirava com o esplendor das iluminuras.

— Você deveria ter muito orgulho disso — ele disse à menina. — É uma grandiosa obra de arte que o seu povo deu ao mundo.

Stela apertou as mãos e disse algo em albanês. Serif olhou para ela, com uma expressão firme, porém bondosa. Respondeu em bósnio.

— Eu sei que você se preocupa, minha cara. E tem todo o direito de se preocupar. Nós damos abrigo a uma judia, e agora abrigamos um livro judaico. Ambos procurados pelos nazistas. Uma vida jovem e um artefato antigo. Ambos muito preciosos. E você diz que não se importa em correr riscos, e eu a louvo por isso, e me orgulho de você. Mas teme por nosso filho. E esse seu medo é muito real. Eu também temo por ele. Tenho planos para Leila, com um amigo meu. Amanhã, nós nos encontraremos com ele. Ele a levará a uma família na zona italiana, que pode mantê-la segura.

— Mas e quanto ao livro? — disse Stela. — Com certeza, o general descobrirá o seu truque. Depois de vasculharem o museu, será que não virão aqui?

— Não se preocupe — disse Serif, calmo. — Não é certeza que ele descobrirá o que fizemos. O doutor Boscovic teve a presença de espírito de dizer a Faber que um de seus homens viera buscar o livro. Os nazistas são saqueadores por natureza. Faber sabe que seus oficiais são versados em roubo. Ele provavelmente tem uma meia dúzia de homens que acha que são capazes de roubar o livro para se enriquecer. E de qualquer forma — ele acrescentou, envolvendo o pequeno volume em seu tecido —, depois de amanhã, ele não estará mais aqui.

— Para onde você o levará? — perguntou Stela.

— Não tenho certeza. O melhor lugar para esconder o livro deve ser uma biblioteca.

Ele tinha pensado em simplesmente levar o livro de volta ao museu, colocando-o em alguma prateleira errada em meio aos milhares de volumes. Mas lembrou-se de outra biblioteca, muito menor, onde ele havia passado muitas horas alegres ao lado de um querido amigo. Virou-se para Stela e sorriu.

— Vou levar o livro — falou — ao último local onde alguém pensaria em procurá-lo.

O dia seguinte era sexta-feira, o sabá dos muçulmanos. Serif foi trabalhar, como de costume, mas pediu licença ao meio-dia, dizendo que queria participar das orações comunais. Voltou para casa para pegar Stela, Habib e Lola, de carro. Em vez de rumar para a mesquita mais próxima, ele saiu da cidade, e seguiu em direção às montanhas. Lola segurava Habib no colo, entretendo-o com suas brincadeiras favoritas, puxando-o para perto dela sempre que possível, tentando memorizar o cheirinho de sua cabeça, que a fazia se lembrar da fragrância adocicada de grama cortada. A estrada era ruim, estreita e cheia de curvas. Naquela época do ano, no meio do verão, os campos de trigo e girassóis recebiam luz abundante, adquirindo um aspecto dourado, estendendo-se por toda a esplanada entre as íngremes elevações das montanhas. Quando chegava o inverno, a neve tornava essas vias intransitáveis até a chegada da primavera. Lola se concentrava em Habib para não pensar na náusea provocada pelo movimento do carro, e pela ansiedade. Ela sabia que fora uma sábia decisão sair da cidade, onde o risco de ser descoberta era constante. Mas detestava abandonar os Kamal. Apesar da dor que carregava e do medo sempre à espreita, os quatro meses que ela passara na casa deles haviam-lhe proporcionado uma serenidade que nunca tinha sentido antes.

O sol já estava se pondo quando eles atravessaram a última passagem estreita e viram a aldeia, aberta como uma flor em seu pequeno vale suspenso. Um fazendeiro estava trazendo suas vacas dos campos, e o chamado para a oração da noite se misturava ao lamento e aos gemidos do gado em movimento. Ali, no alto, no isolamento das montanhas, a guerra e suas privações pareciam muito distantes.

Serif parou o carro em frente a uma casa baixa de pedras. As paredes eram brancas, cada pedra colocada ao lado da outra com a precisão de peças montando um quebra-cabeça. As janelas fundas, em nicho, eram altas e estreitas, com venezianas grossas, pintadas de um azul cerúleo, que ofereciam proteção contras as tempestades de inverno. Flores como os delfins silvestres, de um azul mais profundo, cresciam em profusão em volta da casa. Duas borboletas voavam, descontraídas, em meio às flores. Uma velha amoreira espalhava seus ramos sobre o pátio. Assim que o carro estacionou, uma meia dúzia de rostos pequenos espiou por entre a exuberante folhagem. A árvore estava tomada de crianças, como pássaros pousados em seus galhos.

Uma a uma, as crianças saltaram da árvore e cercaram Serif, que havia trazido um doce para cada uma delas. Do chalé, uma garota ligeiramente mais velha, com o rosto coberto como o de Stela, saiu e repreendeu as crianças pela bagunça.

— Mas o tio Serif chegou! — as crianças gritavam, excitadas, vendo os olhos sorridentes da menina, por cima do véu.

— Bem-vindo, seja bem-vindo! — ela saudou. — Papai ainda não voltou da mesquita, mas meu irmão Munib está lá dentro. Por favor, venha, e fique à vontade.

Munib, um jovem com aparência intelectual, que devia ter uns dezenove anos, estava sentado a uma mesa, com uma lupa em uma mão, pinças em outra, cuidadosamente montando um espécime de inseto. A mesa reluzia de tantos fragmentos de asas.

Munib se virou quando a irmã o chamou, uma expressão de irritação por ter sua concentração interrompida. Mas sua expressão mudou quando viu Serif.

— Senhor! Que honra inesperada.

Serif, sabendo da grande paixão do filho de seu amigo por insetos, tinha arrumado um emprego para Munib como assistente no Departamento de História Natural do museu durante as férias escolares.

— Fico feliz ao ver que você continua estudando, apesar dos tempos difíceis — Serif disse. — Sei que seu pai ainda espera colocar você na universidade, algum dia.

— *Insha'Allah* — Munib respondeu.

Serif se sentou em um sofá baixo, sob uma janela arqueada, e a irmã de Munib conduziu Stela e Lola à sala das mulheres, enquanto as crianças traziam uma fila aparentemente infinita de bandejas: suco de uva, feito das vinhas da própria família, chá — uma raridade, agora, na cidade —, pepinos cultivados em casa e doces caseiros.

Por isso, Lola não estava presente quando Serif Kamal pediu a seu bom amigo, o pai de Munib, *khoja* da aldeia, que escondesse a Hagadá. Ela não viu o entusiasmo no rosto do *khoja*, impacientemente limpando a mesa de trabalho do filho para abrir espaço para o manuscrito, nem o deslumbramento em seus olhos enquanto virava as páginas. O sol tinha-se posto, banhando a sala em um brilho remanescente vermelho, caloroso. Minúsculas partículas de poeira brilhavam e dançavam na luz que esvaecia. Quando uma criança entrou carregando uma bandeja de chá, um pequeno pedaço de asa de borboleta se ergueu sob a leve brisa da porta aberta e flutuou até pousar, sem que ninguém percebesse, sobre a página aberta da Hagadá.

Serif e o *khoja* levaram a Hagadá à biblioteca da mesquita. Encontraram um lugar estreito para ele em uma prateleira alta, pressionado entre volumes da lei islâmica. O último lugar em que alguém pensaria em procurar.

Mais tarde, à noite, os Kamal voltaram de carro pela montanha. Pararam do lado de fora da cidade, em frente a uma bonita casa com um muro de pedras alto. Serif se virou para Stela.

— Despeçam-se agora, não podemos ficar aqui.

Lola e Stela se abraçaram.

— Adeus, minha irmã — disse Stela. — Que Deus a guarde viva até nos encontrarmos de novo.

A garganta de Lola se contraiu, e ela não conseguiu responder. Ela beijou a cabeça do bebê, e o entregou à mãe, para depois seguir Serif no escuro.

Hanna

Viena, primavera de 1996

PARNASSIUS.

Lindo nome para uma borboleta. Tinha uma espécie de imponência, e eu me senti enlevada enquanto caminhava em meio aos bem-cuidados jardins do museu, na direção do trânsito efusivo da Ringstrasse. Nunca tinha encontrado restos de uma borboleta em um livro antes. Mal podia esperar para ver Werner e lhe falar a respeito daquilo.

A bolsa de estudos que me levara a Viena depois de eu me formar poderia ter-me levado a qualquer parte. Jerusalém ou Cairo fariam mais sentido. Mas eu estava decidida a estudar com Werner Maria Heinrich, ou o *Universitätsprofessor herr Doktor Doktor* Heinrich, como me haviam dito para chamá-lo, sendo os austríacos o oposto dos australianos na insistência em dar um título separado para cada graduação obtida. Eu ouvira falar sobre sua proficiência em técnicas tradicionais — ele era o melhor no mundo em sua habilidade para detectar fraudes, pois sabia mais do que qualquer um a respeito dos ofícios e materiais originais. Também era especialista em manuscritos hebraicos, o que eu achava intrigante em um católico alemão de sua geração. Eu me ofereci como sua aprendiz.

Sua resposta à minha primeira carta foi educada, porém negativa — "sinto-me honrado por seu interesse, mas infelizmente não estou em posição etc.". Minha segunda carta extraiu uma recusa mais curta, ligeiramente mais exasperada. A terceira recebeu uma resposta curta e grossa, que poderia ser traduzida para o linguajar australiano como "não mesmo!". Mas fui, mesmo assim. Com uma imensa dose de cara-de-pau, apresentei-me em seu apartamento na Maria-Theresienstrasse, e lhe implorei que me aceitasse. Era inverno e, como a maioria dos australianos em sua primeira viagem a um lugar muito frio, não estava preparada para aquele clima brutal. Achava que minha atraente e confortável jaqueta de couro era um casaco de inverno, pois servia para isso em Sydney. Não tinha noção nenhuma. Devo ter parecido uma figura patética, diante de sua porta, tremendo, com flocos de neve que haviam derretido em meu cabelo já convertidos em pequenas partículas de gelo que sibilavam quando eu mexia a cabeça. A inata cordialidade de Heinrich o impedia de me mandar embora.

Os meses que passei moendo pigmentos ou polindo pergaminhos em sua espaçosa oficina, ou sentada ao lado dele no departamento de conservação da biblioteca da universidade, perto dali, me ensinaram mais, eu creio, que todos os meus cursos formais combinados. O primeiro mês foi muito impessoal: "Senhorita Heath" aqui, "*herr Doktor Doktor*" ali, tudo muito correto e frio. Mas, quando chegou o momento de eu ir embora, já era a "Hanna, *Liebchen**" dele. Creio que cada um dos dois preenchia um vazio na vida do outro. Somos ambos deficitários no departamento familiar. Nunca conheci meus avós. A família dele fora morta em Dresden, em um bombardeio. Ele esteve em Berlim, no exército, claro, embora jamais falasse nisso. Tampouco falava de sua infância em Dresden, abreviada pela guerra. Mesmo naqueles dias, eu tinha tato suficiente para não tocar no assunto. Notava, porém, que quando caminhávamos perto do Hofburg, ele sempre fazia o possível para evitar Heldenplatz, ou a Praça dos Heróis. Só muito tempo depois foi que eu vi a famosa foto da praça, tirada em março de 1938. Nela, a praça está cheia de gente, algumas pessoas se achegando às gigantescas estátuas eqüestres para enxergarem melhor, todas saudando Hitler, enquanto ele anunciava a incorporação de sua terra natal ao Terceiro Reich.

Quando deixei Werner e fui para Harvard para tirar meu ph.D. (onde provavelmente não teria sido aceita sem as efusivas recomendações dele), ele, de vez em quando, me escrevia, falando-me dos interessantes projetos em que estava trabalhando, oferecendo dicas para a minha carreira. E quando, às vezes, ele ia à Nova York, eu tomava o trem de Boston até lá, para vê-lo. Mas já fazia alguns anos

* *Liebchen*: querida, cara. (N. do T.)

que não nos víamos; por isso, não estava preparada para a figura frágil me esperando no alto da escadaria de mármore que conduzia ao seu apartamento.

Ele se apoiava em uma bengala de ébano, com uma ponta de prata. Seu cabelo também parecia prateado, um tanto comprido, penteado para trás. Vestia um casaco de veludo escuro, com um adorno em tom limão-claro nas lapelas, uma gravata-borboleta ao estilo do século XIX, e um pedaço de seda ornada, frouxamente presa debaixo do colarinho. Tinha um pequeno botão de rosa branco como *boutonnière*. Eu sabia como ele dava importância à aparência; por isso, cuidei da minha com maior esmero que de costume.

— Hanna, *Liebchen*! Como está bela hoje! Que bela! Mais bonita a cada vez que a vejo! — Ele segurou minha mão e a beijou, e então observou minha pele rachada e fez um ligeiro "tsc, tsc". — O preço de nosso ofício, não é? — disse. Suas mãos também estavam ásperas e nodosas, mas eu observei que tinha as unhas recém-feitas, diferentes das minhas.

Com seus setenta e poucos anos, Werner tinha se aposentado da universidade, mas ainda trabalhava com documentos raros e ocasionalmente era consultado sobre manuscritos importantes. Logo que entrei no apartamento, vi — e percebi pelo cheiro — que ele não tinha parado de trabalhar com materiais de livros antigos. A mesa longa ao lado das altas janelas góticas, onde eu me sentara ao lado dele e aprendera tanto, continuava coberta de ágatas e bugalhos mal-cheirosos, ferramentas antigas de batedores de ouro, e pergaminhos em diversos estágios de preparação.

Ele contratara uma empregada, e quando me levou à biblioteca — uma das minhas salas favoritas do mundo, pois cada volume ali parecia vir com uma história — ela serviu o *kaffee*.

O forte odor de cardamomo me fazia sentir como se eu fosse uma estudante de vinte anos novamente. Werner se acostumara agora a tomar seu café no estilo árabe, após um período como professor visitante na Universidade Hebraica em Jerusalém, onde ele morou no setor cristão da Cidade Velha, entre os palestinos. Toda vez que sentia o cheiro de cardamomo, lembrava-me dele, e de seu apartamento, banhado em luz européia cinza pálida, que não irrita os olhos quando você trabalha por horas com detalhes específicos.

— Que bom ver você, Hanna. Obrigado por se dar ao trabalho de vir entreter um velho.

— Werner, você sabe que eu adoro vê-lo. Mas também espero que você possa me ajudar com uma coisa.

O rosto de Werner se iluminou. Ele se inclinou para frente, em sua poltrona.

— Diga-me!

Eu tinha comigo minhas anotações, e as consultei enquanto lhe falava de meu trabalho em Sarajevo. Ele assentiu com a cabeça, em gesto de aprovação.

— Fez exatamente o que eu teria feito — disse. — Você é uma boa aluna.

Em seguida, eu lhe falei do fragmento de asa da *Parnassius* — que o intrigou — e dos outros artefatos — o fio de cabelo branco, as amostras de mancha e o sal, e, por fim, a estranheza das indentações.

— Concordo — ele disse. — Com certeza, parecem indicar que o livro receberia um par de fechos. — Ele levantou a cabeça e seus olhos de azul-água, por trás dos óculos com armação dourada, me fitaram. — Por que será que não recebeu? Muito interessante. Muito misterioso.

— Você acha que o Museu Nacional teria alguma coisa sobre a Hagadá e o trabalho que foi feito com ele em 1894? Já faz muito tempo...

— Não tanto tempo para Viena, minha cara. Tenho certeza de que eles devem ter algo. Se é útil, porém, aí já é outra questão. Mas foi uma comoção tremenda, sabe, quando o manuscrito apareceu. O primeiro das Hagadás ilustrados a ser redescoberto. Dois dos mais renomados estudiosos da época foram até lá para examiná-lo. Eu tenho certeza de que o mundo tem seus relatórios, pelo menos. Acho que um deles era Rothschild, de Oxford; sim, é isso mesmo, tenho certeza. O outro era Martell, da Sorbonne — você lê francês, não lê? As anotações do encadernador, se eles guardaram, estariam em alemão. Mas talvez o encadernador não tenha anotado nada. Como você mesma viu, a encadernação foi lamentavelmente malcuidada.

— Por que você acha que o livro foi o centro de tanta atenção?

— Creio que foi a controvérsia quanto a quem deveria ficar com o livro. Viena o queria, claro. Por que não? A capital do império austro-húngaro, o centro da energia artística da Europa... Mas lembre-se de que os Hapsburgo apenas *ocupavam* a Bósnia naquela época — a anexação só ocorreu em 1908. Os nacionalistas eslavos odiavam a ocupação. — Ele levantou o dedo retorcido e o acenou; era um maneirismo de Werner quando tinha algo especialmente interessante a dizer.

— Por coincidência, o homem que iniciou a Primeira Guerra Mundial nasceu no mesmo ano em que a Hagadá chegou aqui, você sabia disso?

— Você se refere ao estudante que atirou num dos Hapsburgo em Sarajevo?

Werner encolheu o queixo, num sorriso de conhecimento de causa. Ele adorava contar às pessoas algo que elas não sabiam. Éramos muito parecidos nisso.

— Seja como for — ele continuou —, penso que o medo de incitar o nacionalismo tenha sido o motivo pelo qual o livro voltou ao Landesmuseum da Bósnia. Acredito que a encadernação malfeita foi a vingança de Viena, uma espécie de esnobação mesquinha: se ele vai ficar nas províncias, então uma encadernação vagabunda serve. Ou talvez tenha sido algo mais sinistro. — Sua voz caiu um pouco, e ele tamborilou com dedos no braço brocado da cadeira. — Não sei se você está a par disso, mas aqueles anos de *fin de siècle* viram uma grande onda de anti-semitismo aqui. Tudo que Hitler dizia e grande parte do que ele fez com os judeus foi ensaiado aqui. Era o ar que ele respirava, tendo crescido na Áustria. Ele devia ter, penso eu, cinco anos de idade, começando o jardim-da-infância em Braunau, quando a Hagadá esteve aqui. Que estranho, pensar nessas coisas...

A voz de Werner se calou. Estávamos quase pisando em solo proibido. Quando olhou para mim e falou novamente, achei, a princípio, que estava tentando mudar de assunto.

— Diga-me, Hanna, você já leu Schnitzler? Não. Precisa ler! Não se pode entender nada sobre os vienenses, mesmo hoje em dia, sem Arthur Schnitzler.

Ele segurou a bengala e, com dificuldade, se levantou, caminhou devagar e com cuidado em direção às estantes de livros. Passou o dedo pelas lombadas de volumes e mais volumes, que eram, quase todos, edições originais ou raras.

— Tenho o texto apenas em alemão, e você ainda não lê alemão, lê? Não? Que pena. Um escritor muito interessante, Schnitzler, muito — perdoe-me — erótico. Muito franco com suas numerosas seduções. Mas ele também escreve muito sobre a ascensão dos *Judenfressers*. Significa "comedores de judeus", pois o termo *anti-semitismo* ainda não existia quando ele era garoto. Schnitzler era judeu, claro. — Ele puxou um livro da prateleira. — Este se intitula *Minha juventude em Viena*. Uma edição muito boa, um exemplar em associação com o mestre latino de Schnitzler, um tal de Johann Auer, "com agradecimentos pelos *Auer*ismos". Sabe que eu encontrei este livro em uma feira de livros beneficente de uma igreja, em Salzburg? Incrível ninguém o ter visto antes... — Ele folheou o livro até encontrar o trecho que estava procurando. — Aqui, ele pede desculpas por escrever tanto sobre a tal "questão judaica". Mas diz que nenhum judeu, por mais assimilado que seja, tem permissão para esquecer o fato de seu nascimento. — Werner ajustou os óculos e leu, em voz alta, traduzindo: — "Mesmo que você conseguisse se portar de uma maneira que não demonstrasse nada, seria impossível permanecer completamente impassível; por exemplo, uma pessoa cuja pele esteja anestesiada, mas que tem que observar, com os olhos bem abertos, um corte sendo feito com uma faca suja, até o sangue jorrar." — Werner fechou o livro. — Ele escreveu isso no início da década de 1900. A imagem ainda é arrepiante, se pensarmos no que se seguiu, não é?

Werner colocou o livro de volta na prateleira, e tirou do bolso um lenço branco um pouco amarrotado, que passou sobre a testa. Sentou-se pesadamente em sua poltrona.

— É possível, portanto — disse —, que a reencadernação seja malfeita porque o encadernador era um dos comedores de judeus de que fala Schnitzler.

Ele terminou de beber seu café.

— Mas talvez — continuou — não tenha sido nada disso. Na época não se reconhecia o que a encadernação de um livro, por mais danificada que estivesse, podia revelar. Muitas informações se perdiam quando encadernações antigas eram arrancadas e jogadas fora.

Sempre que trabalho com um livro assim, dói-me pensar nisso. Provavelmente, se o livro chegou a Viena com fechos da antiga encadernação, estes eram os originais... mas não podemos ter certeza.

Eu mordisquei um pequeno pedaço de um bolo delicioso chamado Ondas do Danúbio, o favorito de Werner. Ele se levantou, sacudindo os farelos do paletó, e arrastou os pés até o telefone, a fim de ligar para o seu contato no museu. Depois de uma animada conversa em alemão, ele recolocou o fone no gancho, e me disse:

— A *Verwaltungsdirektor** poderá receber você amanhã. Ela diz que os documentos daquela época estão arquivados em um depositório localizado a certa distância do museu. Pedirá que os mandem a ela ao meio-dia, amanhã. Quando você precisa estar em Boston?

— Posso esperar mais um ou dois dias — respondi.

— Ótimo! Ligue-me para dizer se encontrou alguma coisa, certo?

— Sim, claro — eu disse. Levantei-me, pronta para sair. Chegando à porta, eu me abaixei — em sua idade, ele estava ligeiramente curvado agora, e um pouco mais baixo que eu — e beijei-lhe o rosto enrugado.

— Werner, desculpe eu perguntar, mas você está bem, mesmo?

— *Liebchen*, eu tenho setenta e seis anos. Poucos estão "bem, mesmo" nessa idade. Mas eu me viro.

Ele ficou parado em frente à porta até eu descer as escadas. Chegando à entrada decorada do prédio, virei-me, olhei para cima e soprei-lhe um beijo, imaginando se o veria novamente.

Naquela mesma tarde, sentei-me na ponta de minha cama estreita na pensão perto de Peterskirche, com o telefone no colo. Queria muito falar com Ozren sobre a *Parnassius*. Mas, quando tirei meu caderno de anotações da pasta de documentos, o envelope com as imagens do cérebro de Alia caíram. Senti-me subitamente culpada por desrespeitar a vontade de Ozren e me imiscuir em seu sofrimento particular. Provavelmente, ele ficaria furioso de novo se soubesse o que eu tinha feito. Ele tinha razão; não era da minha conta. Embora eu quisesse lhe falar sobre a asa de borboleta, o meu ardil pesava-me

---

* Diretor(a) administrativo(a). (N. do T.)

na consciência, como um fardo. Por fim, quando já tinha passado o horário em que ele estaria no museu, criei coragem e telefonei. Ele estava lá, ainda, trabalhando até mais tarde. Despejei-lhe a notícia a respeito do livro, e pude perceber o prazer em sua voz.

— Sempre houve uma dúvida enorme quanto ao paradeiro da Hagadá durante a Segunda Guerra Mundial. Nós sabemos que o *kustos*, de alguma maneira, o salvou dos nazistas, mas as histórias são muitas: que ele o escondeu na biblioteca entre alguns documentos turcos; que o levou a uma aldeia nas montanhas e o escondeu em uma mesquita. A sua asa parece ser uma evidência das montanhas. Eu posso examinar as elevações e ver se determino em qual aldeia foi, e investigar, depois, se ele tinha algum vínculo especial com alguém lá. Seria muito bom sabermos a quem agradecer por esconder a Hagadá durante a guerra. Pena que ninguém lhe perguntou, enquanto era vivo. Ele sofreu muito, sabe? Os comunistas o acusaram de ser um colaborador dos nazistas.

— Mas ele salvou a Hagadá. Como poderia ser um colaborador?

— Não só a Hagadá. Salvou judeus, também. Mas acusar alguém de colaboração com os nazistas era um jeito prático de os comunistas se livrarem de uma pessoa que fosse muito intelectual, religiosa, franca. E ele era tudo isso. Lutou muito contra eles, principalmente quando quiseram destruir a Cidade Velha. Eles tinham planos horríveis de renovação, por algum tempo. Ele ajudou a deter a loucura, mas pagou um preço. Seis anos em confinamento solitário, em condições absolutamente terríveis. Então, de repente, perdoaram-no. As coisas eram assim naquela época. Ele recuperou seu antigo emprego no museu. Mas, provavelmente, o tempo passado na prisão deteriorou sua saúde. Ele morreu na década de 1960, depois de uma prolongada doença.

Passei a mão pelos cabelos, arrancando os grampos que o prendiam.

— Seis anos na solitária — comentei. — Não sei como alguém pode agüentar isso.

Ozren ficou em silêncio por um instante.

— Eu também não — disse.

— Quero dizer, ela não era soldado nem ativista político... essas pessoas... bem, elas sabem os riscos que correm. Mas ele era só um bibliotecário...

Tão logo disse isso, eu me senti uma idiota. Ozren, afinal de contas, era "só" um bibliotecário, e nem por isso deixara de agir com coragem da forma como agiu.

— Eu quero dizer...

— Eu sei o que você quer dizer, Hanna. Mas agora me fale: quais são seus planos?

— Vou verificar os arquivos no Museu Nacional amanhã, ver se há alguma coisa sobre os fechos. Depois, passo uns dias em Boston, e lá eu posso fazer alguns testes com as manchas, no laboratório de um amigo meu.

— Ótimo. Diga-me o que descobriu, depois.

— Claro. Ozren...

— Hum?

— Como está Alia?

— Quase terminamos de ler o *Ursinho Puff*. Pensei em ler para ele alguns contos de fada da Bósnia depois.

Esperei, naquele momento, que a estática na ligação tivesse disfarçado a estranheza na minha voz quando balbuciei um comentário qualquer.

Frau Zweig, a arquivista-chefe no Historisches Museum der Stadt Wien (Museu Histórico da Cidade de Viena), não era nada como eu imaginara. Uma mulher beirando os trinta, ela usava botas de salto alto pretas, uma saia com pregas, e uma blusa de jérsei azul, apertada, que realçava sua invejável silhueta. Seus cabelos escuros estavam presos em um coque irregular, assinalado por vários tons de vermelho e amarelo. Uma marca prateada se fazia visível em seu nariz empinado.

— Você é amiga de Werner? — ela perguntou, espantando-me mais ainda por ser a única pessoa em Viena que eu já ouvira referir-se a ele pelo primeiro nome. — Ele é uma figura, não é? Com aqueles ternos de veludo e aquela aparência do século XIX. Eu simplesmente o *adoro*.

Ela me conduziu pela escada dos fundos do museu até as salas do porão. O ruído de seus saltos altos ecoava contra o piso de pedra.

— Desculpe-me por trazê-la a esse buraco — ela disse, abrindo a porta de um depósito cujas prateleiras funcionais de metal estavam tomadas pela parafernália comum dos espaços de exibições: velhas molduras e cavaletes, vitrines desmontadas, potes com conservantes. — Se pudesse, eu a deixaria em meu escritório, mas tenho reuniões praticamente o dia todo; avaliação de estafe, sabe? Um *tééééédio*. — Ela virou os olhos como uma adolescente reclamando de alguma orientação dos pais. — A burocracia na Áustria é ruim demais, sabe? Estudei em Nova York. Foi difícil eu voltar aqui e me adaptar a essa formalidade. — Ela torceu o pequeno nariz. — Bem que eu gostaria de me mudar para a Austrália. Todos em Nova York achavam que eu era de lá, sabe? Eu dizia Áustria, e eles diziam: "Ah, aqueles lindos cangurus!". E eu deixava que pensassem. Vocês têm uma reputação melhor que nós. Todos pensam dos australianos: descontraídos, engraçados. Austríacos: Velho Mundo, empertigados. Você acha que eu deveria me mudar para lá?

Eu não queria decepcioná-la; por isso, não lhe disse que jamais tinha visto alguém tão descontraído quanto ela num cargo de arquivista-chefe na Austrália.

No centro da sala, havia uma caixa arquival sobre uma bancada. *Frau* Zweig pegou um cortador e partiu os lacres.

— Boa sorte — ela disse. — Se precisar de alguma coisa, me avise. E diga a Werner que eu lhe mando um grande beijo. — Ela fechou a porta, e pude ouvir o eco de seus saltos voltando pelo corredor.

A caixa continha três pastas. Eu duvidava que alguém tivesse sequer olhado para elas em trezentos anos. Todas estavam marcadas com o selo do museu e a abreviação K.u.K., que significa *Kaiserlich und Königlich* — imperial e real. Os Hapsburgo tinham o título de "imperador" na Áustria e "rei" na Hungria. Assoprei a poeira da primeira pasta. Ela continha apenas dois documentos, ambos em bósnio. Percebi que um deles era uma cópia da nota de venda a um museu, da família chamada Kohen. A segunda era uma carta, escrita à mão em uma letra bonita. Felizmente, havia traduções, provavelmente feitas para estudiosos visitantes. Eu procurei a versão em inglês.

O autor da carta se apresentava como professor — daí sua letra caprichada. Dizia que era instrutor da língua hebraica no *maldar* de Sarajevo. O tradutor acrescentara uma nota explicando que a palavra era o nome das escolas elementares dirigidas por judeus sefardins*. "Um filho da família Kohen, aluno meu, trouxe-me a Hagadá. A família, em luto recente por seu provedor, desejava aliviar suas dificuldades financeiras, tentando obter algo com a venda do livro... veio pedir minha opinião quanto ao seu valor... Embora eu tenha visto dezenas de Hagadás, algumas muito antigas, nunca vi iluminuras dessa espécie... Quando visitei a família para saber mais, descobri que não havia informações acerca da Hagadá, exceto pelo fato de que ele estava com eles havia 'muitos anos'. A viúva disse que seu marido contava que o livro era usado quando seu avô conduzia o *seder*, o que o situava em Sarajevo já em meados do século XVIII... Ela disse, e eu pude confirmar, que o avô Kohen em questão era um precentor que praticara na Itália..."

Recostei-me na cadeira. Itália. A inscrição de Vistorini — *Revisto per mi* — situava a Hagadá em Veneza em 1609. Será que o avô Kohen estivera em Veneza? A comunidade judaica lá seria muito maior e mais próspera que na Bósnia, e a herança musical da cidade era rica. Teria ele, talvez, adquirido o livro lá?

Eu imaginei a família, com seu patriarca culto, cosmopolita, reunida à mesa para o *seder*; o filho, que começava a se tornar adulto, sepultando o pai na época apropriada e assumindo seu lugar à mesa. Ele também morrendo, de forma súbita, talvez, pois a família se encontrava agora em circunstâncias precárias. Senti tristeza pela viúva, lutando para sustentar seus filhos, criando-os sozinha. E tristeza maior senti ao perceber que os filhos desses filhos deviam ter morrido, pois não havia um único judeu com o nome de Kohen em Sarajevo depois da Segunda Guerra Mundial.

---

* *Sefardim*: descendente dos primeiros israelitas de Portugal e da Espanha, expulsos em 1492 e 1496. (N. do T.)

Obriguei-me a me lembrar, depois, de investigar as interações entre as comunidades judaicas do Adriático no século XVIII. Talvez houvesse alguma *ieshivá* específica italiana onde os precentores da Bósnia estudavam. Seria fantástico chegar a uma conclusão, ainda que especulativa, de como a Hagadá chegara a Sarajevo.

Mas nada disso tinha a ver com fechos; por isso, deixei a pasta de lado e peguei a outra. Herman Rotschild, especialista em antigos manuscritos do Oriente Próximo da Biblioteca Bodleian, Oxford, infelizmente tinha uma letra muito menos legível que o professor de hebraico. Seu relatório, dez densas páginas manuscritas, parecia escrito em bósnio, tamanha foi minha dificuldade para decifrá-lo. Não demorei, porém, a perceber que ele nada falava da encadernação. Ele se fascinara tanto ante as iluminuras, que o relatório era, na verdade, um tratado de história da arte, uma avaliação estética das miniaturas no contexto da arte medieval cristã. Eu folheei e li trechos de suas páginas, que eram eruditas e com uma linda forma de expressão. Copiei algumas linhas para citar em meu ensaio. Mas nada havia no relatório que fosse relevante aos fechos. Deixei as páginas de lado e esfreguei os olhos. Eu esperava que seu colega francês tivesse uma visão mais ampla.

O relatório de *monsieur* Martell era um completo contraste ao de seu colega britânico. Conciso e objetivo, era um texto inteiramente técnico. Bocejei de sono enquanto folheava as páginas, a costumeira enumeração enfadonha de cadernos e fólios, até chegar à última. E, de repente, parei de bocejar. Martell descrevia, em linguagem técnica, uma espécie de encadernação gasta, manchada e danificada. Ele observou que os fios de linho estavam faltando, ou gastos, de modo que a maioria dos cadernos já não se prendia à encadernação. Impressionante e incrível, pelo que ele descrevia, que as páginas não tivessem se perdido.

E havia também várias frases curtas rabiscadas. Puxei a lâmpada da mesa mais para perto para tentar ler as possíveis dúvidas de M. Martell. Nada feito. Virei a página. Certamente, a força de sua mão havia deixado uma impressão parcialmente legível sob o toque no papel. Por vários minutos, fiquei intrigada com as letras que consegui decifrar. Ler palavras francesas incompletas e de trás para a frente não é fácil. No fim, porém, consegui desvendar a maior parte, e compreendi por que elas tinham sido rabiscadas.

"Par de fechos Ag oxidados, inutilizados. Gancho e buraco duplos, mecanicamente exauridos. Após limpeza c/ $NaHCO_3$ diluído, aparece desenho de flor envolto por asa. Gravação = relevo + *repoussé*. Sem carimbo oficial." Naquele museu, em 1894, M. Martell havia usado seu tecido macio e seus pequenos pincéis para trabalhar em cima dos velhos e enegrecidos pedaços de metal, até a prata novamente brilhar sob a luz. Apenas por um momento, o frio M. Martell perdera a cabeça.

"Os fechos", ele escrevera, "são extraordinariamente belos".

Penas e uma rosa

Viena, 1894

Viena é o laboratório do apocalipse.

— Karl Kraus

— *FRÄULEIN* TELEFONISTA em Gloggnitz? Posso ter a honra de desejar-lhe uma esplêndida tarde? Faço votos de que seu dia tenha sido agradabilíssimo até agora. A parte deste lado da linha, *herr Doktor* Franz Hirschfeldt, apresenta seus cumprimentos e gostaria de lhe estender um grato beijo na mão pelo favor de completar esta ligação.

— E uma tarde ótima para você, minha cara *fräulein* telefonista em Viena. Obrigada por seus votos, e por favor aceite minhas mais sinceras felicitações. Tenho o prazer de responder à sua gentil indagação, dizendo-lhe que meu dia está sendo muito agradável, e espero que você e sua parte também estejam desfrutando o magnífico verão. Como humilde representante de minha parte, posso aventurar-me a dizer que Sua Excelência o barão anseia pela oportunidade de transmitir seus votos e...

Franz Hirschfeldt afastou o telefone do ouvido e bateu com o lápis na mesa. Ele não tinha a menor paciência para essa exaustiva corrente de gentilezas. As palavras que lhe passavam pela mente estavam longe de tanta polidez. Ele queria logo entrar na conversa, mandar aquelas mulheres calarem a boca e completar logo a droga da ligação. Bateu com o lápis com tanta força contra a borda niquelada da mesa que uma parte quebrou, atravessou a sala de cirurgia, e foi cair sobre a mesa de exame coberta com o lençol branco. Será que aquelas duas não sabiam que havia um limite de tempo de dez minutos para chamadas fora da cidade? Às vezes, Hirschfeld tinha a impressão de que o limite estourava antes de ele conseguir falar com a pessoa do outro lado da linha. Mas da última vez que ele interrompera a telefonista, ela desfizera a ligação; por isso, ele preferiu manter a calma.

Era só mais uma pequena irritação, como o toque do colarinho da camisa contra o pescoço, quando a lavadeira *insistia* em engomar demais, apesar de suas instruções explícitas. Havia aborrecimentos daquele tipo em excesso naquela cidade: a entediante obsequiosidade, a moda dos colarinhos estranguladores. Irritava-o ser tão constantemente provocado. Ele tinha 36 anos de idade, era pai de duas crianças adoráveis, casado com uma mulher que ele ainda admirava, e se distraía de maneira discreta com uma série de amantes que o divertiam. Em sua profissão, tinha sucesso e até prosperidade. Além de tudo isso, ele morava em Viena, sem dúvida uma das melhores cidades do mundo.

Hirschfeldt desviou da mesa o olhar, e o dirigiu para além da janela parcialmente coberta com cortinas, enquanto as *fräuleins* continuavam a esbanjar elogios pelo fio telegráfico. A cidade se sentira confiante a ponto de derrubar suas fortalezas medievais e substituílas pela bem-vinda nova cercania da Ringstrasse, suficientemente pragmática para abraçar a industrialização que encobria o horizonte com a nuvem da prosperidade.

Essa era a cidade dele, em toda a sua magnificência, capital de um império que se estendia dos Alpes Tiroleses até as terras douradas da Ucrânia, passando pela costa da Dalmácia; uma mistura cultural que atraía os melhores intelectos e mais criativos artistas — na noite anterior, por exemplo, Anna, sua esposa, o arrastara para ouvir a última e estranha composição daquele homem, Mahler. Ele não era de Boêmia ou algum lugar assim? E a exibição e as pinturas de Klimt que eles tinham visto... Bem, aquilo era outra coisa. Licença artística, ele achava que chamavam aquilo; mas o homem tinha uma concepção muito estranha da anatomia feminina.

Não que nada se movesse em Viena. Pelo contrário, a cidade pulsava com a energia frenética de sua grandiosa invenção, a valsa. Mesmo assim...

Entretanto, sete anos da monarquia Hapsburgo tinham impregnado a capital austríaca de um excesso de sua grandeza, soterrando-a sob camadas de gesso, enlameado-a em massas de creme espesso, sobrecarregado-a de trançados de ouro (até os faxineiros usavam ombreiras), e a aniquilado com essa torrente — não, essa catarata — de untuosas cortesias...

— ... se a ligação for da conveniência do *herr Doktor* Hirschfeldt, Sua Excelência o barão ficaria encantado...

Bem, ele *ficaria* encantado, pensou Hirschfeldt. A *fräulein* estava certa, nesse ponto. O barão ficaria realmente encantado. Encantado ao ouvir que tinha um furúnculo em local de péssima localização, em vez de sífilis. Não seria necessário usar uma dose quase tóxica de mercúrio nem passar pela ala de malária e contrair uma febre suficientemente tórrida para queimar a infecção pior. Por sorte, o barão ainda não tinha feito nenhuma confissão de culpa à baronesa. O médico havia recomendado que ele cuidasse sozinho de seu membro chorão, em seu chalé nas montanhas, até Hirschfeldt ter a oportunidade de examinar sua amante.

A amante do barão era uma garota ingênua cuja carne jovem e sadia e cuja história satisfaziam o astuto e diplomático interrogatório de Hirschfeldt. Ela tinha acabado de sair da sala de cirurgia, e seus olhos adocicados estavam vermelhos após chorar um pouco. Elas sempre choravam um pouco; as infectadas, por desespero; as saudáveis, por alívio. Mas essa garota chorara por humilhação. O lençol na mesa de exames ainda estava com a impressão de seu corpo esbelto. Estava tão pálida quanto o próprio lençol, e tremendo, enquanto Hirschfeldt lhe pedia que abrisse as pernas. Não era uma cortesã calejada. Hirschfeldt percebera a vergonha que ela sentia, e fora delicado com ela. Às vezes, na investigação da vida íntima de um paciente, o médico tinha que ser tirânico para chegar à verdade. Mas não com aquela delicada criatura, que estava mais que disposta a contar a breve história de suas seduções; a primeira, um cavalheiro do meio literário, que por acaso também era paciente de Hirschfeldt e conhecido — por ele — como sendo um homem orgulhoso de sua invejável saúde física. Depois de um relacionamento não muito prolongado com ela, ele a havia passado para as atenções do barão.

Hirschfeldt tivera o cuidado de anotar o endereço da moça em sua agenda particular. Talvez, após um intervalo decente, quando não houvesse mais a questão da quebra do relacionamento médico–paciente, ele pudesse se encontrar com ela. Havia coisas piores naquela cidade.

A estrondosa voz em barítono do barão finalmente se manifestou na linha, tomando o lugar das tagarelas *fräuleins*. Hirschfeldt, entretanto, tomou cuidado com as palavras. As *fräuleins* eram notórias bisbilhoteiras.

— Barão, bom dia. Eu só queria lhe dar logo a notícia de que a planta que estávamos tentando identificar muito provavelmente não é a erva daninha invasiva que o senhor e eu temíamos ser.

Ele ouviu, do outro lado da linha, o barão respirar aliviado.

— Hirschfeldt, obrigado. Obrigado por me informar tão rápido. É um grande alívio para mim.

— Por nada, Excelência. Mas essa planta ainda requer certo cultivo (claro, o furúnculo precisava ser lancetado) e nós precisamos cuidar disso.

— Passarei aí tão logo eu volte à cidade. E grato, para sempre, por sua discrição.

Hirschfeldt desligou. Discrição. Para isso ele era pago. Todos os aristocratas, com suas luvas que cobriam as erupções nas palmas das mãos. Todos respeitáveis membros da burguesia apavorados com o surgimento das úlceras bucais. Ele sabia muito bem que eles não permitiriam que um judeu deflagrasse sua sala de estar, ou sequer lhes fizesse companhia para tomar uma xícara de café. Mas não se importavam nem um pouco de confiar a esse judeu os cuidados de suas partes íntimas nem de lhe confidenciar sua vida pessoal. Hirschfeldt fora o primeiro na cidade a anunciar a disponibilidade de uma sala de espera "separada" para o uso daqueles com "doenças secretas". Mas isso acontecera no início de sua carreira. Já fazia muitos anos que ele não precisava mais anunciar.

Discrição: um bem valioso naquela cidade, capital da carnalidade, onde escândalo e fofoca eram o combustível que alimentava o motor social. E havia *tanto* sobre que se fofocar. Seis anos já se tinham passado desde que o príncipe e sua amante haviam perecido na cabana de caça em Mayerling, e as pessoas ainda não se cansavam de novos rumores em torno daquela tragédia, ou comédia, dependendo do grau de romantismo ou cinismo. Claro que a determinação da família real de abafar o caso só alimentava as chamas dos rumores, como sempre acontece com tais tentativas. Os Hapsburgo podiam arrastar o corpo de Maria Vetsera no meio da noite com um cabo de vassoura preso às costas para disfarçar o fato de que ela estava morta havia quarenta horas; mas, embora pudessem apagar o nome dela da imprensa austríaca, não conseguiriam impedir que os jornais estrangeiros atravessassem a fronteira e espiassem embaixo dos bancos dos cabriolés de Viena, convencendo seus condutores, mediante vultoso incentivo, a conduzi-los até os ávidos olhos de seus passageiros.

Hirschfeldt, que fora treinado pelo médico real, conhecia o príncipe da coroa, Rodolfo. Gostava dele. Tinham a mesma idade, e a mesma tendência liberal. Em seus poucos encontros, ele percebera os recalques do príncipe, sua frustração por um papel que não passava de cerimonial. Aquela não era a vida de um homem adulto, ficar fora dos conselhos de Estado, requisitado apenas como um manequim bem vestido em banquetes e festas, esperando um destino que lhe acenava e, no entanto, retrocedia sempre que tentava dele se aproximar. No entanto, Hirschfeldt não podia aceitar o ridículo pacto de suicídio. O que Dante tinha escrito, mesmo, sobre o papa que abdicava do trono para se tornar contemplativo, sendo, todavia, condenado aos círculos mais vis do inferno? Era alguma coisa a ver com um castigo por ter recusado uma ótima oportunidade de fazer o bem no mundo... E, desde a chocante morte do príncipe, Viena se via em um declínio quase imperceptível — um declínio de espírito, mais do que de matéria. Sem uma face liberal, porém, sem um Hofburg para controlá-los, os *Judenfressers* se tornavam mais ousados a cada ano.

Quem poderia imaginar que um único suicídio — ou, em termos mais exatos, um duplo suicídio — deixaria toda uma cidade em tão amarga disposição? Viena valorizava seus suicídios, principalmente aqueles dramáticos, realizados com certo brilho, como da jovem que se vestira com véu e grinalda antes de se atirar na frente de um trem em alta velocidade, ou o artista de circo que, no meio de sua apresentação, larga a vara que o mantinha em equilíbrio, e salta para a própria morte. O público aplaudiu, pois ele havia pulado com tamanha determinação que todos acreditaram que fazia parte do número. Só quando o sangue começou a escorrer sob seu corpo destroçado, as aclamações se converteram em suspiros de horror, e as mulheres viraram o rosto, compreendendo que aquele homem acabara de aumentar o índice de suicídio que já era o mais alto na Europa.

Suicídio e doenças venéreas. Dois grandes exterminadores dos vienenses, desde os mais nobres aos mais desvalidos.

Hirschfeldt terminou suas anotações sobre o caso do barão e chamou sua secretária, para que ela mandasse entrar o próximo paciente. Ele olhou a agenda. Ah, sim. *Herr* Mittl, o encadernador. Pobre sujeito.

— *Herr Doktor, Kapitän* Hirschfeldt está aqui. Posso mandá-lo entrar primeiro?

Hirschfeldt soltou um resmungo quase inaudível de irritação. Por que David estaria lá na clínica para aborrecê-lo? Ele esperava que seu irmão tivesse o bom senso de não entrar na sala separada. *Herr* Mittl era um sujeito nervoso, muito decente, que pagara um alto preço por sua momentânea indiscrição, em sua já distante juventude. Ele sentia profundamente a vergonha de sua condição, e por isso mesmo hesitara em procurar tratamento nos primeiros estágios de sua doença, quando talvez ainda houvesse esperança de cura. Ele ficaria mortificado se encontrasse um oficial do Hoch und Deutschmeister.

— Não, transmita ao capitão meus cumprimentos, mas peça que espere. *Herr* Mittl tem dificuldade para marcar uma consulta. A precedência é dele.

— Certo, *herr Doktor*, mas...

— Mas o quê? — Hirschfeldt passou o dedo por baixo do colarinho que estava mais engomado que de costume.

— Ele está sangrando.

— Oh, por Deus! Mande-o entrar.

Típico, ele pensou, de seu meio-irmão, uns trinta centímetros mais alto que ele, mas treze anos mais jovem, entrar na sala de cirurgia segurando um pedaço de seda manchado de vermelho contra o maxilar esculpido. Pequenos glóbulos de sangue marcavam os pêlos loiros do espesso bigode.

— David, em nome de Deus, o que você aprontou agora? Outro duelo? Você não é mais um garoto. Afinal, por que não aprende a controlar seu temperamento? Quem, desta vez?

Hirschfeldt tinha se levantado para ajudar seu irmão a ir até a mesa de exames. De repente, se lembrou de que estava sem a enfermeira para trocar os lençóis. Por questão de segurança, ele conduziu o irmão a uma cadeira ao lado da janela e, com cuidado, levantou a seda saturada — uma bela gravata, arruinada —, afastando-a do corte.

— David — ele disse, e a voz estava carregada de tons de desaprovação. Passou o dedo sobre uma cicatriz antiga que desenhava um arco acima da sobrancelha direita do irmão. — Uma cicatriz de duelo, suponho, é perdoável e talvez em *seus* círculos, até desejável. Mas duas! Isso já é um excesso. — Ele aplicou álcool ao novo ferimento, enquanto David se encolhia. Ficaria uma marca, com certeza. O corte de florete era curto, mas profundo. Hirschfeldt calculou que fecharia sem suturas se os lados da ferida fossem seguros com firmeza e recebessem boas bandagens. Mas será que seu leviano irmão deixaria a bandagem fixa? Provavelmente não. Ele se virou, procurando uma sutura.

— Você vai me dizer? Quem foi?

— Você não conhece.

— Ah, é? Você ficaria surpreso com quem eu conheço. Sífilis não respeita patentes do exército.

— Não foi um oficial.

Hirschfeldt parou, a ponta brilhante da agulha de sutura se deteve acima do rosto do irmão. Ele virou o rosto do irmão em direção ao seu. Os sonolentos olhos azuis, do mesmo tom escuro do casaco do jovem capitão, fitaram-no, impassíveis.

— Um civil? David, você foi longe demais. Isso pode ser desastroso.

— Acho que não. Seja como for, eu não podia deixar passar o modo como ele disse meu nome.

— Seu nome?

— Ora, vamos, Franz. Você sabe muito bem como algumas pessoas pronunciam nomes judaicos. Como fazem cada sílaba parecer uma peça teatral cômica.

— David, você é sensível demais. Vê insultos em toda parte.

— Você não estava lá, Franz. Não pode me julgar nessa questão.

— Não, eu não estava lá, desta vez. Mas já vi isso acontecer antes.

— Bem, mesmo que seja sensível demais, mesmo que eu tivesse me enganado quanto à questão do nome, o que aconteceu depois provou o contrário. Quando eu o chamei para fora, ele proclamou que eu não estava em posição de exigir satisfações, por ser judeu.

— O que ele quis dizer com isso?

— Estava se referindo, claro, ao manifesto Waidhofen.

— O quê?

— Ora, Franz. Às vezes, eu me pergunto em que cidade você vive. O manifesto Waidhofen é assunto de conversa em todas as cafeterias em Viena há semanas. É a deplorável reação da facção nacionalista alemã ao fato de que um grande número de judeus, tanto na universidade quanto no corpo de oficiais do exército, se tornaram hábeis e perigosos esgrimistas. Bem, tiveram de se tornar, para se defender das crescentes provocações. Enfim, o manifesto afirma que um judeu não tem honra desde o dia em que nasce. Que não sabe diferenciar entre o que é sujo e o que é limpo. Que é eticamente subumano e desonroso. Por isso, é impossível insultar um judeu; portanto, um judeu não pode exigir satisfações por insulto algum.

Franz deu um longo suspiro.

— Meu bom senhor — ele proclamou.

— Está vendo? — David riu, mas o rosto se contorceu, com os músculos protestando em dor. — Até você, meu sábio irmão mais velho, teria atacado o sujeito com um bisturi.

A ironia era que David Hirschfeldt, diferente de Franz, não era judeu. Um ano ou dois depois que a mãe de Franz morrera de tuberculose, o pai se envolvera com uma católica bávara. Convertera-se para a religião dela, para poder cortejá-la. O filho dos dois, David, fora criado sob o aroma de incenso aos domingos e pinheiros recém-cortados para celebrar o Natal. O único traço judeu daquela estrela nascente, o menino loiro, de olhos azuis, meio bávaro, do Hausregiment de Viena, era seu nome.

— E há mais ainda.

— O quê?

— Há rumores de que eu posso ser tirado da Silésia.

— David! Eles não podem fazer isso. Você é o campeão deles, desde o ginásio. Foi por causa de sua recente... aventura?

— Não, claro que não. Todos na Silésia já participaram de um duelo ilegal, uma vez ou outra. Mas parece que minha *Mutti* bávara não contribui com sangue puro suficiente para combater a mancha de nosso pai.

Franz não sabia o que dizer. Seu irmão ficaria arrasado se fosse expulso de seu clube de esgrima. E seria danoso para o clube perder o melhor competidor. Se David estivesse certo, e não apenas sendo hipersensível, então a situação era muito pior do que ele imaginara.

Hirschfeldt estava distraído quando seu último paciente do dia entrou.

— Desculpe fazê-lo esperar, *herr* Mittl, mas houve uma emergência... — Ele olhou para o paciente e observou sua postura. Imediatamente, a condição deteriorada do homem chamou-lhe a atenção. Mittl andava com dificuldade, com as duas pernas enrijecidas e abertas, até se aproximar nervosamente da mesa de exame, torcendo o chapéu entre as mãos. Seu rosto, sempre fino, estava retraído e cinzento. Tinha uma mancha na camisa, o que era incomum. Hirschfeldt sabia que Mittl era muito cuidadoso com a aparência. Falou-lhe com delicadeza.

— Sente-se, *herr* Mittl, e diga como está indo.

— Obrigado, *herr* Doktor. — O paciente se sentou com muito cuidado sobre a maca. — Não estou bem. Não estou nada bem.

Hirschfeldt conduziu o exame, sabendo o que encontraria: os tumores pastosos, palpáveis em torno das juntas; a atrofia óptica; e a fraqueza muscular.

— O senhor está conseguindo trabalhar, *herr* Mittl? Deve ser difícil.

Um brilho de medo apareceu nos olhos do homem.

— Ah, sim, eu preciso trabalhar. Preciso trabalhar. Não tenho escolha. Embora eles conspirem contra mim. O trabalho lucrativo fica para eles, eu só pego as escórias... — De repente, Mittl se deteve e colocou a mão na boca. — Eu esqueci que o senhor...

Hirschfeldt interrompeu, poupando a ambos do embaraço:

— Como o senhor consegue lidar com o trabalho mais fino, com a visão deteriorando desse jeito?

— Minha filha me ajuda com a costura. A única pessoa em que eu confio. Os outros aprendizes estão todos mancomunados contra mim, roubando tudo, até meu fio de linha...

Hirschfeldt suspirou. As ilusões paranóicas eram sintomas do terceiro estágio da doença, assim como as debilidades físicas. Ele se admirava por Mittl ainda receber trabalho, tamanha era sua debilitação. O homem devia ter uma clientela fiel.

De repente, Mittl lhe dirigiu um olhar bastante lúcido. Sua voz readquiriu o timbre normal.

— Acho que estou ficando louco — ele disse. — O senhor pode fazer alguma coisa por mim?

Hirschfeldt se virou e caminhou até a janela. Até quanto podia lhe dizer? Quanto ele seria capaz de absorver? Ele relutava em mencionar tratamentos experimentais a pacientes que talvez não compreendessem a extensão do risco, as incertas recompensas. De qualquer forma, esses tratamentos eram drásticos demais para serem tentados em pacientes que não tinham uma doença avançada nem eram terminais. Não fazer nada seria o mesmo que condenar o pobre Mittl a um miserável declínio, até que a morte o levasse.

— *Há* uma coisa, sim — Hirschfeldt proferiu, finalmente. — Um colega meu está trabalhando com isso em Berlim. Os resultados prometem, mas os tratamentos são extensos, dolorosos e, temo, muito caros. É necessário tomar quarenta injeções no decorrer de um ano. O agente que meu colega desenvolveu é muito tóxico, baseado no arsênico. A idéia dele é que o composto danifica mais as partes doentes do corpo que as partes sadias, que com o tempo se recuperam. Mas os efeitos podem ser severos. É comum sentir dor no local da injeção, além de distúrbios gástricos. Mas meu colega tem documentado resultados impressionantes. Ele afirma que obteve cura em alguns casos, mas eu preciso preveni-lo de que, na minha opinião, ainda é cedo para fazer tais afirmações.

Os olhos embaçados de Mittl subitamente brilharam.

— O senhor disse que o tratamento é caro, *herr Doktor*. Quanto?

Hirschfeldt suspirou e disse a quantia. Mittl baixou a cabeça e a cobriu com as mãos.

— Não tenho — disse. E, para o profundo embaraço de Hirschfeldt, o homem começou a chorar como uma criança.

Hirschfeldt não gostava quando o último paciente do dia era um caso perdido. Não era agradável sair da clínica com aquele espírito. Ele pretendia visitar sua amante, mas, tão logo se preparava para entrar na rua dela, hesitou e seguiu em frente, caminhando. Não se tratava apenas de Mittl. Já estava com ela havia dez meses; a beleza robusta, rechonchuda, de Rosalind começava a entediá-lo. Talvez já fosse hora de procurar em outro lugar... a imagem da garota esbelta, trêmula, de olhos adocicados, não lhe saía da cabeça. Por quanto tempo ainda, ele se perguntava, o barão ficaria com ela até se enfastiar? Oxalá, não muito.

Era o delicioso início de uma noite no fim de verão, o sol baixo ainda aquecia as frias imagens nuas de gesso que cobriam os entablamentos de alguns novos apartamentos, um tanto ostensivos. Quem compraria um lugar daqueles para morar? A nova classe industrial, talvez, desejando proximidade física do Hofburg. A única proximidade que podia esperar. Toda a sua riqueza jamais os elevaria ao plano social da aristocracia.

O calor tinha atraído todos os tipos de pessoas às ruas. Hirschfeldt se confortava com aquela diversidade. Havia uma família, a esposa com o rosto encoberto por véu, o marido usando um fez, que viera provavelmente da Bósnia para ver o coração do império sob cuja proteção suas terras agora se encontravam. Havia uma cigana boêmia, cujos sininhos na barra da saia repicavam em harmonia com o balanço de seus quadris, enquanto ela andava. E um camponês ucraniano com um garotinho de rosto corado montado em seus ombros. Se os nacionalistas alemães queriam purificar aquele estado de influência estrangeira, eles teriam que extirpar tipos exóticos bem mais óbvios antes de chegar aos judeus, ainda mais um homem totalmente convertido como seu irmão, David. Entretanto, uma pequena voz o perturbava. Os bósnios e os ucranianos não eram figuras dominantes nas artes, na indústria e nas finanças. Alguns turistas entusiasmados — talvez até os nacionalistas alemães — poderiam achá-los atraentes, um elemento pitoresco na paisagem urbana. O que, aparentemente, eles *não* achavam atraente era a proeminência de judeus em toda área de empreendimento austríaco, inclusive, atualmente, nas altas patentes do exército.

Hirschfeldt vinha observando as jovens limeiras e sicômoros que criavam raízes no centro comercial da Ringstrasse. Agora, essas árvores já estavam tão altas que projetavam listras escuras de sombra no caminho por onde ele passava. Um dia, forneceriam a sombra propriamente dita. Seus filhos, talvez, desfrutassem dela...

Ele iria para casa, sim, para os seus filhos; era a ação certa. Sugeriria à esposa saírem para uma caminhada pelo Prater, talvez. Falaria com ela sobre David; ela compreenderia suas preocupações. Sua esposa, porém, não estava em casa quando ele chegou; nem os filhos. *Frau* Hirschfeldt fora fazer uma visita aos Hertzl, disse a empregada. E a babá já havia levado as crianças para um passeio no parque. Franz se sentiu abandonado, embora fosse uma sensação absurda, já que ele freqüentemente afirmava que o trabalho na clínica o detinha até aquela hora. Mesmo assim, ele queria a companhia da esposa, e estava acostumado a ter o que queria. E o que ela via naquela insípida esposa de Hertzl? Aliás, o que Hertzl via nela? Mas, enquanto a mente formulava a pergunta, Franz sabia a resposta.

A beleza loira de *frau* Hertzl e suas frívolas unhas pintadas formavam a perfeita contraparte para a sobriedade rabínica, sombria, de Theodore. Com sua Julie nos braços, ele parecia menos judeu, e Franz sabia que isso estava começando a ter importância para seu amigo literário. Mas a mulher tinha tão pouco a dizer! Toda a sua existência parecia girar em torno da moda. Sua esposa culta, ponderada, não podia achar a companhia de tal pessoa interessante. O fato de Anna estar perdendo tempo com uma amizade tão inútil, quando ele a queria em casa, era mais uma irritação. Ele se retirou para seus aposentos e arrancou a camisa com o colarinho incômodo. Vestiu uma jaqueta fina, branca, mais confortável. Melhor. Flexionou a cabeça da esquerda para a direita, aliviando a tensão no pescoço. Em seguida, foi até o salão, pediu um copo de *schnapps*, e se acomodou atrás das folhas de seu jornal diário.

Anna não o viu quando passou pela porta. Cabisbaixa, ela se ocupava de tirar os prendedores do chapéu. Virou-se para o espelho no vestíbulo, enquanto tirava o grande adereço de palha. Franz viu o rosto da esposa refletido no espelho. Ela sorria de alguma piada particular, enquanto seus dedos arrumavam alguns cachos espessos que se haviam soltado quando o chapéu saiu. Franz largou o copo silenciosamente e caminhou por trás dela, tomando na mão um dos cachos soltos e passando o dorso dos dedos delicadamente sobre o pescoço de Anna. Ela estremeceu, alarmada.

— Franz! Que susto me deu — ela protestou. Seu rosto estava corado, quando ela se virou para o marido. Mas isso não seria suficiente para perturbar Hirschfeldt com um conhecimento súbito, indesejável. Antes de ela se virar, ele notou que um dos minúsculos botões cobertos de musselina do justilho fora colocado na casa errada. Sua empregada, sempre prestimosa, jamais teria permitido tal coisa. Algo tão ínfimo; um detalhe pequeno, revelando uma grande traição.

Hirschfeldt segurou o rosto da esposa com ambas as mãos e olhou fixamente para ela. Seria sua imaginação, ou seus lábios pareciam de fato marcados, bulidos? De repente, ele não queria tocá-la. Soltou-lhe o rosto e esfregou as mãos nos vincos das calças, como que para limpá-las de qualquer imundície.

— É Hertzl? — ele perguntou, em um sibilo.

— Hertzl? — Os olhos de Anna esquadrinham o rosto do marido. — Sim, Franz. Fui ver *frau* Hertzl, mas ela não estava em casa, então eu...

— Pare. Não se dê ao trabalho de mentir para mim. Eu passo o dia entre adúlteros e pervertidos sexuais, e suas aventuras. — Ele pressionou o polegar contra os lábios dela, comprimindo-os contra os dentes. — Você foi beijada. — Levando a mão atrás do pescoço da esposa, ele puxou a musselina com força, fazendo os botões se soltarem das delicadas casas do tecido que os segurava. — Você foi despida. — Ele se aproximou. — Alguém fez sexo com você.

Ela deu um passo atrás, tremendo.

— Eu lhe pergunto de novo: é Hertzl?

Os olhos castanhos de Anna se encheram de lágrimas.

— Não — ela sussurrou. — Não é Hertzl. Não é ninguém que você conhece.

Hirschfeldt repetiu o que havia dito ao seu irmão, não muito tempo atrás:

— Você ficaria surpresa com quem eu conheço.

Sua mente estava cheia de imagens: o pênis cheio de pústulas do barão, o pus amarelo vertendo dos lábios vaginais corroídos de uma garota, os tumores pastosos devorando o pobre e demente Mittl. Ele não conseguia respirar. Precisava de ar. Afastou-se da esposa e saiu, batendo a porta.

Rosalind, que já não esperava mais ver Hirschfeldt aquela noite, estava se vestindo para ir a um concerto. Um atraente segundo violinista no Quarteto Behrensdorf havia olhado para ela enquanto tocava no recital em um salão privado, na noite anterior. Depois da apresentação, ele a procurara e fizera questão de lhe dizer que estaria tocando naquela noite na Musikverein. Ela já havia se perfumado atrás das orelhas e estava pensando se deveria arriscar a delicada seda de cor limão de seu justilho, espetando-a com um pequeno broche de safira, quando Hirschfeldt foi anunciado. Sentiu uma ponta de irritação. Por que ele não viera à hora de costume? Ele irrompeu em seu vestiário, com uma aparência absolutamente estranha, trajando uma jaqueta simples, e com uma expressão estranha no rosto.

— Franz! Que peculiar! Não me diga que saiu às ruas assim?

Ele não respondeu, simplesmente desabotoou a jaqueta, com os dedos impacientes, e a jogou sobre a cama. Então, ele se aproximou dela, deslizou-lhe a alça do vestido para baixo do ombro e começou a beijá-la com uma ferocidade que não vinha demonstrando havia meses.

Rosalind se submeteu à cópula que se seguiu, em vez de participar dela. Em seguida, ergueu-se, apoiando-se em um dos cotovelos, e olhou para ele, intrigada.

— Você gostaria de me dizer o que está acontecendo?

— Na verdade, não.

Ela esperou alguns minutos, mas, vendo que Hirschfeldt continuava calado, levantou-se, pegou o vestido de onde ele havia caído no chão, e começou a se vestir de novo, para a Musikverein. Se ela se apressasse, chegaria lá antes do primeiro intervalo.

— Você vai sair? — ele perguntou, e a voz revelava mágoa.

— Sim, se você for ficar aí, na cama, com esse rosto petrificado. Com certeza, vou sair. — Ela se virou para ele, agora zangada. — Franz, você percebe que já faz um mês desde que me levou para passear, ou me deu um presente, ou me fez rir? Acho que talvez esteja na hora de tirar umas férias. Eu poderia ir ao spa em Baden.

— Rosalind, por favor. Agora não. — Ele se sentia abatido. Cabia a ele decidir quando acabar com o relacionamento, não a ela.

Rosalind pegou o broche. As safiras combinavam bem com o verde-limão do vestido, e realçavam seus olhos vivazes. Ela espetou o alfinete do broche no delicado tecido.

— Então, meu amigo — disse —, é melhor você me dar um bom motivo para ficar.

Ela se levantou, jogou uma estola fina sobre os ombros branco-cremosos, e saiu.

Na crescente escuridão do início da noite, Florien Mittl se apoiou no tronco fino de uma limeira para se segurar, enquanto os hassides, com seus chapéus de pele, saíam da sinagoga e dominavam as ruas com sua estranha tagarelice iídiche. Seu andar era muito inseguro para que ele arriscasse ir contra a maré de gente. Seria melhor esperar até todos passarem. No burgo superior austríaco onde ele fora criado, eram os judeus que abriam espaço para um cristão; eram eles que o esperavam passar. Viena era liberal demais; não havia dúvidas quanto a isso. Esses judeus agora tinham permissão de esquecer qual era o lugar deles. E será que eles não acabavam nunca? Não era sábado; por isso, ele imaginava que houvesse algum festival judaico atraindo tantos deles assim, e tamanha agitação.

Talvez fosse o festival comemorado no livro que ele recebera para reencadernar. Ele não sabia. Tampouco se importava. Era bom ter um trabalho para fazer, mesmo que se tratasse de um livro judaico. Era típico deles, darem-lhe um livro *judaico*, cujo destino era a obscuridade de um museu provincial. Ele, a quem já fora confiado o trabalho com as gemas da coleção imperial, os mais finos livros de salmos, os mais belos Livros das Horas... Bem, já fazia meses que o museu não enviava nada a ele; por isso, não adiantava remoer o passado. Ele faria o melhor possível. Já tinha começado com o papelão para a nova capa, cortado-o e feito as indentações para os fechos. Outrora, o livro devia ter tido uma capa notável, a julgar por aqueles fechos. Eram tão finamente forjados quanto qualquer item da coleção imperial. Quatrocentos anos atrás, e algum judeu já era rico. Sempre souberam como ganhar dinheiro. E ele, por que não? Restituir a encadernação do livro àquele padrão, era isso que ele precisava fazer. Impressionar o diretor do museu. Provar que ele não estava pronto para ser jogado às traças. Trabalhar mais. Ele tinha que trabalhar mais. Arrumar dinheiro para a cura do médico judeu. Claro que o doutor devia ter mentido quanto ao custo. Ele não cobraria um preço tão usurário de outro judeu. Mittl podia apostar nisso. Sanguessugas, todos eles, engordando à custa do sofrimento cristão.

Amargo, assustado, e com dor, Mittl foi caminhando pela rua, temendo o momento em que teria de virar na *platz*. A pequena praça era, para ele, como o deserto do Saara, tão difícil de atravessar. Ele se manteve na periferia da praça, bem próximo aos muros dos prédios, grato pela presença das grades das cercas, onde ele podia se apegar contra uma lufada de vento que poderia derrubá-lo. Por fim, chegou ao seu prédio. Pelejou com a porta pesada, e então se apoiou, exausto, sobre o pilar da escadaria. Descansou por um longo momento, recuperando o fôlego e a vontade, antes de iniciar a lenta subida. Ele tinha medo dos degraus. Via-se morto na base da escada, a cabeça amassada, uma perna quebrada e horrivelmente retorcida. Ele se agarrou ao corrimão, forçando-se a subir devagar, como um alpinista.

O apartamento estava escuro, e cheirava mal. Os aromas costumeiros de couro e sisal se misturavam com odores pútridos de roupa não lavada e carne podre. Ele acendeu um lampião — a única coisa que podia pagar — e desembrulhou a fatia de carne de carneiro que sua filha lhe havia deixado, oh, vários dias atrás. Por que a garota o negligenciava tanto? Ela era tudo que ele tinha desde que a mãe dela... desde que Lise...

Ao pensar na esposa, foi tomado de um amargo sentimento de remorso. Que presente de casamento ele havia lhe dado. Será que a filha sabia? Não suportaria, se ela soubesse. Mas talvez fosse esse o motivo de ela ter se distanciado dele, ajudando-o somente até onde o dever exigia. Provavelmente, ela tinha repugnância por ele, como ele, sem dúvida, tinha de si mesmo. Como daquela carne. Podre. Apodrecendo por dentro. A carne de carneiro tinha um tom esverdeado, e parecia gosmenta ao ser tocada. Ele a comeu, mesmo assim. Não tinha outra coisa.

Pretendia recomeçar o trabalho. Limpou as mãos em um pedaço de pano e se voltou para a bancada, onde o livro, em sua encadernação danificada, aguardava seus cuidados. Anos, séculos, desde o último reparo. Uma chance para ele mostrar sua habilidade. Trabalhar com rapidez, impressioná-los, de modo que lhe mandassem mais trabalhos. Deslumbrá-los. Era isso que ele precisava fazer. Mas a luz era tão fraca, e a dor se espalhava por seus braços, sem trégua. Ele se sentou, e puxou o lampião para mais perto. Pegou a faca, e logo a largou novamente. O que tinha de fazer, mesmo? Qual era o primeiro passo? Remover o papelão? Soltar os cadernos do livro? Preparar o sisal? Ele já tinha reencadernado centenas de livros — valiosos, raros. Mas, de repente, não conseguia se lembrar da seqüência de passos que até então lhe eram tão naturais quanto respirar.

Ele cobriu o rosto com as mãos. Ontem, não se lembrava de como fazer o chá. Uma coisa tão simples. Uma coisa que fazia sem pensar, várias vezes ao dia, quase todos os dias de sua vida. Mas, ontem, aquilo lhe parecera ameaçador, como uma aterradora escadaria, cheia de degraus a galgar. Ele tinha colocado as folhas de chá na xícara, e o açúcar na chaleira, e se queimado com a água.

Se ao menos conseguisse convencer o médico judeu a lhe dar a cura. Ele tinha que salvar o que lhe restava de sanidade, o que restava de si mesmo. Devia ter algo que pudesse oferecer ao médico, no lugar do dinheiro. Não. Nada. Os judeus só se interessavam por dinheiro. Devia haver algo que ele pudesse vender. A aliança de casamento da esposa. Mas estava com a filha; era difícil pedi-la de volta. De qualquer forma, seria apenas uma gota no oceano. Não era uma aliança muito cara. Ela merecia mais, pobre Lise. Pobre e falecida Lise.

Como ele poderia pensar, como podia trabalhar, com aquela preocupação constantemente atormentando-o? Talvez, se ele se deitasse por alguns minutos, apenas, se sentiria melhor. E então ele se lembraria e poderia prosseguir com o trabalho.

Florien Mittl acordou, vestido como estava, quando a luz do fim da manhã vencia o combate contra a sujeira que forrava a janela. Deitado, piscando, ele tentou organizar seus pensamentos soltos. Lembrou-se do livro. E então se lembrou do medo, na noite anterior. Como ele podia se lembrar de *não* ter se lembrado, enquanto os fatos fugidios em si continuavam tão elusivos? Como um homem podia se esquecer das habilidades de toda uma vida? Para onde ia o conhecimento? Seus pensamentos eram como um exército em retirada, cedendo cada vez mais território ao inimigo: a doença. Não, não era uma retirada. Ultimamente, não. Era mais como uma derrota. Ele girou a cabeça com dificuldade. Um raio de sol se projetava sobre a bancada de trabalho como uma fita amarela. Atingia a triste, dilacerada e intocada capa do livro. E iluminava a prata recém-polida dos fechos.

Hirschfeldt não jejuava no Dia do Perdão. Solidariedade racial era uma coisa; ele aparecia na sinagoga, por dever, e cumprimentava com um aceno da cabeça todos que deviam ser cumprimentados, e saía no primeiro momento apropriado. Mas uma prática alimentar insalubre era outra coisa, totalmente diferente. Ele considerava esses costumes superstições de uma era passada, primitiva. Geralmente, Anna concordava com ele. No ano corrente, porém, ela tinha jejuado, arrastando-se pelo apartamento o dia todo, com a mão pressionada contra a têmpora. Dor de cabeça por desidratação: esse era o diagnóstico silencioso de Hirschfeldt.

Enquanto a luz diminuía, as crianças se reuniam no terraço, aguardando o brilho da terceira estrela da noite, que assinalava o fim do jejum. As duas só estavam sem comer desde o horário do chá, mas adoravam o aspecto do ritual. Vários gritinhos de ansiedade, vários alarmes falsos, antes que as bandejas de prata carregadas de petiscos, bolos de papoula e doces em forma de lua crescente se tornassem oficialmente os pratos permitidos.

Hirschfeldt colocou um pequeno pedaço de torta, a favorita de Anna, em um prato. Despejou água fria do frasco de prata em um copo de cristal e levou o prato e o copo à esposa. A raiva que sentira por ela havia passado de repente. Tão de repente, na verdade, que ele até se surpreendera, congratulando-se por sua magnanimidade, sua maturidade e sofisticação. Ele não costumava se ver como um homem assim. O fato de ter voltado para casa na manhã seguinte após a descoberta, encontrando-a aos prantos, penitente, e se desmanchando em súplicas, com certeza tinha ajudado. O mais estranho, porém, era que a idéia de sua mulher sendo desejada por outro lhe havia reacendido a paixão. O apetite erótico era fascinante, ele ponderou, beijando um farelo doce do canto dos lábios famintos da esposa. Precisava conhecer melhor aquele sujeito, Freud, cujo consultório era perto do dele. Alguns de seus escritos eram muito esclarecedores. Ele quase nem pensava em Rosalind, passeando por Baden, nem na garota com olhos adocicados.

— Não sei, *herr* Mittl. Nunca recebi essa espécie de pagamento antes...

— Por favor, *herr Doktor*. Eu os tirei de uma Bíblia da família Mittl; o senhor pode ver que são muito valiosos...

— Muito valiosos, *herr* Mittl. Adoráveis. Não que eu entenda de trabalho em prata, mas qualquer um pode perceber os detalhes nesta... nesta obra de um verdadeiro artesão... um artista, realmente.

— São de prata maciça, *herr Doktor*, não apenas folheados.

— Ah, não duvido disso, *herr* Mittl. Não é essa a questão. Só que... nós... judeus, de um modo geral, não temos Bíblias de família. Nossa Torá fica na sinagoga e, de qualquer forma, é um rolo de papel...

Mittl franziu as sobrancelhas. Ele queria revelar de uma vez que os fechos vinham de um livro judaico, mas, se fizesse isso, estaria se expondo como ladrão. Seria uma manifestação de loucura, ou de desespero, ele ter se convencido de que ninguém no museu daria pela falta do par de fechos? Se dessem, ele estava decidido a afirmar que nunca recebera os fechos. Jogaria a suspeita sobre os estudiosos estrangeiros.

Mas a negociação não estava indo bem. Ele se contorcia na cadeira. Estava certo de que o médico, em sua avareza, cairia sobre o metal brilhante com o mesmo instinto de uma gralha.

— Mas mesmo vocês, judeus, devem ter algum tipo de... livro de orações?

— Sim, claro que temos. Eu, por exemplo, tenho um *sidur*, para orações, e nós temos uma Hagadá, para a Páscoa, mas não creio que nenhum deles tenha o valor desses fechos de prata. São edições populares, creio. Encadernação contemporânea. Deveriam ser melhores, eu penso. Eu sempre quis...

Hirschfeldt se deteve, no meio da frase. Droga. O homenzinho ia chorar de novo. As lágrimas de uma mulher eram uma coisa. Ele estava acostumado com elas, não se importava com elas. Mas as lágrimas de um homem! Hirschfeldt estremeceu. O primeiro homem que ele vira chorar de verdade tinha sido seu pai, na noite em que sua mãe morrera. Fora uma cena devastadora. Ele acreditava que o pai fosse inexpugnável. Para ele, aquela fora uma noite de dupla perda. O sofrimento incontido de seu pai transformara suas lágrimas infantis em verdadeiro uivo de dor, um ataque contundente de histeria. Ele e o pai nunca se trataram da mesma forma, a partir daquele dia.

E aquela cena à sua frente também era devastadora. Inconscientemente, Hirschfeldt levara as mãos até os ouvidos, tentando abafar o som. Era horrível. Como Mittl devia estar desesperado para chorar daquele jeito. Desesperado a ponto de deflagrar a própria Bíblia da família.

E então, de repente, Hirschfeldt saiu de trás da muralha erguida após anos de prática e experiência. Permitiu-se se expor à combalida, amargurada figura à sua frente, e se comover, não como médico pelo paciente, em uma posição de simpatia profissional, mas como um ser humano que se permite a plena empatia pelo sofrimento de outro.

— Por favor, *herr* Mittl. Não há necessidade disso. Vou me comunicar com o doutor Ehrlich em Berlim e solicitar uma encomenda de seu soro para o senhor. Podemos começar os tratamentos no início da semana que vem. Não posso prometer-lhe resultados, mas há esperança...

— Esperança? — Florien Mittl levantou a cabeça e pegou o lenço que o doutor lhe oferecia. Esperança. Era suficiente. Era tudo.

— O senhor fará isso? Mesmo?

— Sim, *herr* Mittl. — Vendo a transfiguração no rosto estreito, franzino de Mittl, Hirschfeldt sentiu uma onda ainda maior de magnanimidade. Ele pegou os fechos e se levantou. Caminhou em volta da mesa diante da qual se sentava Mittl, respirando com dificuldade, enxugando os olhos. Ia devolver-lhe os fechos, dizer-lhe para recolocá-los em seu devido lugar.

Mas a prata refletia a luz. Rosas tão delicadas. Rosalind. Ele precisava de um presente de despedida para ela, quando ela voltasse de Baden. Um caso de amor deve começar e terminar com certa dose de verve, mesmo que você não tenha se comportado de maneira impecável o tempo todo. Ele manuseou os fechos, estudando-os com atenção. Sim, um habilidoso joalheiro — ele conhecia o homem certo — seria capaz de confeccionar um par de brincos das rosas, um par perfeito de botões. Rosalind, cuja beleza era de uma espécie exuberante, gostava de jóias sutis, pequenas.

Afinal de contas, o que ele tinha a ver com a Bíblia da família Mittl? Pelo menos, ela existia. Diferente das pilhas de Talmudes e outros livros judaicos atirados às chamas no decorrer dos séculos por ordem da igreja de *herr* Mittl. O que importava se ela não tivesse mais seus fechos? Ehrlich cobrava um preço exorbitante por seu soro. Brincos para Rosalind eram uma compensação apenas parcial pelo que ele teria de gastar. Ele olhou mais uma vez para os fechos. Notou que as penas, feitas para circundar as rosas, tinham uma curva que sugeria uma asa protetora. Seria uma pena não usá-las, também. O joalheiro podia fazer um segundo par de brincos, talvez. Por um instante, ele pensou nos membros delicados, como de um pássaro, e nos olhos adocicados...

Não. Para ela, não. Por enquanto. Talvez nunca. Pela primeira vez em anos, ele não sentia a necessidade de uma amante. Ele tinha Anna. Bastava pensar nela e imaginar a mão de um estranho a tocando que se sentia tomado de desejo. Ele sorriu. Que apropriado. Um par de asas, reluzindo em meio aos cabelos escuros de seu Anjo Caído.

Hanna

Viena, primavera de 1996

MINHAS MÃOS TREMIAM quando eu terminei de ler o relatório. Onde estavam aqueles fechos de prata, tão belos a ponto de comover um sujeito frio como Martell? E quem havia rabiscado suas anotações?

Por minha mente, corriam cenários. Os fechos estariam soltos na capa, quando o livro chegou. Pretos e incrustados, a tal ponto que seu valor não foi imediatamente percebido. Por que a família Kohen não os lustrava? Talvez nunca tivessem percebido que o metal negro era prata. "Inutilizados", "mecanicamente exauridos", Martell tinha escrito, o que devia significar que eles não prendiam mais, não serviam ao propósito original de deixar os pergaminhos presos e separados. De qualquer forma, eles teriam sido removidos por Martell para limpeza, e entregues ao encadernador já separados do livro, para serem afixados na encadernação nova. Isto é, *se* eles tivessem sido entregues. Talvez Martell, que gostara tanto deles, os tivesse surrupiado. Mas, não, não podia ser. As folhas de papelão tinham indentações. O encadernador tinha preparado o papelão para os fechos. Então, o vilão não fora Martell.

Os fechos foram entregues com a Hagadá ao encadernador. Ou talvez não: talvez tivessem ido para as mãos de um ourives, que deveria consertar o mecanismo. Teriam voltado ao museu? Essa era a pergunta seguinte. Eu peguei o último arquivo na caixa.

Havia dez documentos, todos em alemão. Um parecia uma conta, ou nota fiscal. A letra manuscrita era horrível, mas havia uma assinatura. Um nome: é para um nome que nós rezamos. O nome é a ponta do fio de um novelo que conduz até o centro do labirinto. Havia anotações nas margens da nota, em uma letra diferente, muito mais clara. Os outros documentos eram correspondências entre o Staatsmuseum de Viena e o Landesmuseum da Bósnia. Olhando as datas, pude ver que cobriam um período de vários anos. Pareciam tratar de providências para o retorno da Hagadá, mas, fora isso, eu não identifiquei nada.

Tinha que falar com *frau* Zweig. Não seria a atitude mais apropriada andar pelo museu de outra pessoa com uma caixa de arquivos debaixo do braço, mas eu não podia deixar os documentos ali, sozinhos, e também não podia esperar. Quando cheguei à sala de *frau* Zweig, ela estava conversando com um pequeno homem cinza — cabelos cinza, terno cinza, e até a gravata era cinza. No corredor, um jovem cheio de espinhas, vestido de preto, esperava sua vez para falar com ela. *Frau* Zweig parecia um lóris arco-íris engaiolado por engano em meio a um aviário de pombos. Quando ela me viu aguardando, fez um gesto indicando que só demoraria alguns minutos.

Cumprindo a palavra, ela conduziu o homem cinza até a porta, com certa urgência, e pediu ao jovem Sr. Black que, por gentileza, aguardasse. Entramos na sala.

Eu fechei a porta.

— Ohh! — exclamou. — Espero que isso signifique que você encontrou um *scandale*! Acredite, este lugar bem que precisa de um!

— Bem, não sei — respondi. — Mas descobri que havia fechos de prata no livro quando ele chegou aqui, e, de acordo com todas as fontes, não estavam no livro quando saiu.

Resumi rapidamente o que eu tinha lido e lhe entreguei os documentos em alemão. Ela apanhou um par de óculos para leitura com armações verde-limão e os assentou sobre o nariz liso, pouco acima da marca prateada. Como eu esperava, a nota fiscal era do encadernador, e havia um nome, ou parte de um nome.

— É alguma coisa Mittl. A assinatura é terrível, não consigo ler o primeiro nome. Mas Mittl... Mittl... já vi esse nome antes. Acho que ele era um encadernador muito procurado pelo museu, em determinado período... Lembro-me do nome, associado com as coleções imperiais. É fácil verificar. Nós computadorizamos todos os registros, no ano passado.

Ela se virou para o teclado sobre a mesa e começou a digitar.

— Interessante — disse. — Florien Mittl. O nome de batismo é Florien. Completou mais de quarenta trabalhos para o museu, de acordo com essas informações. Mas adivinhe só! — ela fez uma pausa dramática e se afastou do computador, girando na cadeira. — A Hagadá foi a última. — Virou-se, então, para a nota fiscal. — Esta anotação na margem é interessante. Vem de alguém em posição de chefia. Está dizendo que o pagamento seja suspenso até que algumas questões estejam resolvidas.

Frau Zweig examinou as outras cartas.

— São estranhas — comentou. — Esta é uma lista longa de desculpas por a Hagadá não poder ser devolvida à Bósnia naquele momento. Desculpas muito esfarrapadas, a maioria... Parece que o Staatsmuseum estava protelando a entrega do livro, e os bósnios estavam... como se diz? Fulos? Furiosos?

— Na Austrália se diz um ou outro. Tanto faz, furioso, fulo, bravo — (Para que eu estava explicando isso a ela?)

— Pois bem, então os bósnios estavam *furiosos* com isso. Nas entrelinhas, percebo o seguinte: Mittl roubou os fechos, ou os perdeu, e isso lhe custou seus futuros trabalhos do museu. O museu abafou o caso para não aborrecer os bósnios. Mas, para isso, precisaram protelar a devolução do livro o tempo suficiente até que ninguém mais notasse que um par de fechos velhos e enegrecidos haviam sido arrancados da encadernação nova.

— E tiveram sorte, então — eu comentei. — A história os ajudou um bocado, eu diria. Quando o livro finalmente voltou para casa, todos os que podiam saber alguma coisa ou já tinham morrido ou estavam ocupados com outras coisas...

— Falando em estar ocupado, eu preciso tratar dessas estúpidas avaliações... Quando você volta para os Estados Unidos? Eu posso pesquisar o caso Mittl para você, certo?

— Por favor, seria ótimo.

— E, hoje à noite, deixe-me levá-la a uma parte de Viena onde você não encontrará torta Sacher, e eu lhe garanto que não terá de ouvir valsa.

Graças ao passeio noturno de *frau* Zweig pelos clubes S & M, bares subterrâneos com jazz e estúdios de arte conceitual (um artista, nu, porém embrulhado como um frango, ficava suspenso no teto, e o grande evento da noite era quando ele urinava em alguém da platéia, abaixo), eu dormi durante toda a viagem até Boston. Desperdício de uma passagem de primeira classe. Podia ter viajado junto com a bagagem, que nem perceberia.

Tomei o "T" — o metrô — do aeroporto Logan até Harvard Square. Detesto dirigir em Boston. O trânsito lá me deixa louca, sem falar nos maus modos dos motoristas. Mas havia outro motivo para eu não dirigir lá: os túneis. É muito difícil evitá-los; quando você menos espera, está em uma mão única, ou não tem retorno para a esquerda, e acaba entrando em um túnel. Geralmente, eu nada tenho contra os túneis. Minha covardia não vai tão longe. Não tenho problemas como o túnel do porto de Sydney, por exemplo. É claro, limpo e brilhante lá dentro, o que inspira confiança. Mas os túneis em Boston são assustadores. Eles são escuros, e os azulejos estão manchados de infiltrações, como se o porto de Boston estivesse vazando pelas rachaduras do concreto inferior que alguma máfia irlandesa convenceu a cidade a comprar. Parece que vão rachar a qualquer momento, como num filme de Spielberg, e a última coisa a ser ouvida será o estrondo da água gelada. Minha imaginação não agüenta.

O "T" é o sistema de metrô mais antigo nos Estados Unidos, e eu presumo que, se já dura há tanto tempo, deve ter sido bem construído, em primeiro lugar. O trem que eu tomei no aeroporto foi aos poucos se enchendo de estudantes. Todos pareciam estar usando camisetas com mensagens, atraindo uns aos outros como vaga-lumes. Uma camiseta tinha a frase ORGULHO NERD, e, nas costas: UMA PESSOA BEM CENTRADA NÃO TEM PONTA. Outra dizia: SÓ EXISTEM 10 TIPOS DE PESSOAS NO MUNDO: AS QUE ENTENDEM O SISTEMA BINÁRIO E AS QUE NÃO ENTENDEM. Ambos os usuários dessas camisetas desceram na estação do MIT*.

Às vezes eu penso que se fossem retirados todos os hospitais e todas as universidades da grande Boston, todo o resto caberia em seis quadras da cidade. Harvard se estende pelos dois lados do rio, terminando no MIT, de um lado, e na Universidade de Boston, do outro. Os três *campi* são absolutamente enormes. E há ainda os Brandeis, Tufts, Wellesley e um punhado de pequenos, como Lesley e Emerson,

* MIT: *Massachusetts Institute of Technology*. (N. do T.)

e outras dezenas de outros, dos quais mal se ouve falar. Você não pode cuspir na rua sem atingir um ph.D. E eu estava em Boston justamente por causa de um ph.D.: o biliardário que pagara minha passagem de Londres e era um gênio matemático do MIT, que inventara um algoritmo, o qual tinha culminado em uma espécie de comutador alternado, que era usado em todos os chips de silício. Ou algo assim. Eu nunca entendia muito bem quando alguém me explicava, e ainda não tinha conversado com ele pessoalmente. Ele havia providenciado para que os bibliotecários de Houghton me mostrassem o códice em que ele estava interessado; eu já me encontrava lá quando a biblioteca abriu, e pude fazer minha avaliação com tempo suficiente para meu segundo encontro aquela manhã, com minha mãe.

Ela tinha deixado uma mensagem concisa em minha secretária eletrônica em Sydney, explicando que seu único horário de folga seria um breve intervalo para o chá na manhã em que eu chegasse. Eu podia imaginá-la pensando: "Talvez ela não ouça as mensagens na secretária, e eu não tenha que vê-la." Mas eu havia checado as mensagens antes de sair de Viena. Sorri comigo mesma, enquanto ouvia sua voz hesitante e desatenta. "Não há escapatória, Capitão Kirk", murmurei. "Você *vai* me ver em Boston."

Localizá-la, entretanto, não era fácil. Assim como as universidades, os grandes hospitais em Boston se fundem: Hospital Geral, Brigham e Hospital da Mulher, Dana Faber; é como um gigantesco parque industrial dedicado à doença. O centro de conferências era um adendo do complexo, construído com o propósito de servir para encontros médicos gerais. Tive que perguntar as direções quatro vezes até finalmente encontrar o anfiteatro onde ela disse que estaria. Peguei um folheto com o programa no balcão de cadastro e vi que sua palestra estava programada para um horário especial, quando não haveria mais ninguém se apresentando. Figuras de menor destaque tinham que competir por atenção, enquanto os menores precisavam se contentar com um cartaz anunciando suas pesquisas, exibidos com dezenas de outros no saguão grande.

A apresentação de minha mãe tinha o título modesto de "Como eu lido com aneurismas gigantes". Fiquei na última fileira. Ela estava no pódio, corretamente trajando um vestido de *cashmere* creme que ajudava a assinalar sua figura atlética. Ela andava ao falar, exibindo suas pernas longas. Quase todos os presentes no auditório eram sujeitos calvos, em ternos escuros amarrotados. Estavam deslumbrados. Olhavam para ela com os olhos arregalados, em êxtase, ou anotavam tudo em seus cadernos, como loucos, enquanto ela revelava os frutos de sua mais recente pesquisa, que envolvia uma técnica da qual ela era a pioneira. Em vez de abrir a cabeça do paciente, ela inseria um cateter no cérebro e injetava pequenos anéis de metal no aneurisma, bloqueando-o e impedindo-o de romper.

Ela era um dos raros membros de sua classe que ainda praticava aquela medicina do tipo "teoria e prática", desenvolvendo uma técnica no laboratório e levando-a logo em seguida para o centro cirúrgico. Pessoalmente, creio que gostava muito mais da austeridade da ciência do que de lidar com os pacientes, os quais ela não via como seres humanos com ambições e sentimentos, mas sim como conjuntos de dados complexos e listas de problemas. Mas ela apreciava também a vanglória de estar entre os melhores cirurgiões, de ser a melhor *cirurgiã*.

— Você acha que é por mim? — ela dissera um dia, no meio de uma discussão na qual eu a acusara de adorar ser paparicada. — Não é por mim. É para toda enfermeira ou médica que já lidou com humilhação, que já foi diminuída, recebendo um tapinha da cabeça, tendo sua inteligência questionada. É por você, Hanna. E por todas as mulheres de sua geração, que jamais terão de ser assediadas novamente, nem zombadas no ambiente de trabalho; pois mulheres como eu lutaram, e sobreviveram. E hoje eu estou por cima, e não deixo ninguém se esquecer disso.

Não sei até que ponto essas palavras refletiam a verdade, todo aquele altruísmo; mas sei que ela acreditava nisso. De qualquer forma, adorava vê-la responder a perguntas naquele ambiente, embora desviasse os olhos das coisas viscosas, grotescas, na tela. Ela tinha total controle de seus dados e respondia às perguntas que considerava boas com uma graciosa eloqüência. Mas pobre daquele que fazia alguma pergunta tola, ou que questionava suas conclusões. Ela o encarava com seu encantador sorriso, mas podia-se ouvir a serra elétrica sendo acionada. Sem o menor indício de zanga ou arrogância na voz, ela arrasava tal pessoa. Eu não suportava quando ela fazia isso com os estudantes, mas aquele auditório cheio de adultos empertigados era outra questão. Supostamente, eram todos seus colegas e, portanto, páreo justo. Ela, sem dúvida, sabia lidar com uma multidão. Os aplausos, quando ela terminou, lembravam mais o fim de um show de rock que uma convenção médica.

Eu saí de fininho, enquanto todos ainda aplaudiam, e esperei em um banco no saguão. Ela apareceu, cercada por um bando de admiradores. Levantei-me e caminhei até um ponto onde ela pudesse me ver. Pretendia juntar-me ao coro de elogios pela apresentação, mas, quando ela me viu, seu rosto se alterou, e eu percebi que ela realmente esperava que eu não chegasse a tempo. Foi quase cômico o modo como a expressão mudou, e logo em seguida se recompôs.

— Hanna. Você veio. Que bom. — Em seguida, assim que os outros médicos tinham se dispersado, ela falou: — Mas como você está pálida, meu bem. Realmente, você *devia* sair mais de casa, querida.

— Bem, é que eu estou trabalhando, como você sabe...

— Claro que está, querida. — Seus olhos azuis, elegantemente realçados com alguma espécie de sombra marrom escura, vasculharam-me das botas até o alto da cabeça, e de volta. — Todos nós trabalhamos, não é? Isso não significa que não possamos sair um pouco e fazer exercício. Se *eu* acho tempo para isso, querida, então *você* com certeza também acharia. Como está seu livrinho esfarrapado, enfim? Já consertou todas as orelhas das páginas?

Respirei fundo e relevei o comentário. Não podia deixá-la irritada até conseguir o que eu queria. Ela olhou para o relógio.

— É pena eu não ter muito tempo. Teremos que tomar nosso chá na cafeteria, acho. Tenho uma reunião atrás de outra, e simplesmente *preciso* comparecer ao coquetel antes do jantar, hoje à noite. Há um escritor da Nigéria, Wally alguma coisa, como palestrante de destaque. Só porque o atual presidente do Congresso Neurocirúrgico é nigeriano, temos que trazer algum obscuro africano a Boston, quando podiam ter convidado no mínimo uma dúzia de escritores locais decentes, que pelo menos falam inglês.

— Wole Soyinka ganhou o prêmio Nobel de Literatura, mamãe. E, na verdade, fala-se inglês na Nigéria.

— Bem, você deve saber dessas coisas, claro. — Ela colocou a mão nas costas de meu casaco, e já estava me direcionando pelo corredor.

— Eu estava pensando. Trouxe umas chapas comigo. O homem com que eu trabalhei em Sarajevo, o bibliotecário, tem um filho que levou um tiro durante a guerra, e está sofrendo com um inchaço... será que você....

Ela parou, no meio do corredor. Houve um minuto de silêncio.

— Ah, entendo. Eu sabia que devia haver um motivo para eu ser honrada com sua atenção.

— Ora, deixe disso, mamãe. Você pode olhar, ou não?

Ela arrancou o envelope pardo de minhas mãos e se virou, no corredor. Tivemos que andar cerca de uma milha até uma plataforma que dava na ala médica. Entramos no elevador. A porta estava fechando quando um senhor idoso, em traje formal, cambaleou em nossa direção. Há uma palavra que um amigo meu inventou para aquele gesto falso que fazemos como se fôssemos segurar a porta do elevador quando, na verdade, não temos a menor intenção disso: a palavra é "elefar". O "elefar" de minha mãe foi o mais descarado; a porta fechou bem diante do rosto do sujeito. Passamos pelos andares, em silêncio, e eu esperei enquanto ela perguntava a um médico estagiário onde ela poderia examinar as chapas.

Logo ela apertou um interruptor e uma ofuscante caixa de luz branca na parede apareceu. *Snap. Snap. Snap.* Ela afixou uma a uma contra a luz e as observou por uns dois segundos.

— Perdido.

— O quê?

— É um caso perdido. Diga ao seu amigo que ele pode desligar a máquina do garoto e economizar na conta do médico.

Senti a raiva subir rapidamente: quente, borbulhando. Para minha intensa frustração, percebi também as lágrimas se formando. Agarrei de volta as chapas. Meus punhos estavam até fracos, de tanta ira. Mal pude guardar as chapas de volta no envelope.

— Qual é o seu problema, mamãe? Faltou à aula no dia em que ensinaram boas maneiras?

— Ora, Hanna. Por favor. Todos os dias, morrem pessoas nos hospitais. Se eu me comovesse cada vez que visse uma radiografia adversa... — Ela deu um suspiro exagerado. — Se você fosse médica, compreenderia essas coisas.

Eu estava aborrecida demais para responder. Virei-me para enxugar os olhos. Ela estendeu a mão e puxou, para olhá-la novamente.

— Não me diga... — ela começou, com a voz saturada de desprezo. — Não me diga que você se envolveu com o pai dessa criança. Algum rato puído de biblioteca *nos confins* do Leste da Europa. Eles não são islamitas ou algo assim, em Saravejo? Não é por isso que estão brigando? *Não* me diga que você se envolveu com um muçulmano! Realmente, Hanna, achei que eu tinha criado você com um mínimo de feminismo para evitar tais coisas.

— Criado? Você? — Eu joguei o envelope sobre a mesa. — Você não me criou, a menos que considere criar os cheques assinados para as babás.

Ela já tinha saído quando eu acordava de manhã e raramente voltava antes de eu dormir. Minha lembrança mais vívida e antiga dela era dos faróis traseiros do carro na entrada, no meio da noite. Tínhamos um portão automático que guinchava ao abrir e quase sempre me acordava. Eu me sentava na cama e olhava pela janela, acenando para o carro, que estava saindo. Às vezes, não conseguia voltar a dormir. Eu chorava e Greta, a governanta, vinha ao meu quarto, sonolenta, e dizia: "Você não sabe que sua mãe está salvando a vida de alguém, esta noite?". E eu me sentia culpada por querer que ela estivesse em casa, no quarto dela, para onde eu poderia ir, e subir na cama, ao seu lado. Seus pacientes precisavam dela mais do que eu. Greta sempre dizia isso.

Ela colocou a mão sobre o cabelo impecável, como que para arrumar o penteado já perfeito. Ao menos uma vez, eu a havia tocado. Senti uma onda de satisfação por isso. Mas ela se recompôs rapidamente. Não era o tipo que daria o braço a torcer.

— Bem, com certeza não foi de mim que você herdou essa tendência para a autocomiseração — ela disse. — Como eu podia saber que você tinha um envolvimento emocional no caso? Você vive me dizendo que é uma cientista. Perdoe-me por tratá-la como cientista. Ora, sente-se, por favor, e pare de me encarar. Qualquer um pensaria que *eu* atirei na bendita criança.

Ela puxou uma cadeira de trás da mesa e a afofou. Eu me sentei, cansada. Ela se sentou na beirada da mesa e colocou uma perna bem torneada sobre a outra.

— O que estou dizendo é apenas isto, em termos simples, na linguagem leiga. O cérebro da criança é quase totalmente tecido morto agora, uma massa esponjosa. Se você continua mantendo o corpo vivo por meios artificiais, as contraturas dos membros pioram, e haverá uma luta constante contra ulcerações decúbitas da pele, contra infecção pulmonar e urinária. Essa criança nunca acordará. — Ela levantou as duas mãos, com as palmas para cima. — Você pediu minha opinião. É essa. E, certamente, os médicos de lá já devem ter dito isso ao pai?

— Bem, sim. Mas pensei...

— Se você fosse médica, não teria que pensar, Hanna. Você saberia.

Fomos, então, tomar nosso chá. Não me pergunte por quê. Consegui manter alguma conversa fiada: fiz uma pergunta sobre a palestra e quando o conteúdo seria publicado. Não tenho a mínima idéia do que ela respondeu. Fiquei pensando o tempo todo em Ozren, e no famigerado Ursinho Puff.

Ainda estava ruminando tudo isso quando tomei o trem de volta até o outro lado do rio para visitar Razmus Kahana, cientista conservador-chefe do Fogg. Raz era um antigo colega meu de pós-doutorado. Teve uma rápida ascensão de carreira e era ainda muito jovem, embora dirigisse o mais antigo centro de pesquisa de arte nos Estados Unidos. Raz chegou à conservação de livros por meio da química, assim como eu, mas permanecera mais próximo daquela linha de trabalho. Era famoso por sua análise de carboidratos e lipídios em ambientes marinhos, o que o havia levado a um paradigma totalmente novo no tratamento de objetos de arte recuperados de navios naufragados. Fora criado no Havaí, o que talvez explicasse sua obsessão pelo mar.

A segurança no Fogg era intensa, por razões óbvias: o museu abrigava uma das melhores coleções de obras-primas impressionistas e pós-impressionistas da América, bem como algumas fabulosas obras de Picasso. O passe do visitante continha um tipo de chip de computador, para rastrear meus movimentos pelo prédio. Raz tinha descido para me encontrar e me cadastrar pessoalmente.

Raz era um daqueles seres humanos de vanguarda de etnia indeterminada, o magnífico vira-lata que, eu espero, todos nós estamos destinados a nos tornar daqui a mais um milênio de miscigenação. Sua pele tinha o mesmo tom pecã da de seu pai, que era uma mistura de afro-americano e havaiano nativo. Os cabelos, lisos e pretos brilhantes, e os olhos em forma de amêndoas ele herdara de sua avó japonesa. A cor, porém, era o mesmo azul dos olhos da mãe, uma campeã de surfe sueca. Eu me dava muito bem com ele, quando fazíamos juntos o pós-doutorado. Aquele era o meu tipo de relacionamento: descontraído, leve, divertido, sem compromissos. Ele fazia longas viagens de resgate marítimo em algum lugar, acumulando pesquisa para sua dissertação, e, quando voltava, nós retomávamos o relacionamento ou não, dependendo da disposição de cada um. Nunca havia ressentimento se ele ou eu nos envolvêssemos com outras coisas.

Após os anos em Harvard, nós não nos víramos muito, mas nos mantivemos em contato. Quando ele se casou com uma poetisa, eu lhes enviei uma linda pequena edição do século XIX que encontrei, com modelos de madeira de famosos navios naufragados. A foto de casamento que eles me enviaram era estupenda. A esposa de Raz era filha de uma mulher iraniano-curda, e de um homem paquistanês-americano. Eu mal podia esperar para ver seus filhos: seriam modelos dos comerciais da Benetton.

Nós nos abraçamos, pouco à vontade, como sempre acontece no ambiente de trabalho, quando não se sabe se é um beijo ou mais que se deve dar, entendendo tudo errado, batendo a cabeça, e pensando que teria sido melhor apenas dar as mãos. Atravessamos o átrio, inundado de luz, e subimos pela escadaria de pedras, depois das galerias. Havia um portão de metal de segurança bloqueando o caminho para o andar de cima, onde Raz e os outros conservadores faziam seu trabalho.

O Centro Straus para Conservação era uma estranha mistura: uma instalação científica absolutamente atualizada, com uma miscelânea, em estilo de sótão, de coleções acumuladas por seu fundador, Edward Forbes. No início do século XIX, Forbes viajou pelo mundo tentando obter uma amostra de todo pigmento conhecido usado em arte. As paredes da escadaria estavam forradas de prateleiras que continham suas descobertas: um verdadeiro arco-íris de vitrines cheias de lápis-lazúli e malaquitas moídas, além de verdadeiras raridades, como o amarelo indiano, feito da urina de vacas alimentadas somente com folhas de manga. Esse magnífico pigmento de um misto de limão e lima não existe mais. Os britânicos proibiram sua produção durante o Raj, pois a dieta restrita era cruel demais para o gado.

Na extremidade de um longo estúdio, alguém estava trabalhando em um torso de bronze.

— Ela está comparando uma obra feita enquanto o escultor ainda era vivo com uma posterior, para ver quais são as diferenças de acabamento — Raz explicou. Na outra extremidade se encontrava uma bancada onde estava o espectrômetro. — Então, o que você me trouxe? — ele perguntou.

— São espécimes que eu tirei de um pergaminho manchado. Vinho, imagino.

Tirei a fotografia que tinha tirado da página manchada, o tom vermelho-ruivo se destacando sobre o fundo creme pálido. Eu tinha marcado as fotos para mostrar os pontos de onde levantara as duas diminutas amostras. Esperava que fossem suficientes. Entreguei a Raz o envelope de glassine. Ele apanhou um bisturi curvado e colocou o primeiro ponto de matéria manchada sobre uma espécie de lâmina redonda de microscópio, com uma lasca de diamante no centro para segurar o espécime. Passou por cima da amostra um rolo, deixando-a plana sobre o diamante, para que a luz infravermelha pudesse atravessá-la. Em seguida, colocou a lâmina sob a lente.

Ele olhou pelo microscópio, assegurando-se de que o espécime estava centrado, e ajustou as duas luzes de cada lado para obter a iluminação correta. Em qualquer outro laboratório, incluindo o meu, demoraria horas até doze espectros serem obtidos. Toda molécula emite luz em variadas cores do espectro. Algumas substâncias tendem mais para o extremo azul, outras para o vermelho, e assim por diante. Isso significa que o espectro de uma molécula é como uma impressão digital que pode ser usada para identificá-la. O novo brinquedo de Raz era o máximo do máximo: obtinha duzentos espectros em menos de um minuto. Senti uma ponta de inveja quando a tela do computador ao nosso lado ganhou vida, com linhas verdes que saltavam, subiam e desciam percorrendo uma grade que media a absorção de luz. Raz estudou o gráfico.

— Que estranho — ele disse.

— O quê?

— Não tenho certeza. Deixe-me ver a outra amostra.

Ele mexeu de novo no envelope de glassine e preparou a segunda mancha. Dessa vez, os rabiscos na tela pareciam mapear uma cadeia de montanhas totalmente diferente.

— Ah! — ele exclamou.

— "Ah" por quê? — eu já estava suando.

— Só um minuto. — Raz mudou as lâminas de novo, e mais uma vez o gráfico se elevou e caiu pela tela. Ele digitou alguma coisa. Outros gráficos, em amarelo, vermelho, laranja e azul, começaram a saltar em torno da linha verde.

— Ah! — ele fez, novamente.

— Raz, se você não me disser o que está vendo, vou espetá-lo com seu bisturi.

— Bem, o que estou vendo não faz muito sentido. É um manuscrito hebraico, certo? Você disse uma Hagadá?

— Sim — quase gritei a resposta.

— Então, se um pouco de vinho foi derramado sobre ele, devemos supor que era *kosher*?

— Sim, claro. *Kosher* para a Páscoa, no sentido mais estrito do termo.

Ele se reclinou na cadeira e se afastou da mesa, ficando de frente para mim, agora.

— Você sabe alguma coisa sobre vinho *kosher*?

— Não muito — respondi. — Apenas que é doce e impossível de beber.

— Atualmente não. Há vinhos *kosher* bons sendo produzidos, principalmente em Golan Heights, mas também em outras vinhatarias.

— Como você se tornou especialista nisso? Você não é judeu. Ou é? — A ascendência de Raz era tão misturada que qualquer coisa seria possível.

— Não sou. Mas você pode dizer que sou religioso quanto ao vinho. Lembra-se de quando passei seis meses no Technion em Israel, trabalhando com artefatos recuperados de um destroço mediterrâneo? Bem, conheci uma mulher cuja família possuía uma videira na região de Golan. Lugar maravilhoso. Passei muito tempo lá, por outro motivo, principalmente durante a vindima. O que agora, posso dizer, foi uma grande sorte para você. — Ele colocou as mãos atrás da cabeça e reclinou na cadeira, sorrindo maliciosamente.

— Que ótimo, Raz. Quero dizer, puxa vida! Mas, pelo amor de Deus, o que isso tem a ver com essa mancha?

— Acalme-se, e eu lhe explico. — Ele voltou ao gráfico e apontou para um pico, alto. — Está vendo isso? Esse pico interessante de absorvência? É proteína.

— E daí?

— Daí que não pode haver proteína em vinho *kosher*. Na produção de vinho tradicional, eles usam clara de ovo como agente de clareação; por isso, é normal encontrar traços de proteína. Mas o uso de qualquer produto de origem animal é proibido na fabricação do vinho *kosher*. Tradicionalmente, eles usam uma espécie de argila, para exercer a mesma função. — Ele pressionou algumas teclas e abriu o gráfico do segundo espécime. — Isto parece ser o que se espera do vinho *kosher*.

— Então, o que você quer dizer? Que derramaram dois tipos diferentes de vinho na mesma página? Acho improvável.

— Não, o que eu quero dizer é que há outra coisa misturada com o vinho, em alguns lugares. — Ele pressionou outra tecla, e a tela mostrou uma variedade de linhas em várias cores. — Acessei a biblioteca de toda espectrometria que já fizemos aqui, procurando algo que se encaixe nesse perfil. E aqui está. Está vendo aquela linha azul? Ela segue quase exatamente a linha verde gerada pelo primeiro espécime. Eu diria que é isso que você tem naquela página, misturado com o vinho, manchando o pergaminho.

— E então...? — Eu arfava. — Então, o que é?

— Aquela linha azul? — ele perguntou, calmamente. — É sangue.

Manchas de vinho

Veneza, 1609

Introibo ad altare Dei.

— Missa em latim

O SINOS — PRATEADOS, reluzentes — repicavam em sua cabeça como se os badalos lhe estivessem martelando o interior vermelho, em carne viva, do crânio. O vinho transbordou do cálice quando ele o recolocou sobre o altar. Quando o joelho tocou o chão, ele repousou a testa contra o linho limpo. Lá permaneceu por um momento, deixando o frio do mármore perpassar pela toalha do altar. Quando se levantou, havia uma pequena marca de suor da testa, na toalha.

As velhas senhoras na missa matutina eram devotas demais para notar que ele cambaleava um pouco, ao se levantar. Com a cabeça envolta em véus, todas se curvavam, em meio à devoção. Só o coroinha, com os olhos brilhantes como os de uma salamandra, ergueu as sobrancelhas. Malditos jovens e sua clareza de julgamento. Ele tentou — Deus sabe como tentou — concentrar-se no santo mistério. Mas o leve odor de seu vômito antes do alvorecer não lhe saía das narinas.

Ele estava seco. As palavras grudavam-lhe na boca como cinzas de pergaminho queimado. Como as cinzas que tinham caído em uma chuva quente após o último livro ser queimado. Um pedaço parara sobre a batina, e, enquanto ele levantava a mão para retirá-lo, notou que as palavras ainda eram legíveis, pálidas letras fantasmas contra o fundo queimado, que logo se tornaram pó, soprado pelo vento.

— *Per ipsum* — ele segurou o Corpo sobre o Sangue e fez o sinal-da-cruz — *et cum ipso* — malditos tremores — *et in ipso* — o Pão do Céu dançava por cima do cálice como um besouro — *est tibi Deo Patri omnipotenti, in unitat e Spiritus Sancti, omnis honor et gloria.* — Rezou com pressa o Pai-Nosso, o Libera Nos, o Agnus Dei, e as orações pela paz e santificação e graça até, *Deo gratias*, que ele finalmente virou o cálice e sentiu o Precioso Sangue — frio, adstringente, delicioso — lavando a bile, o gosto amargo e o terrível tremor em seu corpo. Ele se virou para dar Comunhão ao coroinha. O menino estava com os olhos fechados, felizmente, e seu julgamento se escondia por trás de seus espessos cílios. Em seguida, ele se dirigiu até a fileira à frente do altar e colocou hóstias brancas e límpidas nas línguas idosas e grossas daquela meia dúzia de pessoas.

Na sacristia, depois da missa, Giovanni Domenico Vistorini sentiu o olhar recriminador do coroinha novamente, observando o tremor em suas mãos, enquanto ele tirava a estola e desatava a cintura.

— Por que está ainda vadiando aqui, Paolo? Tire a túnica e vá embora. Eu vi sua avó na missa. Vá com ela. Ela precisará do apoio de seu braço.

— Como queira, padre. — O menino se pronunciou, como sempre, com exagerada polidez. Até insinuou uma reverência. Vistorini às vezes achava que preferia a insolência deflagrada. Mas Paolo era gracioso e preciso, servindo o altar ou fora dele, e não lhe dava motivo para se queixar. O menino só transmitia o desprezo pelo olhar, longo e avaliador. Ele dirigiu ao sacerdote mais um desses olhares dilacerantes e, então, se virou para tirar a túnica; seus gestos eficientes, concisos, zombavam das mãos trêmulas de Vistorini. Ele saiu sem dizer mais palavra alguma.

Sozinho na sacristia, Vistorini abriu o armário que continha o vinho para Comunhão, ainda não consagrado. A rolha saiu da garrafa, produzindo um som úmido de sucção. Ele passou a língua sobre os lábios. O receptáculo frio estava embaçado pela condensação, e Vistorini o ergueu com cuidado, pois as mãos ainda tremiam, e tomou um gole profundo. Depois outro. Melhor.

Estava prestes a tampar a garrafa, quando se lembrou da manhã que se estendia à sua frente. O ofício do inquisidor do papa em Veneza não era conhecido por sua liberalidade. Os aposentos que o doge havia reservado para os membros da Inquisição eram sombrios, mal mobiliados, e parcamente servidos. Vistorini achava que o doge estava tentando dizer algo com essa atitude: que os servos de Roma tinham uma posição subordinada ao Estado, onde apenas ele e os Dez tomavam decisões importantes. De qualquer forma, poderia passar do meio-dia quando ele conseguisse beber novamente. Ele ergueu o recipiente mais uma vez, e deixou o líquido sedoso descer pela garganta.

Vistorini andou quase com desenvoltura, após fechar a porta lateral de sua igreja, saindo para a rua sob a luz leitosa daquela manhã. O sol estava alto o suficiente para atingir a estreita *calle*, que projetava reflexos mosqueados do canal, os quais em sua dança tingiam de prata as pedras. O sino da Marangona soou, mais profundo e ressonante que qualquer outro sino na cidade. Ele anunciava o início do dia de trabalho para *arsenalotti*, e a abertura dos portões do Gueto, nas proximidades. As venezianas eram abertas, enquanto os mercadores iniciavam seu comércio no *campiello* em frente à igreja.

Vistorini respirou fundo. Mesmo depois de trinta anos na cidade, ele ainda amava a luz e o ar de Veneza, sua mistura de cheiros de salmoura e musgo, mofo e gesso úmido. Tinha apenas seis anos de idade quando chegara, e os irmãos no orfanato o haviam encorajado a abandonar as lembranças do passado, bem como seu sotaque e seus maneirismos estrangeiros. Ensinaram-lhe que as reminiscências eram sombrias e vergonhosas, indicando falta de gratidão pelas bênçãos presentes. Ele aprendera a não pensar mais em seus pais mortos e na vida curta que passara com eles. Mas, às vezes, fragmentos vinham à tona, em sonhos, ou quando sua vontade se enfraquecia na embriaguez. E, nesses fragmentos, o passado era sempre iluminado por um clarão que o fazia estremecer e tinha gosto de poeira trazida pelos ventos fustigantes.

Ao passar pela ponte, pelo barqueiro que entregava carne ao açougueiro e pelas lavadeiras que trabalhavam no canal, ele reconheceu vários de seus paroquianos. Cumprimentou-os com uma palavra agradável ou uma indagação gentil, dependendo da condição da família. Um mendigo sem pernas se movia para a frente sobre membros mal desenvolvidos que deveriam ser braços. Senhor Deus. Vistorini fez uma oração mental pelo homem, cuja deformidade era tão grotesca que nem mesmo um cirurgião conseguiria olhar muito para ele sem se retrair. Ele colocou uma moeda sobre a extremidade sangrenta de um dos membros e, lutando contra a repulsa, pôs a mão sobre a cabeça escabiosa do mendigo e o abençoou. O homem respondeu com um grunhido animal que parecia ser uma expressão de agradecimento.

Como pároco, Vistorini tentava ao máximo fingir interesse pelas vidinhas dos membros de seu rebanho. O trabalho do ministério, no entanto, não o envolvia de fato. Seu principal serviço para com a igreja consistia em outra coisa. As habilidades de Vistorini tinham sido reconhecidas por seus irmãos que o haviam adotado. Eles tinham se impressionado com sua facilidade para línguas, mas também com sua compreensão superior de teologia complexa, abstrata. Tinham lhe ensinado grego e aramaico, hebraico e árabe; ele absorvera tudo. Naqueles tempos, sua sede por conhecimento era grande; agora, era outra sede que norteava sua existência.

Em 1589, quando o papa Sixto V proclamou a proibição contra quaisquer livros escritos por judeus ou sarracenos que contivessem alguma coisa contra a fé católica, o jovem padre Vistorini foi uma escolha óbvia para trabalhar como censor do Inquisidor. Durante dezessete anos, quase toda a sua vida nas Santas Ordens, Domenico tinha lido e julgado obras de diferentes religiões.

Como estudioso, ele tinha uma reverência inata por livros. Precisou, contudo, subjugá-la, quando sua missão passou a ser a de destruí-los. Às vezes, a beleza da caligrafia fluida dos sarracenos o comovia. Outras vezes, o argumento elegante de um judeu culto o refreava. Ele se dava ao trabalho de considerar com atenção tais manuscritos. Se, no fim, ele determinasse que os livros tinham realmente de ser atirados à fogueira, Vistorini não olhava enquanto os pergaminhos se enegreciam. Seu trabalho era mais fácil quando a heresia era patente. Nessas ocasiões, ele podia observar as chamas, regozijando-se nelas como meio de purificação, de libertar o pensamento humano do erro.

Hoje ele tinha consigo um livro assim, um texto judaico. Seu trabalho nessa manhã seria recolher todos os exemplares do livro na cidade e mandá-los entregar ao Inquisidor, para em seguida terminarem na fogueira. As palavras blasfemas lhe dançavam na cabeça, sendo as letras hebraicas tão familiares para ele quanto a escrita latina.

> *O culto cristão a Jesus é uma idolatria muito pior que o culto israelita ao bezerro de ouro, pois os cristãos erram ao dizer que algo sagrado entrou em uma mulher naquele lugar fedorento... cheio de fezes e urina, que emite evacuação e sangue menstrual, e serve como receptáculo para o sêmen dos homens.*

Às vezes, Vistorini se perguntava como tais palavras ainda podiam ser postas em papel, depois de quase cem anos de Inquisição. Judeus e árabes tinham sido multados, aprisionados e até mortos, por blasfêmias menores que a aquela. Ele imaginava que a culpa era da proliferação de casas de impressão em Veneza. Oficialmente, os judeus eram proibidos de exercer o ofício de publicar textos; entretanto, seus negócios proliferavam sob a fachada de algum cristão disposto a emprestar seu nome em troca de alguns cequins de ouro.

Nem todos os homens que queriam entrar no ofício de impressão deveriam ser aprovados. Alguns, evidentemente, eram ignorantes ou maliciosos. Ele teria que discutir esse assunto com Judah Aryeh. Os judeus deveriam exercer mais controle, ou o Inquisidor seria obrigado a fazer isso por eles. Melhor seria manter o Ofício da Inquisição fora das muralhas do Gueto. Com certeza, até um intelecto inferior ao de Judah veria sentido nisso.

Como se seus pensamentos o tivessem conjurado das pedras, Vistorini viu o chapéu escarlate do rabino Judah Aryeh, seguindo furtivamente em meio à multidão à sua frente na Frezzeria, onde os fabricantes de flechas confeccionavam seus produtos. Ele andava na costumeira postura encurvada, com a cabeça para baixo, como sempre fazia quando estava fora do Gueto. Vistorini levantou a mão para chamar o homem, mas hesitou. Observou o rabino por um momento, analisando-o. Quantas humilhações haviam sido necessárias para dobrar um homem até aquela posição submissa: as brincadeiras abusivas de garotos grosseiros, as piadas e a saliva dos ignorantes. Se ao menos aquele sujeito obstinado adotasse a verdade de Cristo, ele poderia acabar com os desaforos.

— Judah Aryeh!

A cabeça do rabino se ergueu como um cervo à espera de uma das flechas dos artesãos. Mas, quando ele viu Vistorini, sua expressão cansada se converteu em um sorriso de real prazer.

— Domenico Vistorini! Já faz tempo, padre, desde que o vi pela última vez em minha sinagoga.

— Ah, rabino, há um limite para um homem agüentar que lhe lembrem como ele é deficitário. Embora eu muito possa aprender com você, ao mesmo tempo sinto-me humilhado por sua eloqüência.

— Padre, está zombando de mim.

— Nada de falsa modéstia comigo, rabino. — O rabino era tão famoso por sua brilhante exegese bíblica que ele pregava em quatro sinagogas no sabá judaico, e muitos cristãos, incluindo frades, padres e nobres entravam no Gueto só para ouvi-lo. — O bispo de Pádua, que eu levei para ouvi-lo a última vez, concordou que nunca ouviu o livro de Jó ser tão bem explicado — disse Vistorini. Ele não acrescentou que tinha ouvido o bispo pregar sobre o mesmo texto algumas semanas depois, na catedral de Pádua, e achou que o sermão nada mais era que farinha já moída nos moinhos do intelecto do rabino. Vistorini tinha certeza que não eram poucos os padres que vinham escutar o rabino para depois roubar-lhe as palavras. Quanto a ele, não era tanto o conteúdo, mas sim a forma de discurso, polida e apaixonante, que ele queria imitar. — Bem que eu gostaria de ter a congregação nas mãos, como você faz. Eu tento aprender seus segredos, para transmitir melhor a palavra da Igreja Mãe, mas quem me dera! Eles permanecem ocultos para mim.

— Os pensamentos de um homem e a habilidade para expressá-los vêm de Deus, e, se minhas palavras merecem louvor, que seja para a honra Dele. — Vistorini suprimiu um sorriso sarcástico. Será que o rabino realmente acreditava em tais untuosas platitudes? Aryeh notou a expressão de desagrado de Vistorini e mudou o tom. — Quanto aos segredos, padre, eu só tenho um: se a congregação espera um sermão de quarenta minutos, faça um de trinta. Se espera um de trinta, faça de vinte. Em todos os meus anos como rabino, nunca ouvi uma única alma reclamar que um sermão foi curto demais.

O padre sorriu.

— Agora é você que zomba de mim! — ele disse. — Mas caminhe comigo um pouco, se puder, pois quero conversar sobre um assunto.

Judah Aryeh havia se endireitado enquanto falava com Vistorini, e agora, protegido por seu eminente companheiro, caminhava ereto, com os ombros jogados para trás e a cabeça erguida. Seus cabelos escuros se projetavam por debaixo do tecido vermelho do chapéu, em cachos vistosos, iluminados em diversos tons de castanho, assim como a barba. Vistorini invejava o físico de Judah, alto e bem proporcionado, ainda que um tanto magro, com uma pele cor de oliva, diferente da palidez característica de muitos estudiosos. Mas a impressão era prejudicada por aquele lúrido adereço de cabeça.

— Judah, por que você usa esse chapéu? Você sabe que não é impossível obter a permissão para usar um preto. — A cor escarlate tinha o objetivo de lembrar o sangue de Cristo que os judeus haviam feito derramar. Vistorini, porém, conhecia muitos judeus que haviam recebido indulgência.

— Padre Dom, eu sei muito bem que, com amigos e dinheiro, uma pessoa pode fazer quase tudo em Veneza. Dinheiro, como você sabe, eu não tenho. Mas amigos, sim. Tenho vários que me livrariam dessa imposição. Com uma palavra aqui e ali, eu poderia, como você diz, usar chapéu preto e passar sem ser molestado. Mas, se fizesse isso, eu não conheceria a vida como as pessoas de minha congregação conhecem. E eu não quero me separar delas. Sou suficientemente vaidoso para pedir à minha filha que costure meus chapéus com veludo e os forre com seda, mas obedecerei à lei, pois o valor de um homem não está no que ele usa sobre a cabeça. Chapéu vermelho, chapéu preto: que diferença faz? Nenhum dos dois encobrirá minha mente.

— Sábias palavras. Eu deveria saber que seus motivos são tão bem cuidados quanto o jardim de um beneditino.

— Mas não creio que você me pediu para acompanhá-lo a fim de discutir frivolidades.

Vistorini sorriu. Ele não gostava de admitir, nem para si mesmo, mas às vezes se sentia mais próximo daquele judeu espirituoso, inteligente, que de qualquer padre de sua Ordem.

— Não, não pedi. Sente-se um momento, por favor. — Vistorini indicou uma mureta, ao lado do canal. — Leia isto — ele pediu, passando o livro ao rabino, aberto no trecho ofensivo.

Aryeh leu, balançando-se ligeiramente, como se estivesse na sinagoga. Quando terminou, olhou através do canal, evitando o olhar do amigo. — Clara contravenção do Índex — ele disse. Seu tom era cuidadosamente neutro, sem expressar a menor emoção. Vistorini notara, com pesar, que embora Aryeh, assim como ele mesmo, viera a Veneza de outro lugar, o judeu falava com as inflexões de um veneziano nativo; o dialeto suave, cantarolado, da cidade, entremeado com as cadências distintas de sua *seistiere* específica, a região de Cannaregio.

O padre tentava falar como um nativo, mas não conseguia se livrar completamente do sotaque de sua infância.

— É um pouco mais sério que isso — Vistorini disse. — Esse tipo de texto deliberadamente provocativo vai atrair a atenção, a ira do Santo Ofício sobre todo o Gueto. Seria bom, meu amigo, se você lidasse com a questão pessoalmente, antes de nós sermos obrigados a agir. Você devia fechar essas casas de impressão.

Judah Aryeh se virou, olhando para o padre.

— O autor desse texto não escreveu para provocar, mas apenas para expressar uma verdade como ele a concebe. Seus próprios teólogos se esforçaram em manipular a lógica para advogar uma doutrina que aborda esse mesmo ponto. O que é a Concepção Imaculada, afinal, senão uma desajeitada tentativa da mente humana para lidar com as indelicadas realidades do corpo? Nós, judeus, somos simplesmente mais francos com essas questões.

Vistorini engoliu em seco, suprimindo uma respiração profunda, e ia protestar quando Aryeh ergueu a mão, impedindo-o. O outro tornou:

— Eu não quero desperdiçar uma bonita manhã discutindo teologia com você. Acho que aprendemos, muito tempo atrás, que nada lucramos com isso. Independentemente dos méritos ou deméritos dessa obra específica, penso que você precisa olhar de maneira realista para o seu ofício atualmente em Veneza. O número de casos que o Inquisidor consegue levar a julgamento aqui está caindo ano após ano. E a maioria dos que vão aos tribunais é dispensada lá, por falta de evidências. Não estou dizendo que não temos medo de vocês, mas tememos menos do que antes. Eu lhe digo o que o meu povo pensa de seu ofício: que o seu veneno ressecou, e que vocês perderam a receita para produzir mais.

Vistorini pôs a mão sobre o líquen que crescia na pedra ao seu lado. Como sempre, as palavras de seu amigo faziam sentido. O último papa, Gregório XIII, tinha identificado a fraqueza da qual o rabino falava. "Eu sou papa em todo lugar, menos em Veneza", ele dizia. Mas Vistorini sentia um ar de perigo em torno do novo papa em Roma. Ele poderia não confrontar o doge e os Dez diretamente, mas o faria através dos judeus da cidade. Mesmo um animal ferido pode recuperar as forças para um último golpe com as patas.

— Rabino, eu espero — e digo isso com sinceridade — que você não seja obrigado a aprender novamente o significado do terror. Com certeza, aqueles entre vocês que descendem do exilados espanhóis ainda se lembram das ásperas condições sob as quais seus avós foram trazidos.

— Nós não nos esquecemos. Mas *lá* não é *aqui*. *Antes* não é *agora*. A Inquisição Espanhola foi um pesadelo do qual muitos de nós ainda não conseguimos despertar. E, no entanto, nós, ponentines, cujos antepassados experimentaram grandes desapropriações, somos apenas um grupo, um punhado de memórias. Há holandeses, tedescos, levantinos. Como podemos não nos sentir seguros aqui, quando toda família nobre tem seu confidente judeu, e quando o doge não permite sequer que a sua Inquisição nos imponha sermões conversivos?

Vistorini suspirou.

— Eu mesmo dei conselhos contrários a esses sermões ao Inquisidor — ele disse. — Disse-lhe que isso só iria exasperar as pessoas, não edificá-las. — Motivo real: ele não queria expor a inferioridade de sua pregação a congregações que tinham ouvido Judah Aryeh.

O rabino se levantou.

— Preciso cuidar de meus afazeres, padre. — Ele apertou o chapéu, e tentou imaginar se seria seguro falar o que pensava. Decidiu que o padre tinha o direito de conhecer seu pensamento. — Você sabe que a sua igreja sempre teve uma visão muito diferente da nossa quanto a essas questões, desde o dia em que a primeira máquina impressora foi montada. A igreja não queria as suas escrituras sagradas nas mãos de pessoas comuns. Nosso sentimento é diferente. Alguns rabinos até gostavam da impressão sobre o altar. Nós a chamávamos de "escrita com muitas penas" e a víamos como um meio de espalhar a palavra que começou com Moisés no monte Sinai. Portanto, meu bom padre, peça e escreva à Ordem que queime esse livro, como a igreja o obriga a fazer. E eu nada direi à casa de impressão, como me dita a consciência. *Censura praevia* ou *censura repressiva*, o efeito é o mesmo. De um jeito ou de outro, um livro é destruído. É melhor que vocês façam isso a nos deixar tão intelectualmente escravizados a ponto de fazer o trabalho de vocês.

Vistorini não tinha uma resposta pronta para o rabino, e isso o irritava. Ele sentiu as têmporas latejarem. Os dois homens se despediram com frieza, e Judah Aryeh deixou o padre ainda sentado à beira do canal. Enquanto se afastava, o rabino sentiu o coração pesado. Teria sido franco demais? Qualquer pessoa que tivesse ouvido a conversa teria percebido a insolência e estranhado o fato de Vistorini não mandar pô-lo a ferros. Mas ninguém que ouvisse a conversa saberia da história existente entre os dois. Eles tinham sido amigos, dentro do sentido possível da palavra naquelas circunstâncias, por dez anos. Então, por que — perguntava-se o rabino — seu coração estava batendo tão rápido?

Tão logo saiu da *fondamenta* e do olhar de Vistorini, Aryeh encostou-se ao muro e respirou, com dificuldade. Respirar era doloroso. Ele tinha essa dor havia anos. Lembrava-se bem de como o peito tinha doído no primeiro dia em que conhecera o padre, no ofício do Inquisidor. Judah Aryeh se arriscara muito. Poucos iam, por conta própria, ao Santo Ofício, mas ele havia solicitado uma audiência. Falara por mais de duas horas, em latim eloqüente, tentando obter uma suspensão parcial da proibição imposta sobre o Talmude. A obra em duas partes era a destilação do pensamento judeu desde os dias do exílio, e ser privados do Talmude era, para os judeus, um sofrimento, um jejum intelectual que já beirava a uma verdadeira fome. Quanto à Mishná, o principal corpo da obra, ele sabia que não havia esperança de recuperação. Já em relação à segunda parte do Talmude, Gemara, ele ainda podia obter resultados. A Gemara era uma apresentação de opiniões rabínicas, uma coletânea de argumentos e disputas. Isso, ele argumentara, podia antes ajudar que prejudicar a igreja, pois demonstrava que até rabinos discordavam quanto a certos aspectos da lei judaica. Certamente, as evidências de tais divisões no judaísmo poderiam ser usadas para fortalecer a posição da igreja contra sua fé.

Vistorini estava atrás da cadeira do Inquisidor, com os olhos semicerrados. Ele conhecia intimamente os textos hebraicos, tendo confiscado e queimado muitos exemplares do Talmude. Sabia que qualquer rabino moderadamente instruído era capaz de pegar a Gemara e reconstruir, a partir daí, a amaldiçoada Mishná para seus estudantes. Mas o Inquisidor se deixou cair na teia das astutas palavras do rabino. Ele deu aos judeus permissão para ficar com os exemplares do Talmude que tivessem em mãos, desde que fossem devidamente expurgados.

Embora tivesse perdido a luta espirituosa, Vistorini ficou impressionado com Aryeh; por seus conhecimentos, por sua coragem, mas também por sua astúcia. Era como ver um alquimista mostrar um aumento enganoso da substância. Todos sabiam que havia algum truque, mas, por mais atentamente que se observasse, o momento e o meio pelo qual ele acrescentava o minério extra continuavam obscuros.

Quando o rabino, feliz e aliviado por salvar seus textos, se preparava para sair da sala do Inquisidor, Vistorini se aproximou dele e sussurrou:

— Judah, o Leão. Seria melhor se você fosse chamado de Judah Shu'al.

O rabino olhou nos olhos do padre e viu, não exatamente raiva, mas a emoção ambivalente que um perdedor tem em relação a um oponente valoroso. Da próxima vez que Aryeh voltou ao Santo Ofício, arriscou-se. Pediu ao cura que o anunciasse a Vistorini como "rabino Judah Vulpino*".

Vistorini passou a apreciar as conversas com Aryeh, que sabia brincar com as palavras em três línguas. O padre tinha uma vida solitária. No orfanato, seu forte sotaque e a vergonha que parecia pairar sobre qualquer menção de seu passado o deixavam retraído na frente dos outros meninos. No seminário, seus interesses e habilidades o separavam dos colegas. Mas com Aryeh ele podia se digladiar com um equivalente intelectual. Ele era grato por Aryeh jamais desperdiçar seu tempo tentando defender heresia deflagrada ou claras violações do Índex. Às vezes, Vistorini deixava o rabino convencê-lo. Ele reconsiderava, em vez de destruir, e, uma ou duas vezes, levantou a pena para eximir um texto ameaçado, escrevendo as necessárias palavras de autoridade na primeira página.

Seu interesse por Aryeh o ajudou a contornar um antigo desagrado pelo Gueto, levando-o até a atravessar a pequena ponte que

---

* *Vulpino* ou *vulpínico*: próprio de raposa; astuto, manhoso, *raposino*. (N. do T.)

terminava lá. No seminário, muitos de seus colegas estudantes iam até ali com regularidade. Usar os judeus como isca era um dos esportes favoritos de alguns jovens; outros iam com um espírito sincero de evangelização, para salvar almas. Alguns arriscavam a própria pele, participando de entretenimentos ilícitos. Mas Vistorini achava a mera idéia do Gueto repulsiva. Ele não estava disposto a entrar em uma área cercada por portões, repleta de judeus. A idéia o fazia se sentir preso, sufocado, impuro.

Os primeiros judeus a se assentar em Veneza em 1516 eram banqueiros alemães que concediam empréstimos. Outros vieram depois, mas só tinham permissão de se dedicar a três ofícios: penhorista, oferecendo créditos módicos aos venezianos pobres; negociante de *strazzaria*, comprando e vendendo objetos usados; ou comércio exterior, usando seus vínculos com o Levante para facilitar o vasto negócio de exportação e importação da cidade. Eles podiam viver na cidade, mas restritos à pequena área que fora a fundação local, ou o Gueto, uma pequena ilha de freixos cercada por muralhas, que só se unia ao resto da cidade por meio de duas pontes estreitas, cercadas por portões e trancadas todas as noites.

Com o passar dos anos, porém, alguns venezianos haviam-se acostumado com a presença dos judeus, empregando-os para tocar sua música eletrizante ou com eles se consultando por questões financeiras ou de saúde. Para os judeus, o fato de ter seus direitos de propriedade respeitados e contar com a proteção da lei fazia de Veneza uma terra prometida, em comparação com as condições em outras partes.

E, assim, vinham cada vez mais judeus: os ponentines, expulsos da Espanha e depois de Portugal pelos monarcas católicos. Depois, os tedescos, fugindo do pogrom nas cidades alemãs; e os incansáveis levantinos, de terras como Egito e Síria. A comunidade havia crescido para quase duas mil almas, suas habitações se empilhando uma por cima da outra, seis ou sete famílias grandes juntas, até o Gueto ter a mais densa população e as mais altas estruturas em Veneza. Quando Vistorini perguntou pelo caminho até a sinagoga de Judah, indicaram-lhe um edifício alto e estreito. No alto de uma escadaria íngreme, escura, a casa de culto do rabino dividia o espaço sob o teto com um pombal e um galinheiro.

Embora o que o atraísse ao rabino, a princípio, fossem os interesses intelectuais comuns, o relacionamento dos dois fora selado por fraqueza, não por força. Certa tarde, Judah estava caminhando na área entre o Gueto e a igreja de Vistorini, pelos mais estreitos *callettos* e *rughettas*, para escapar do assédio das avenidas mais cheias de gente. Ele atrapalhou a ação de um batedor de carteiras que estava curvado por cima do corpo de sua vítima. O homem fugiu, e Judah reconheceu Domenico, bêbado, com a cabeça sangrando pela pancada do ladrão, a túnica ensopada de urina. O rabino correu um grande risco pessoal, ultrapassando o toque de recolher, para obter panos limpos e ajudar o padre a recuperar a sobriedade, de modo que sua igreja nunca ficou sabendo do vergonhoso espetáculo que seu representante fizera de si mesmo.

Quando Domenico tentou agradecer a Judah, o rabino murmurou que ele também tinha uma fraqueza que Satanás explorava de tempos em tempos. E não disse mais nada. Essa fraqueza, porém, cutucava-lhe a mente, desviando-o de suas orações durante o dia e dos afetos de sua esposa à noite. Recostado contra o muro na *calle*, ele sabia que a dor no peito não fora causada apenas por sua franqueza com o padre. Tampouco fora sua tarefa matutina — ilícita, perigosa — que fizera seu coração disparar, bater acelerado. As duas coisas se juntavam à perturbadora voz em sua cabeça, a voz do tentador que ele não conseguia silenciar. Ele se empenhara, Deus era testemunha de como se empenhara em sair de Veneza antes do Carnaval, que começaria dali a alguns dias. Ele queria fugir do alcance do pecado. A possibilidade de sair pelas ruas mascarado, de ser outro homem, da fazer o que um judeu não podia fazer — a tentação o dominava. No ano anterior, ele conseguira um emprego como tutor fora da cidade. Mas a temporada do Carnaval vinha sendo prolongada ano após ano, e posições apropriadas tornavam-se cada vez mais difíceis de encontrar. Ele se candidatara como tutor para um jovem em Pádua, e se oferecera para assumir a Bimá para um rabino doente em Ferrara. Mas nenhuma das posições dera certo.

Com a aproximação do Carnaval, sua esposa, sabendo do perigo, vasculhara seu baú, procurando entre as roupas a máscara e a capa que o tornariam indistinguível dos gentios venezianos. Por fim, ela descobriu o lugar onde ele as escondia, entre os tecidos pertencentes à sua filha, a costureira. Levou os dois objetos à *strazzaria* e os vendeu. Ele agradeceu à esposa, beijando-lhe a testa, com muita ternura. Por um ou dois dias, sentiu um alívio profundo por seus artefatos de desgraça estarem fora de seu alcance. Mas não tardou até começar a pensar insistentemente no Carnaval, e na oportunidade que lhe oferecia.

Mesmo agora, quando precisava estar de posse de seu juízo, a serpente se enrolava em torno de cada pensamento, esmagando a razão e a consciência. Ele se dirigiu até a escada próxima ao Rialto, onde lhe haviam orientado que esperasse. Não gostava de ficar de pé ali, exposto, no coração da cidade. Sentia as pessoas encarando-o. Foi com grande alívio que viu o gondoleiro mover com destreza o remo, aproximando o barco da escada. A gôndola, austera, era pintada de preto, a cor determinada pelas leis para desencorajar os venezianos das ostensivas exibições de sua riqueza. A cor do uniforme, bem como a legendária discrição dos gondoleiros, ajudava os amantes furtivos a permanecer no anonimato.

Aryeh desceu devagar os degraus escorregadios, ciente de que a entrada de um rabino em uma gôndola não era uma cena comum. Ele estava nervoso, e o coração agitado o deixava um pouco tonto. Um veneziano estenderia o braço para tocar o cotovelo do gondoleiro e se equilibrar, enquanto entrava no barco, mas Aryeh não tinha certeza de como o gondoleiro reagiria ao ser tocado por um judeu. A superstição de que tal toque podia ser usado para feitiçaria judaica, para passar espíritos maus aos cristãos, era difundida entre os venezianos. Assim que colocou o pé no barco, a onda formada por outra embarcação que passava atingiu o convés. Aryeh se desequilibrou, agitando os braços no ar como pás de um moinho, e caiu sentado. Do Rialto veio uma risada grotesca. Alguém cuspiu por cima do muro do canal, e o catarro veio cair em seu chapéu.

— *Dio!* — exclamou o gondoleiro, estendendo os braços musculosos de tanto remar, e segurando o rabino. Quando o rabino se pôs de pé, o gondoleiro gentilmente esfregou-lhe as roupas, e disparou uma torrente de insultos que fez calar a boca dos jovens que riam em terra.

Aryeh se repreendeu por seus pensamentos acerca do gondoleiro. Claro, Doña Reyna de Serena jamais empregaria alguém que odiasse judeus. Ela estava sentada, aguardando-o, na privacidade almofadada da *felze*.

— Que entrada, rabino — ela disse, erguendo uma sobrancelha. — Não foi o jeito mais discreto de vir a bordo. Mas sente-se, agora. — Ela fez um gesto indicando as almofadas de seda bordadas defronte às dela. Do lado de fora, a cortina da *felze* era uma discreta vela preta. Mas, por dentro, ela era forrada com brocados de fios de ouro que zombavam das leis suntuárias.

Reyna de Serena viera para Veneza dez anos atrás. Fugindo de Portugal como judia, chegou a Veneza professando uma devota conversão para o cristianismo. Assumiu um nome novo, indicando sua gratidão ao seu local de refúgio. Como cristã, conseguira se estabelecer fora do perímetro abarrotado do Gueto, em um palácio magnífico, bem ao lado da Casa da Moeda de Veneza. Alguns venezianos brincavam que a casa de Serena continha mais ouro que sua vizinha, pois Serena era a herdeira de uma das maiores fortunas dos bancos judeus. Como a família estendera suas operações para além da Península Ibérica, só uma parte da riqueza se fora perdida para os saqueadores reais da Espanha e de Portugal.

Mas Serena não gastava sua grande riqueza apenas em seus enfeites de brocado e suas festas, que eram freqüentadas pela nata da nobreza. Em segredo, ela era a principal fonte de esmolas para Aryeh, para os membros mais necessitados da comunidade no Gueto. Além disso, ele sabia que ela ajudava judeus em muitas outras cidades, através da rede bancária que a família tinha estabelecido. Também sabia que a aparência pública de Serena como devota católica era apenas uma máscara, que ela usava como se fosse uma máscara de Carnaval.

— Bem, rabino. Fale-me de suas necessidades deste dia. Como posso ajudá-lo a ajudar o seu povo?

Aryeh sentia desprezo por si mesmo pelo que ia fazer.

— Minha senhora, as asas de sua generosidade já abraçaram muitos de nossos filhos e filhas, protegendo-os das crueldades do exílio. A senhora é uma fonte de água limpa onde os sedentos podem beber, é...

Reyna de Serena ergueu a mão cheia de jóias e a sacudiu em frente ao rosto, como que dispersando um cheio ruim.

— Basta — disse. — Diga-me logo de quanto precisa.

Aryeh disse a quantia. Sentia a boca seca, como se a mentira a tivesse queimado. Ficou observando o rosto da mulher, grave e adorável, como se ela estivesse ponderando o pedido por um instante, e então ela pôs a mão por baixo das almofadas ao seu lado e tirou duas bolsas cheias.

Aryeh passou a língua pelos lábios, engoliu em seco e disse:

— Minha senhora, as famílias abençoarão seu nome. Se a senhora soubesse os detalhes do sofrimento delas...

— Eu nada preciso saber além do fato de que são judeus, que passam necessidades e que o senhor acha que são dignos de minha ajuda. Eu lhe confiei meu segredo, rabino; como poderia, então, não lhe confiar alguns cequins?

Sentindo o peso do ouro, o rabino se perguntou qual seria o conceito que ela tinha de *alguns*. Mas a palavra *confiar* fazia seu coração se contrair como se uma mão o comprimisse.

— Agora, rabino, eu tenho algo a lhe pedir.

— Qualquer coisa, minha senhora. — A mão imaginária afrouxou o aperto um pouco, na esperança de ele poder fazer alguma coisa para obter um perdão parcial por sua desonestidade.

— Ouvi dizer que o senhor é amigo do censor no Santo Ofício.

— Eu não diria exatamente "amigo", senhora. — Ele se lembrou da conversa tensa no canal. — Mas nós nos conhecemos, conversamos com freqüência, e com civilidade. Na verdade, acabo de ter uma conversa com ele. Ele quer fechar a casa de impressão de Abraham Pinel — aquela a que os Bernadotti emprestam o nome.

— Ele quer? Talvez eu deva falar com Lucio de Bernadotti. Tenho certeza de que ele preferiria evitar tal embaraço. Talvez ele possa convencer os impressores a realizar um trabalho em homenagem ao papa, de modo que o fechamento imposto pelo Santo Ofício fosse menos politicamente apropriado...

Aryeh sorriu. Reyna de Serena não tinha sobrevivido por acaso, tampouco prosperado, em um exílio que havia esmagado tantos.

— Mas como eu posso ajudar a senhora com o censor?

— Tenho isto — ela disse, novamente pondo a mão embaixo das almofadas e tirando um pequeno livro encadernado em couro com fechos de prata ricamente traçados. Entregou-o ao rabino. Aryeh pegou o livro.

— É muito antigo — disse.

— De fato. Tem mais de cem anos. Assim como eu, é um sobrevivente de um mundo que não mais existe. Abra-o.

Aryeh soltou os fechos, admirando o talento do ourives. Cada um deles, fechado, tinha a forma de um par de asas. Quando se soltavam — ainda com suavidade, mesmo depois de mais de um século —, as asas se abriam, revelando uma roseta no interior. Aryeh logo viu que o livro era uma Hagadá, mas diferente de tudo que ele já tinha visto. A folha de ouro, os ricos pigmentos... ele fixou os olhos nas iluminuras, virando as páginas com avidez. Ficou fascinado, e ao mesmo tempo um pouco perturbado, ao ver histórias judaicas contadas em uma arte tão parecida com a dos livros de orações dos cristãos.

— Quem fez este livro? Essas imagens?

Reyna de Serena balançou os ombros.

— Bem que eu gostaria de saber. Chegou a mim pelas mãos de um serviçal idoso de minha mãe. Era um homem gentil, velho já quando eu o conhecia. Ele costumava me contar histórias, quando eu era criança. Histórias terríveis, cheias de soldados perversos e piratas, tempestades no mar e peste em terra. Eu as adorava, como uma criança que não sabe o suficiente do mundo para perceber o que é real e o que é fábula. Agora, tenho vergonha quando me lembro que insistia para que ele me contasse essas histórias, pois acho que eram histórias da vida dele. Ele dizia que nascera no mês da expulsão espanhola, e que sua mãe tinha morrido em um naufrágio não muito tempo depois, tentando encontrar um local seguro onde pudesse criá-lo. Por um caminho ou outro, ele ganhou a proteção de minha família — como muitos outros órfãos, com o passar dos anos. Quando jovem, trabalhava para meu avô, não no banco, mas no empreendimento secreto de ajudar judeus a fugir de Portugal. De qualquer forma, o livro era dele; seu mais antigo e querido objeto pessoal. Quando morreu, ele o deixou para minha mãe, e, quando ela morreu, passou-o a mim. E eu tenho grande apreço pelo livro, porque é adorável, mas também porque me lembra dele, e do sofrimento de muitos como ele. Rabino, eu preciso que o censor examine e aprove o livro. Mas não posso correr nenhum risco. Eu preciso ter certeza de que ele o aprovará, antes de entregar-lhe aos seus cuidados. E, claro, ninguém deve saber que é meu. Senhoras católicas não precisam de Hagadás.

— Doña de Serena, deixe-me levá-la e estudá-la. Eu conheço bem quais tipos de palavras violam o Índex católico. Primeiro, vou me certificar de que não há nela nada de ofensivo à igreja, e depois a levarei ao padre Vistorini, com a certeza de que o resultado será satisfatório.

— O senhor pode garantir isso? Eu não agüentaria se este livro, depois de tanto viajar e passar por tantas agruras, fosse atirado às chamas.

— Por isso, preciso lhe perguntar, minha senhora, se me permitir: embora eu tenha certeza de que conseguirei o que a senhor pede do censor, se o livro é guardado em segredo, por que a senhora precisa da aprovação dele? Certamente, não há motivo para temer que seus bens pessoais sejam vasculhados e examinados. Ninguém em Veneza se atreveria...

— Rabino, eu pretendo sair de Veneza.

— Senhora!

— E, quando o fizer, quem sabe o escrutínio que farão de meus bens? Preciso ter cautela.

— Mas que notícia triste, realmente! Sentirei falta da senhora. Todos os judeus de Veneza sentirão, embora não saibam o nome de sua generosa benfeitora. A senhora não tem idéia de quantas bênçãos imerecidas eu recebo de meu povo como resultado das quantias que a senhora me permite distribuir a eles.

Ela ergueu a mão, mais uma vez impaciente com os elogios.

— Tenho vivido bem, aqui. Mas aprendi algo acerca de mim mesma, com o passar dos anos. Descobri que não posso passar a vida toda com uma mentira.

— Então, a senhora pretende abandonar sua suposta conversão? Sabe que é um risco; por mais fraca que esteja a Inquisição, ainda é...

— Rabino, não se preocupe. Eu tomei providências para uma passagem segura.

— Mas para onde a senhora irá? Onde é esse lugar feliz onde um judeu pode viver e prosperar?

— Não muito longe. Do outro lado do mar que se estende entre nós e as terras sob o governo do Porte Sublime. Os sultões otomanos há muito nos dão as boas-vindas — por nossas habilidades e nossas riquezas. Quando eu era mais jovem, não quis ir para lá, mas muita coisa mudou, desde então. A comunidade cresceu. Em vários lugares, temos os nossos médicos, nossos poetas hebreus. O sultão me convidou, e neste exato momento está enviando um *chaus* de sua corte ao doge, com uma mensagem para providenciar minha passagem segura. Totalmente livre de riscos, não estou. Muitos gostarão de saber que aquilo de que há muito desconfiam é verdade: que só fingi me converter ao cristianismo para viver livre aqui. Mas, se eu ficar, devo viver só. Não posso desposar um homem cristão e esconder dele o segredo de minha alma judia. Lá, talvez, não seja tarde demais para eu encontrar um companheiro, ter filhos. Talvez o senhor me visite para fazer a circuncisão, se eu tiver um menino? Dizem que a cidade de Ragusa é muito solitária — não tão bela quanto Veneza, claro, mas pelo menos viverei com honestidade. Terei meu nome de volta. Agora, chega disso. Reze comigo, pois anseio por encher os ouvidos com o som da língua hebraica.

Pouco tempo depois, Aryeh desembarcou da gôndola em um *canaletto* localizado a certa distância do olhar inquisidor do Rialto. Seus bolsos cheios com os donativos de Doña Serena, o livro comprimido contra a cintura, ele tinha a intenção de ir para casa. Caminhava cabisbaixo, olhando para as pedras. Tinha passado pela oficina do *mascarer* sem sequer olhar para as máscaras que o artesão colocara à mostra. Mas, ao chegar à esquina, ele parou. O ouro em seus bolsos o detinha, como uma âncora, no local.

Geralmente, Judah reconhecia a origem de sua obsessão: um tentação de Satanás. Mas, às vezes, sua razão e seu conhecimento lhe permitiam se convencer do contrário. Ora, as tribos de Israel não haviam recebido suas terras por meio de leitura da sorte? Não fora assim que os hebreus escolheram seu primeiro rei? Como algo poderia ser de Satanás se a Torá aprovava? Talvez não fosse Satanás que o havia instruído a ludibriar Doña de Serena. Talvez a mão do Senhor lhe tivesse dado aquelas bolsas com ouro. Podia ser a providência divina, exigindo dele que arriscasse tudo, para que conquistasse riquezas ainda maiores para o seu povo. Ele distribuiria tais riquezas entre os necessitados, beneficiando todo o Gueto. Embora o coração batesse rápido, agitado, em seu peito, Judah sentia-se tomado de prazer ante a idéia. Ele se virou, retrocedeu alguns passos e entrou na oficina do artesão de máscaras.

Vistorini se levantou de trás de sua mesa, procurando um pano para esfregar sobre a testa. Tinha passado a manhã lidando com as ordens de confisco do livro herege. Era muito tarde no ano, e muito cedo naquele dia, para tamanho calor. O suor tinha um cheiro acre, o que o fazia se lembrar de que não se banhava havia algum tempo. A discussão com o judeu deixara-lhe a cabeça latejando, e agora a dor aumentava. Uma pontada de raiva se formou em seu estômago revirado. Ele dizia a si mesmo que fora afrontado, que o rabino abusara de sua amizade. Não podia admitir a verdade: que não gostava de perder nas discussões. Sentia as entranhas se contraírem. Precisava da latrina. Caminhou pelo saguão do Santo Ofício, com o andar incerto de um homem velho e doente.

Pelo menos no saguão o ar estava mais fresco. De um modo geral, as paredes mofadas o oprimiam, mas, naquele dia, ele estava feliz por ter uma breve fuga de sua sala apertada. Virando no corredor, quase colidiu com o jovem serviçal, que lhe trazia a bandeja que continha seu modesto almoço. Ele pegou o guardanapo da bandeja e enxugou o rosto, e devolveu o tecido marcado de suor ao menino, que o aceitou, hesitante, e com uma expressão de ojeriza. "Maldito", pensou o padre, prosseguindo em seu caminho até a latrina. Malditos sejam todos esses jovens com seu ar de julgamento. Já era ruim ter de agüentar aquele insolente coroinha, Paolo, filho instruído de uma boa família. Mas como um serviçal se atrevia a olhar para ele com tamanho desprezo?

Vistorini aliviou o intestino no ralo malcheiroso, mas as cólicas não diminuíram. Talvez ele tivesse uma úlcera começando a se desenvolver. Relutante, foi até a mesa do refeitório em busca do vinho. Não tinha apetite para comer o caldo aguado do cozinheiro, nem o pão para molhar no caldo. Um único cálice, com conteúdo apenas até a metade, fora colocado ao lado do prato. Quando ele pediu mais, o menino disse que o armário de vinho fora trancado pelo mordomo.

Ele julgou ter notado uma sombra de deboche, rapidamente suprimido, no rosto do jovem, ao lhe dar essa informação.

De volta à sua sala, mais mal-humorado, Vistorini se empenhou na rotina de censor. Com a pena carregada de tinta preta grossa, ele percorria páginas e páginas, tornando ilegíveis quaisquer referências hebraicas aos cristãos, aos incircuncisos, aos que odiavam os judeus, aos "observadores de estranhos ritos", a menos que a passagem tivesse alguma referência inequívoca aos idólatras da antiguidade, ou não fosse uma referência codificada à igreja. Ele riscava palavras tais como *reino do mal* ou *Edom* ou *Romano*, que poderiam ser interpretadas como referências aos cristãos. Também expurgava qualquer menção ao judaísmo como sendo a única religião verdadeira, todas as referências ao *Messias que ainda virá*, qualquer uso das palavras *piedoso* ou *santo* aplicadas aos judeus.

Nos dias em que Vistorini se sentia bem, ele tratava os livros com mais gentileza, às vezes até cumprindo seu dever de emendar um trecho objetável, em vez de simplesmente riscá-lo. Se acrescentasse as palavras *adoradores das estrelas* após uma referência a *idólatra*, poderia excluir a implicação de que a veneração às imagens dos santos cristãos era idolatria.

Mas hoje ele sentia dor de cabeça e um gosto ruim de excremento na boca. Sua pena cortava as palavras com pesadas linhas negras. Às vezes, ele riscava com tanta força que a ponta da pena se partia até o cálamo. Sentia que ia passar mal. Começou a folhear o livro, concluindo que havia muitos erros. Em gesto de vingança, jogou-o de lado, condenando-o à fogueira. Isso ensinaria Judah Aryeh, aquele amolante e arrogante. Por que não queimar logo todos, e acabar com isso? Poderia ir para casa, onde pelo menos seu serviçal lhe traria uma bebida. Com um único movimento do braço sobre a mesa, ele empurrou meia dúzia de volumes não lidos a uma pilha marcada para a fogueira.

Judah Aryeh se sentou devagar, no escuro, para não acordar sua esposa. O luar iluminava-lhe a curva do rosto, e seus cabelos soltos, sempre modestamente escondidos durante o dia, escorriam pelo travesseiro em uma profusão de preto e prata. Era só o que ele podia fazer para resistir ao ato de acariciá-los agora. Quando eram recém-casados, ele embaraçava aqueles cabelos em suas mãos, segurava-os entre os dedos, excitando-se ao senti-los em contato com seu peito nu, enquanto eles faziam o selvagem e imaturo ato de amor dos que ainda são muito jovens.

Sarai era uma mulher adorável, e, mesmo depois de vinte e quatro anos, ele ainda se sentia excitado quando ela o olhava de determinada maneira. Às vezes, ele se perguntava como Vistorini podia passar a vida sem o calor de uma mulher em sua cama. Ou sem filhos. Como seria não vê-los, não acompanhar o crescimento daquelas crianças de rostinho meigo, mudando, ano após ano, encontrando o caminho até uma honrosa maturidade? Talvez o vinho que seu amigo bebia com tanta freqüência fosse uma forma de burlar essas necessidades, tão naturais, dadas por Deus.

Não que Aryeh desprezasse a vida disciplinada pela fé. Pelo contrário, ele conhecia a beleza ascética desse modo de ser. Vivia cada momento em observância dos 613 mandamentos da Torá. Era natural para ele separar o leite da carne, evitar o trabalho no sabá, seguir as leis da pureza da família em suas relações com a esposa. As disciplinas dessa abstinência mensal só acentuavam o desejo e adocicavam seus encontros. Mas ficar totalmente sem esposa... isso, para ele, não era uma vida digna de um homem.

A porta rangeu quando Aryeh a fechou. Ele esperou um instante, na escada, para ver se alguém acordara com o som. Mas o edifício cheio de gente nunca estava em silêncio, mesmo àquela hora tardia. A tosse seca de um homem idoso ecoava atrás das finas partições de madeira entre o apartamento dele e o do lado. Quando era preciso construir verticalmente, as paredes tinham que ser feitas dos materiais mais finos e leves. Do andar de baixo, o choro de fome de um recém-nascido cortava a noite. E de cima vinha o incessante cacarejo de um frangote que parecia não ter o menor senso de escuro ou da madrugada. Alguém devia pedir ao *shochet* que despachasse a boa ave para a panela, Aryeh pensou, descendo cuidadosamente no escuro pela escada que rangia. Ao sair do edifício, ele se dirigiu ao espaço estreito que separava o seu do prédio vizinho. Ajoelhando-se, passou uma das mãos através das pedras viscosas e puxou o saco de lona que tinha escondido lá. Esgueirando-se pelo beco, ele esperou até se ver na mais profunda escuridão para abrir o saco e esvaziar seu conteúdo. Alguns momentos depois, prosseguiu até os portões do Gueto.

A parte mais difícil do engodo noturno ainda estava por vir. Os portões tinham sido fechados várias horas antes. Os gentios cujos negócios no Gueto os haviam retido até depois do toque de recolher podiam facilmente sair, subornando os guardas. Mas para um judeu a única saída exigia coragem e astúcia. Aryeh se escondeu nas sombras e esperou. Os marcantes caracóis castanhos do rabino desciam por debaixo do chapéu tricorne de patrício. O ar úmido penetrava até a lã fina do manto do nobre que, com a máscara, completava seu disfarce. Quase uma hora se passou. Ele flexionou os ombros para aliviar a rigidez e balançou as pernas, uma de cada vez, para evitar cãibra. Logo, teria de desistir da escapada e tentar de novo, na noite seguinte. Mal pensara isso, porém, quando ouviu os sons que vinha aguardando. Vozes rudes, riso grosseiro. Um grupo de jovens gentios logo passou pelo *campiello*. Usando a licença do Carnaval, eles estavam extraindo prazeres ilícitos entre os judeus imigrantes cuja condição era tão vil que alcovitavam seus filhos e filhas para tal fim.

Havia seis ou sete deles, cambaleando até o portão, gritando aos guardas, pedindo-lhes que abrissem. Todos usavam a capa escura do Carnaval e as máscaras de personagens da *commedia dell'arte*. Aryeh sentia o coração bater, agitado. Ele só tinha um momento para agir, entrar no meio do grupo e esperar que, no escuro e embriagados como estavam, não criassem problemas. Levou uma das mãos à máscara, verificando, nervoso, pela décima vez em dez minutos, se ela estava bem amarrada. Ele tinha escolhido um modelo comum e popular: o bico longo do médico da peste. Sem dúvida, naquela noite na cidade, haveria muitos homens usando o mesmo tipo de fantasia. Mas, no último momento, quando ele saiu das sombras e chegou à praça, sentiu-se tomado por dúvidas. Certamente, era um risco muito grande. Ele deveria voltar como saíra, anônimo e no escuro, e jogar a amaldiçoada máscara no esgoto, assim que entrasse.

Mas Aryeh pensou, de repente, na luz de vela dançando sobre pilhas de cequins de ouro, o inebriante êxtase no momento em que a carta era virada e revelava seus segredos. Engoliu em seco. O prazer da idéia era tão grande que ele podia sentir o gosto no fundo da garganta. Ele se lançou à frente e entrou na horda barulhenta dos jovens.

Coragem, pensou. Pôs o braço sobre o ombro do rapaz mais próximo e tentou fingir um riso que saiu em um falsete estranho e nervoso.

— Ajude-me, jovem senhor. Minhas pernas estão fracas de tanto eu beber e não quero atrair a atenção dos guardas.

Os olhos do rapaz, visíveis através das aberturas de uma máscara de Arlequim, eram tão pouco inteligentes quanto os de uma vaca.

— Certo, tio, vamos lá — ele balbuciou. O hálito do jovem, pensou Aryeh, podia acender uma lampião.

A passagem pelo portão iluminado não durou mais que um instante, mas Aryeh sentia que as batidas de seu coração — como eles não ouviam? — iriam denunciá-lo. Mas logo já havia passado e se encontrava na ponte estreita. Três degraus acima, três degraus abaixo, e lá estaria a Veneza dos gentios. Quando saiu da ponte, ele se soltou do ombro do rapaz e se misturou à escuridão das paredes reclusas. Descansou a cabeça contra uma pedra áspera e tentou respirar. Levou alguns minutos até conseguir andar de novo.

Quando entrou no *canaletto*, a própria multidão o levou consigo. A escuridão não trazia descanso algum em Veneza, durante o Carnaval. Ao pôr do sol, tochas e castiçais projetavam luz, em meio a uma celebração ininterrupta. A cidade era tomada pelas multidões; suas vias principais ficavam mais cheias, pelo menos nessa ocasião, que as ruas do Gueto. Os nobres fantasiados atraíam batedores de carteira e assaltantes que esperavam pela chance de atacá-los; e malabaristas, acrobatas e domadores de ursos que pretendiam entretê-los. Naquele momento, não havia diferença de classes. O homem alto usando uma máscara Zanni com nariz comprido, pairando sobre Aryeh, poderia ser um serviçal ou um zelador, ou mesmo um médico, como seu personagem, ou até um dos Dez. "Boa noite, senhor Máscara" era o único cumprimento necessário.

Aryeh tocou o chapéu enquanto passava pelo Zanni alto e se misturou novamente, deixando-se ser levado até um *ridotto*, que não ficava longe da ponte. Ele entrou, um nobre mascarado entre tantos, perdido na noite. Subiu até o segundo andar e entrou na sala dos suspiros. O salão estava decorado de maneira exuberante, a luz projetada dos numerosos candelabros brilhava tanto a ponto de não deixar esconder o pescoço enrugado das mulheres mascaradas que se refestelavam nos sofás, dando conforto a seus parceiros temporários. Havia homens casados com amantes, mulheres casadas acompanhadas de seus *cicisbeos*, que deveriam ser seus lacaios, mas eram, na verdade, amantes. Havia também prostitutas, alcoviteiras e espiões da polícia. Todos usavam máscaras para igualar suas condições. Todos, exceto os banqueiros. Esses homens, todos membros da aristocrática família Barnabot, eram os únicos venezianos que não se fantasiavam para interpretar um papel. Cada Barnabot, usando a mesma túnica preta e longa peruca branca de todos os outros membros da família, se sentava à sua mesa na sala ao lado. Seus rostos descobertos proclamavam a própria identidade, para que todos os vissem.

Havia mais de uma dúzia de mesas para escolher. Aryeh observava enquanto os banqueiros embaralhavam e distribuíam as cartas para *basset* e *panfil*. Ele pediu vinho e se esgueirou para observar uma partida de *treize*, na qual as apostas eram altas. Era só um jogador, tentando a sorte com a banca. Sua sorte ia e vinha várias vezes, até o jogador apanhar seus cequins e colocá-los numa bolsa, saindo do jogo e rindo, para se juntar aos amigos. Aryeh tomou o lugar dele, e mais dois homens fizeram-lhe companhia. O banqueiro estava de pé, entre duas velas altas, embaralhando as cartas enquanto os jogadores empilhavam seus cequins, todos apostando contra a sorte do banqueiro. Era um jogo simples: o banqueiro tinha que citar a carta de um a treze — ás a rei — quando a colocava sobre a mesa. Se a carta colocada fosse a que ele tinha dito, o banqueiro ganhava. Se ele chegasse ao rei sem acertar nenhuma das cartas, tinha que pagar aos apostadores e passar a pilha para o jogador à sua direita, que então colocaria as cartas sobre a mesa.

Ele começou a pôr as cartas, falando com voz baixa e regular.

— *Uno* — ele disse, enquanto o cinco de espadas se mostrava à mesa. — *Due* — e apareceu o nove de copas. — *Tre* — e a sorte ainda estava contra ele, mostrando o oito de espadas. A conta chegara a nove e o banqueiro ainda não tinha acertado nenhuma carta. Mais quatro chances, e os cequins de ouro de Aryeh dobrariam.

— *Fante* — o banqueiro disse. Mas a carta posta era um sete de ouros, não um valete. Mais duas chances. Aryeh olhou para os seus cequins.

— *Re.* — A última carta, o rei. Mas o banqueiro colocou na mesa um ás. Os dedos longos e brancos do banqueiro se estenderam até a pilha de cequins ao seu lado. Ele colocou um diante de Aryeh, quatro diante do homem que usava uma máscara de leão e, com uma discreta reverência, sete diante do homem que apostara alto, o que usava uma máscara de Brighella. O banqueiro, tendo perdido a rodada, passou o maço ao Brighella. Aryeh afrouxou a máscara para enxugar o suor da testa. Mergulhou a mão na bolsa de Doña Reyna e colocou mais dois cequins sobre a mesa, ao lado de sua aposta original e de seus ganhos da primeira rodada. Sua aposta agora era quatro cequins de ouro. Ele julgou ter percebido os dois homens, um à sua esquerda e outro à direita, assentirem ligeiramente, em gesto de aprovação.

— *Uno.* — A voz por trás da máscara de Brighella era grossa e ressonante. A carta virada era um nove de paus. — *Due.* — Apareceu um valete, ainda inútil para ele. — *Tre, quattro, cinque, sei ... fante, cavallo...* — A voz sob a máscara de Brighella parecia ficar cada vez mais grossa a cada carta, enquanto ele errava todas. Aryeh sentia o coração bater cada vez mais rápido. Ele ia ganhar mais quatro cequins. Se continuasse assim, duplicaria o conteúdo da bolsa de Doña Reyna em breve. — *Re!* — gritou o Brighella. Mas a carta virada era um sete de espadas. O Brighella colocou a mão em sua bolsa e pôs cequins na pilha de cada jogador. Seus olhos brilhavam através das aberturas em meia-lua, acima das bochechas volumosas da máscara.

O maço de cartas passou para Aryeh. Ele observou enquanto o leão, o Brighella e o nobre de rosto impassível da família Barnabot colocavam suas pilhas de cequins. O Brighella, tentando se recuperar das perdas, colocou vinte cequins de ouro sobre a mesa. O Barnabot apostou a modesta quantia de dois cequins. O leão jogou quatro, como fizera a cada rodada anterior.

As mãos de Aryeh, firmes e ágeis, embaralharam o maço. Ele sentia mais êxtase que medo, apesar dos 26 cequins apostados.

— *Uno!* — ele anunciou, exultante, e como se tivesse o poder de invocar a carta do baralho, a vívida marca vermelha do ás de ouros reluziu sob a luz das velas.

Aryeh juntou seus ganhos. Como vencedor, ele continuaria a distribuir, na próxima rodada. Mais uma vez, os jogadores fizeram suas apostas; o Brighella arriscou mais vinte cequins; o Barnabot, dois; o leão, quatro.

— *Uno!* — a voz de Aryeh anunciou, embora a carta virada fosse um nove. — *Due! Tre! Quattro!* — Só quando chegou ao *fante*, o valete, ele sentiu a garganta se contrair ante a perspectiva de perda. Mas o segredo para a compulsão pelo jogo de Aryeh era se conter, naquele momento, quando o medo começasse a se espalhar como tinta em um vidro de água cristalina. Pois ele apreciava o sentimento, a sensação aterradora, sombria, do risco. Estremecer à beira da perda, ou ganhar a rodada, o importante era a intensidade da sensação. Ele nunca se sentia tão vivo como nesses momentos, oscilando entre um resultado e outro.

— *Cavallo!* — ele gritou, e a carta era um ás de ouros; o mesmo ás que lhe trouxera a fortuna na rodada anterior o traía agora. Só tinha mais uma chance. Sentia o corpo formigar.

— *Re!* — ele anunciou, e foi justamente o rei que todos viram ser posto sobre a mesa. Os outros se mexeram, incomodados. Esse homem que usava uma máscara de médico tinha uma sorte deslavada. Ganhar uma rodada logo na primeira carta, e ganhar outra na última. Estranho acaso, sem dúvida.

Aryeh via a chama da vela tremeluzir, refletindo-se no anel de rubi do Barnabot, enquanto ele lentamente tirava mais dois cequins, e, em seguida, bem devagar, acrescentava mais dois. O nobre estava apostando no fim da sorte do médico da peste.

O Brighella o encarava, agora com os olhos faiscando por trás da máscara, enquanto colocava quarenta cequins sobre a mesa. Só o leão prosseguia com sua aposta costumeira, colocando os mesmos quatro cequins.

Em pouco menos de uma hora, a fortuna de Aryeh cresceu, e ele estava se deliciando com o aumento de sua pilha. Ele havia mais que duplicado o valor da primeira bolsa de Doña Reyna. O máscara de leão saiu da mesa e se dirigiu, com o passo incerto, à sala dos suspiros. Foi substituído por um Pulcinella que parecia bêbado e jogava de modo desleixado, gritando ostensivamente cada vez que perdia. O nobre Barnabot mantinha sua compostura, indiferente e altivo, mas seu rosto sem máscara começava a mostrar traços de tensão. O Brighella, o maior perdedor, se agarrava à mesa. As juntas em suas mãos haviam perdido a cor. Uma pequena turba de curiosos tinha-se formado em volta do círculo dos jogadores.

Por fim, inevitavelmente, Aryeh chegou ao rei sem acertar nenhuma carta. O Pulcinella gritou de alegria. Aryeh se curvou e pagou aos apostadores: oitenta cequins ao Brighella, dez ao Pulcinella, quatro ao Barnabot. Passou o baralho ao Brighella e pensou em sua próxima aposta.

Aquela tinha sido uma hora de magia. Ele se sentia tão leve quanto os balões que se elevavam acima da cidade durante o Carnaval. De fato, a grande pilha de ganhos em aposta podia ajudar muito os pobres de sua congregação. Ele permaneceu lá, com a mão hesitante pairando sobre o ouro. Talvez Satanás o tivesse atraído àquele lugar, mas Deus lhe dera aquele momento de escolha. Ele escutaria a voz da razão em seu ser. Pegaria o que havia ganhado até então e sairia do *ridotto*. Tinha alimentado sua fera, sentido o sangue subir em terror e em êxtase. Era suficiente. Empurrou toda a pilha até a abertura da bolsa.

Uma mão pesada, a mão do Brighella, se colocou sobre a dele. Aryeh olhou, assustado. Os olhos por trás da máscara do outro homem estavam negros, com as pupilas dilatadas.

— Um *cavalheiro* — disse o Brighella — não abandona o jogo depois de ter tido a vantagem.

— É verdade — grunhiu o Pulcinella. — Não é simpático sair com o dinheiro de um homem. Você pensa mais no ouro, por acaso, que na diversão? Não é o espírito do Carnaval. Não para um cavalheiro. Nem sequer para um veneziano, eu aposto.

Aryeh sentiu que corava por trás da máscara. Será que eles sabiam? Tinham percebido? Levantando a questão do "outro", o Pulcinella bêbado tocou bem perto da veia. Ele se livrou da mão do Brighella e colocou a própria mão sobre o peito. Deu um passo atrás, e fez uma acentuada reverência.

— Cavalheiros — disse, com seu sotaque suave, melodioso, inequivocamente veneziano —, perdoem-me. Um lapso momentâneo, apenas. Realmente não sei o que me passou pela cabeça. Prossigamos, com certeza.

No decorrer da hora seguinte, o jogo continuou, cada homem ganhando e perdendo. Aryeh julgou que já ficara tempo suficiente, e mais uma vez tentou deixar a mesa. E, mais uma vez, o Brighella o segurou, quando ele tentava guardar seus ganhos ainda significativos.

— Para que a pressa? — perguntou a voz grave. — Tem um encontro? — E, então, ele baixou um pouco mais a voz, e a máscara volumosa se aproximou de Aryeh, ameaçadora. — Ou será que você tem de observar o toque de recolher?

Ele sabe, pensou Aryeh. Por baixo da capa, começou a suar.

— Dê-nos mais uma rodada, com boas apostas, senhor Médico da Peste! Uma rodada de amizade, que tal? — O Brighella enfiou a mão por baixo da túnica e colocou uma bolsa cheia sobre a mesa. Aryeh, com as mãos trêmulas agora, apresentou todos os seus ganhos para a aposta. O medo da perda — intenso, delicioso — o sufocava.

O nobre Barnabot daria as cartas naquela rodada.

— *Uno. Due. Tre...*

Aryeh sentia a cabeça leve.

— ... *Otto. Nove...*

Estava com dificuldade para respirar através da máscara. O coração batia rápido e parecia romper o peito. Ele ia ganhar novamente.

O êxtase e o terror o seguravam naquela deliciosa, equilibrada luta por poder. De repente, o terror venceu, jogando-o ao chão, sufocando-o, quando o Barnabot acertou com o rei. O bramido na cabeça de Aryeh abafava o som da sílaba que lentamente se formava nos lábios do nobre: *Re!*

O Barnabot tocou a pilha de ouro e a puxou para si, fazendo uma discreta reverência na direção do Brighella.

— Agora, caro doutor. Agora você pode nos deixar, se está tão cansado de nossa companhia.

Aryeh balançou a cabeça. Ele não podia sair. Agora, não. Perdera não só o que havia ganhado, mas metade de seu ouro. Uma das bolsas de Doña Reyna estava jogada sobre a mesa, vazia, ao seu lado. Ele havia decidido apostar apenas uma bolsa. Metade no jogo, e metade para suprir as necessidades de seu rebanho. Era isso que ele tinha dito a si mesmo. Mas agora já estava levando a mão à cintura, tateando pela segunda bolsa. Quando os dedos se fecharam sobre o reconfortante volume, Aryeh sentiu como se estivesse banhado em luz.

Tinha total convicção de que a sorte mágica do começo da noite estava de volta. Não era a sua mão, mas a própria mão da vontade divina que o levava a colocar a bolsa cheia sobre a mesa.

Naquele instante, até o rosto impassível do Barnabot demonstrou emoção. Ele ergueu as sobrancelhas até a borda da peruca empertigada, e fez uma reverência quase imperceptível para Aryeh. E começou a pôr as cartas na mesa.

Aryeh teve poucos segundos para sentir o inebriante misto de prazer e dor do qual era escravo. A carta que lhe custara a bolsa foi um oito. As vogais redondas da palavra *otto* pareciam cair dos lábios do Barnabot e se mesclar ao símbolo do infinito do numeral, em si, alongando-o em um túnel que parecia sugar a alma do rabino.

Ele ficou olhando para todo aquele ouro, mal podendo acreditar que estava passando para a torre reluzente do lado do banqueiro. Ele ergueu a mão e pediu uma pena. Com a mão trêmula, escreveu uma nota para mais cem cequins. O nobre Barnabot pegou a nota entre dois dedos, olhou de relance para ela, e balançou a cabeça em silêncio. Aryeh sentiu o sangue subir, fervendo, até o couro cabeludo.

— Mas eu vi você negociar com um perdedor seu pedido no valor de dez mil ducados!

— A palavra de um *veneziano* é uma coisa. Por que você não procura um judeu sanguessuga, se quer crédito? — disse o banqueiro, deixando a nota cair no chão.

Um silêncio tomou conta das mesas vizinhas. Rostos mascarados se viraram, juntos, como um bando de urubus sentindo cheiro de carniça.

— Um judeu! — grunhiu o Pulcinella. — Isso explica tudo. Eu sabia que ele não era veneziano.

Aryeh se virou, derrubando seu cálice e vinho, e saiu cambaleando do salão. Na sala dos suspiros, uma prostituta estendeu seus braços rechonchudos, tentando puxá-lo para o sofá.

— Para que a pressa? — ela disse, com uma voz baixa e sedutora. — Todos perdem, às vezes. Sente-se comigo e eu o farei se sentir melhor. — De repente, ela ergueu a voz. — Eu sempre quis experimentar um circunciso! — Ele a empurrou e desceu a escada, desorientado, humilhado pelos risos que o cercavam por trás, como água.

Na luz pálida do santuário, Judah Aryeh puxou a tallit* por sobre a cabeça e se curvou, em profunda reverência, diante de Deus.

— Eu transgredi, fui traiçoeiro, roubei... — O rosto se inundava de lágrimas, enquanto ele balançava o corpo para a frente e para trás, recitando as costumeiras palavras da oração de redenção. — Agi com perversão, e provoquei perversidade; fui presunçoso, contei mentiras e falei com falsidade... Cometi iniqüidade e transgressão. ... Não segui seus mandamentos e julgamentos que são bons, e com tal atitude nada lucrei. O que direi diante de ti, que habitas as alturas, e o que declararei diante de ti, que habitas os céus? Não sabes tu todas as coisas, ocultas e reveladas? Que seja a tua vontade, portanto, ó Senhor, nosso Deus e Deus de nossos pais, perdoar-me, desculpar-me por minha iniqüidade, e conceder-me redenção por minhas transgressões...

Ele se sentou pesarosamente no banco, exausto e com o coração partido. Deus podia perdoar os pecados contra suas leis, mas Aryeh sabia — costumava pregar isso constantemente — que o perdão também deve ser pedido e a reparação deve ser feita àqueles que foram prejudicados por atos pecaminosos. Em seu desespero, ele pensou em voltar a Reyna de Serena e confessar seu engodo. E pensou na humilhação que deveria enfrentar diante de sua congregação. Teria de admitir que tirara o pão da boca dos mais famintos, os remédios dos moribundos. E então, ele, por mais pobre que fosse, teria de devolver a quantia que havia roubado. Isso exigiria a mais rigorosa economia. Teria de penhorar seus livros, talvez até se mudar, com a família, para aposentos mais baratos. Com seis pessoas em dois cômodos pequenos, a casa deles nada tinha de extravagante, ainda que um dos cômodos tivesse uma janela, e ambos tivessem tetos altos. Aryeh pensou nas alternativas mais em conta: o *shochet* lhe mostrara um local sem luz, de um só cômodo, perto de seu açougue, que ele oferecia em condições bastante justas. Secretamente, Judah chamava o lugar de a caverna de Makhpelah, mas prometera pensar nela se alguém em sua congregação precisasse de moradia. Havia tamanha falta de acomodações no Gueto que mesmo um cômodo lúgubre, por um aluguel módico, ti-

* Vestimenta mais importante na cultura judaica, a *tallit* é um xale de oração colocada sobre os ombros, mas que pode ser usada também na cabeça. (N. do T.)

nha muitos pretendentes. Mas como ele podia pedir a Sarai que se mudasse para um lugar tão sombrio? E sua filha, Ester, que trabalhava em casa, como ela acharia espaço para seu material de costura e mesa de costureira? Como ela poderia costurar sem a luz do sol? O pecado era dele, não de sua família. Como poderia fazê-la sofrer tanto?

Aryeh esfregou as mãos no rosto. Sob a luz crescente, sua pele parecia cinzenta e fatigada. O *minian** logo começaria a se formar. Ele teria de enfrentá-los.

Ele saiu do santuário e desceu aos seus aposentos. O aroma de fritura lhe dizia que Sarai já estava de pé. Geralmente, Aryeh amava aquelas fritadas que ela fazia, quentes e douradas. Ele se sentava à mesa, que ficava lotada com seus três filhos e a amada filha, e se deixava embalar pelo som de suas conversas e brincadeiras. Mas, naquela manhã, o aroma do óleo quente o molestava. Ele se sentia mal.

O rabino se apoiou em uma cadeira. Sarai estava trabalhando, de costas para ele, com os cabelos modestamente seguros por um lenço de lã, amarrado de forma atraente, sobre a nuca.

— Bom dia — ela disse. — Você se levantou antes dos passarinhos... — Ela se virou para olhá-lo, por cima do ombro, e o sorriso em seus lábios cedeu lugar ao franzir da testa, em preocupação. — Você não está bem, meu marido? Parece pálido...

— Sarai — ele chamou. Mas não podia prosseguir. Seus filhos mais velhos estavam reunidos no canto do cômodo, fazendo suas orações matutinas. O caçula, que já terminara, já estava à mesa com a irmã, saboreando as fritadas. Aryeh não podia falar de sua vergonha na frente deles, embora em breve todo o Gueto viesse a saber.

— Não é nada. Apenas não consegui dormir. — Pelo menos isso era verdade.

— Ora, você precisa descansar, mais tarde. Precisa estar bem para cumprimentar a noiva no Sabá. — Ela sorriu. O marido e a mulher fazerem amor no Sabá era um mandamento e uma exigência da religião que os dois seguiam com prazer. Ele retornou o sorriso, embora modesto, e se virou para despejar água em uma bacia. Mo-

---

* *Minian*: quórum de dez ou mais homens judeus adultos; portanto, que já passaram pelo *bar mitzvah*, necessário para a execução de orações e cerimônias. (N. do T.)

lhou o rosto e umedeceu o cabelo, recolocou o quipá e desceu a escada até o santuário.

O *minian* já estava formado sob a fraca luz. Hoje em dia, pensou Aryeh, era muito fácil reunir dez homens. Uma epidemia da peste, pouco menos de um ano antes, tinha tirado a vida de tantas pessoas, que mais de vinte filhos mais velhos vinham rezar todos os dias, assinalando o tempo de tristeza, recitando a oração pelos mortos.

Aryeh entrou e foi até a Bimá. Um tecido de veludo azul, a cor da meia-noite, se estendia sobre a mesa. Fora costurado pela filha quando ela ainda era pequena. Mesmo naquela idade, a menina fazia um trabalho caprichado e bom. Mas o tecido estava puído, como quase tudo naquela pequena sala. Aryeh desgastara o veludo nos lugares onde suas mãos seguravam a Bimá. Nem isso nem os bancos que bambeavam, nem o piso que estremecia, o incomodavam. Tais coisas eram sinais de uso, de vida, evidência de que o lugar era freqüentado por seres humanos, muitos dos quais com assiduidade, que tentavam conversar com seu Deus.

— Louvado e santificado seja seu grande nome... — As vozes dos pranteadores se erguiam com uma única voz. O *kadish* sempre fora uma das orações favoritas de Aryeh — a oração pelos mortos que não mencionava a morte, ou a dor, ou a perda, mas somente vida e glória e paz. Uma oração que fazia os olhos desviarem das sepulturas e dos restos mortais e os fixava no firmamento. — Que uma grande paz do céu — e da vida! — desça sobre nós e todo o Israel, e digam, juntos, amém! Aquele que gera a paz nos lugares altos conceda a paz a nós e a todo o Israel, e digam juntos, amém!

Aryeh não permaneceu no santuário após o culto. Só trocou algumas breves palavras com os membros de sua congregação na saída. Tampouco ficou em casa, onde temia o escrutínio instintivo do amável olhar de Sarai. Ele saiu enquanto ela ainda estava na cozinha, calmamente preparando a comida que eles comeriam à noite, e no dia seguinte, pois no Sabá nenhum trabalho era feito. Quando saiu, ela estava pacientemente descascando cada cebola, camada por camada, inspecionando os pedaços com meticulosa atenção, para não deixar passar nem o menor inseto. Comer um inseto, ainda que por acidente, seria uma violação do mandamento de não consumir coisas viventes que se moviam em enxames.

Aryeh se dirigiu à casa de um mercador de *strazzaria*, que prosperara o suficiente para converter parte de sua casa em biblioteca. Como ele havia sido o tutor dos filhos desse homem, fora convidado para usar a sala quando quisesse estudar em silêncio. Lá, cuidadosamente, ele desembrulhou a Hagadá de Doña de Serena, que estava protegida em um pedaço de linho. Se ele tivesse de confessar a ela suas mentiras e o roubo, pelo menos não iria de mãos vazias. Leria o livro com atenção para determinar se era seguro submetê-lo ao Santo Ofício, e, se fosse, ele o levaria a Vistorini naquele mesmo dia. Com sorte, seria capaz de pegá-lo de volta, com as palavras necessárias seguramente inscritas, e visitaria Reyna de Serena após o Sabá.

Ele apertou os fechos, abrindo-os. Que lugar devia ser Sepharad, para os judeus que lá moravam poderem confeccionar um livro como aquele! Será que viviam como príncipes, aqueles judeus? Possivelmente sim, já que podiam dispor de tamanha quantidade de folha de ouro e prata, pagando artesões como ourives e artistas do calibre desse iluminador. E, agora, seus descendentes vagavam pela face da terra, destituídos, procurando qualquer lugar seguro que lhes permitisse repousar a cabeça em paz. Talvez existissem muitos livros como aqueles, igualmente finos, que tivessem terminado seus dias em cinzas. Descartados, perdidos e esquecidos.

Mas ele não podia se desfazer em lamentações nem se perder no fascínio. Não adiantava se deslumbrar com o iluminador — certamente um cristão? Pois qual judeu teria aprendido a fazer imagens como as que os cristãos faziam? — nem com o *sofer**, que havia inscrito o texto com uma caligrafia tão bela e sofisticada.

Essas histórias, por mais intrigantes que fossem, não podiam lhe ocupar a mente agora. Ele tinha, isto sim, que se imaginar na mente de Giovanni Domenico Vistorini, um caçador feroz em busca do mais leve indício de heresia. Uma mente desconfiada e talvez hostil. Aryeh esperava que Vistorini, o estudioso, reconhecesse a beleza do livro e sua antiguidade. Mas Vistorini, o censor, tinha condenado à fogueira muitos livros belos.

---

* *Sofer*: escriba da língua sagrada de Deus. (N. do T.)

Assim, Aryeh folheou as páginas da iluminura até chegar às primeiras páginas de texto em hebraico. "Este é o pão dos aflitos..." Ele começou a ler a conhecida história da Páscoa, como se a visse pela primeira vez.

Vistorini ergueu o copo até os lábios. Nada mau o vinho que o judeu lhe havia trazido. Não se lembrava de ter bebido vinho *kosher* antes. Tomou mais um gole. Nada mau mesmo.

Assim que o padre recolocou o copo sobre a mesa, o judeu pegou o odre e o encheu novamente. Ele observou, com prazer, que era um odre muito grande, e que o copo do judeu, sequer tocado, permanecia vermelho, refletindo a luz do sol da tarde. Ele teria de tratar da questão logo, seria o gesto sábio. Pois, após dizer o que pretendia dizer, o judeu provavelmente iria embora, levando o odre consigo.

— Este seu livro, há muito iguais a ele, escondidos nos alqueires de seu Gueto?

— Não que eu tenha visto. Na verdade, acho que pouquíssimos livros assim sobreviveram desde a comunidade de Sepharad.

— De quem é o livro?

Aryeh esperava a pergunta, e a temia. Não podia trair Reyna de Serena.

— É meu — ele disse. Esperava usar qualquer vestígio de amizade ou algo semelhante entre ele e o padre.

— Seu? — O padre levantou uma sobrancelha, cético.

— Ganhei-o de um mercador que veio de Apúlia.

O padre deu uma risada curta.

— É mesmo? — perguntou. — Você, que está sempre dizendo que é pobre? E pôde comprar um códice tão fino como este?

Aryeh pensou rápido. Poderia dizer que o tinha recebido em troca de um serviço, mas não pareceria convincente. Que serviço ele poderia ter feito que tivesse tal valor? Como não tirava a lembrança de seu pecado da cabeça, disse logo a primeira coisa que lhe veio à mente:

— Ganhei do mercador, num jogo de azar.

— Estranhas apostas! Judah, você me surpreende. Que jogo?

O rabino corou. A conversa estava tomando um rumo muito perigoso.

— Xadrez — ele respondeu.

— Xadrez? Isso não é um jogo de azar.

— Bem, o mercador se achava muito hábil no jogo. Arriscou apostar o livro na partida. No caso dele, sim, pode-se dizer que o xadrez foi um jogo de azar.

O padre riu de novo, dessa vez achando a situação engraçada, de fato.

— Palavras. Para você, elas são doces na boca. Eu me esqueço disso, quando não o vejo.

Vistorini tomou outro farto gole do vinho. Estava se sentindo mais chegado ao rabino. Por que o último encontro dos dois o havia irritado tanto? Não se lembrava. Pena que teria de decepcionar o pobre sujeito, realmente.

— Bem, fico feliz que o livro tenha chegado a você dessa maneira. Pois o que vem por acaso, vai embora mais facilmente.

Aryeh se endireitou na cadeira, enrijecendo-se.

— Você não pode...? Quer dizer que não aprovará o livro?

O padre se curvou sobre a mesa e pôs a mão sobre o ombro de Aryeh. Não era próprio dele tocar, por livre e espontânea vontade, um judeu.

— Exatamente. Lamento informar-lhe que não.

Aryeh sacudiu o ombro, livrando-se da mão de Vistorini, e se levantou, inflamado pela raiva e pela descrença.

— Com base em quê? Eu li todas as páginas do texto, todos os salmos, todas as orações, cânticos. Não há nada, sequer uma palavra, que transgrida o Índex de maneira alguma.

— É verdade. Não há nada dessa natureza no texto. — Vistorini falava com voz baixa e calma.

— Então, por quê?

— Não me refiro ao texto. Como você diz, não há nada contra a igreja no *texto*. — Ele fez uma pausa. O coração de Aryeh parecia bater-lhe mais alto, no silêncio. — Eu lamento dizer que há uma grave heresia na iluminura.

Aryeh cobriu os olhos com as mãos. Nem sequer lhe ocorrera estudar com atenção as iluminuras. Ficara fascinado com elas, mas não tinha se detido nelas tempo suficiente para apurar seu significado. Ele se sentou de novo, pesaroso, na cadeira entalhada do padre.

— Qual delas? — ele mal sussurrou.

— Oh, há mais de uma, infelizmente. — O padre apanhou o códice sobre a mesa, esbarrando no copo de vinho. Aryeh estendeu a mão, num gesto de reflexo, para equilibrá-lo. Em seguida, numa vã tentativa de aplacar o censor, ele pegou o odre e encheu-lhe o copo até a borda.

— Nem é preciso procurar muito — disse Vistorini, abrindo o livro no primeiro conjunto de iluminuras. — Está vendo, aqui? O artista conta a história do Gênesis. Dá-nos a divisão entre luz e trevas. Tudo muito bem-feito, o severo contraste entre os pigmentos branco e preto. Austero e eloqüente. Nada de natureza herege nisso. A próxima: "E o espírito de Deus pairava sobre as águas". Lindo o uso da folha de ouro para indicar a inefável presença de Deus. De novo, nada de herege. Mas a seguinte, e a seguinte, e as três outras. Olhe, e diga-me: o que você vê?

Aryeh olhou, e sentiu um vazio na cabeça. Como ele poderia não ter visto aquilo? A terra sobre a qual o Todo-poderoso criou as plantas e os animais — em cada uma das iluminuras, era mostrada como um orbe. Que a terra era redonda, e não plana, era hoje em dia a opinião da maioria dos teólogos. Interessante que aquele artista de um século atrás, quando os cristãos eram condenados à fogueira por tal crença, apregoasse aquela idéia. Mas só aquilo não condenaria o livro. O iluminador tinha se embrenhado mais fundo em território perigoso. No canto superior direito de três das gravuras, acima da terra, havia um segundo orbe folhado a ouro, claramente representando o Sol. Sua posição era ambígua.

Aryeh olhou para Vistorini, e perguntou:

— Você acredita que isso implica a heresia heliocêntrica?

— Implica? Rabino, não seja ingênuo. Essa é uma clara defesa da heresia dos astrônomos sarracenos, de Copérnico, cujo livro está no Índex, daquele homem em Pádua, Galileu, que logo terá de depor perante a Inquisição para responder por seus erros.

— Mas os desenhos não precisam ser vistos dessa forma. Os orbes, os círculos concêntricos, podem ser apenas decoração. Certamente, se não procurarmos por ela, a implicação passaria sem ser notada...

— Mas eu estou procurando por ela. — Vistorini bebeu todo o conteúdo do copo, e o rabino, aborrecido, o reabasteceu. — Por causa daquele homem, Galileu, a igreja está muito preocupada com a promulgação dessa heresia.

— Dom Vistorini, eu lhe imploro. Por qualquer ato de bondade que eu lhe tenha demonstrado no passado, pelos muitos anos que nos conhecemos. Por favor, poupe este livro. Eu sei que você é um homem culto, um homem que respeita a beleza. Você vê como o livro é belo...

— Maior motivo ainda para queimá-lo. Essa beleza poderá, um dia, seduzir algum cristão incauto a ver com bons olhos a sua repreensível fé judaica.

Vistorini ficara de muito bom humor. Estava gostando daquilo. O rabino estava totalmente em seu poder. A voz do homem, aquela voz melíflua, estava fraquejando. Vistorini jamais o vira se importar com tamanho carinho por livro algum. Ele teve uma idéia, então, que poderia prolongar o prazer daquela tarde. Segurando o cálice vazio contra a janela, como se estudasse suas finas curvas, falou:

— Talvez... não, não. Não devo sugerir isso.

— Padre? — Aryeh se inclinou para a frente, com os olhos ávidos. Ele tateou atrás do odre, e logo reabasteceu o cálice do padre.

— Bem, eu poderia censurar as páginas ofensivas. — Ele passou o dedo sobre o velo, balançando-o para a frente e para trás. — Quatro páginas, não tantas, e ainda permaneceriam as ilustrações principais da fuga do Egito, que é o ponto principal da obra...

— Quatro páginas. — Aryeh imaginou a faca arrancando os fólios de velo. Sentiu uma dor real no peito, aguda, como se a faca o estivesse espetando.

— Tenho uma idéia — disse Vistorini. — Como você diz que ganhou o livro em um jogo de azar, que tal se nós jogássemos outro, para decidir o destino dele? Se você ganhar, eu censuro as páginas e poupo o livro. Se eu ganhar, ele vai para a fogueira.

— Que jogo? — Aryeh sussurrou.

— Que jogo? — Vistorini se recostou na cadeira, bebeu um pouco do vinho, e refletiu. — Acho que xadrez não. Tenho o pressentimento de que você me derrotaria facilmente, como derrotou o mercador de... de onde ele era, mesmo?

Aryeh, tenso e entristecido, não se lembrava, no momento, de sua invencionice. Ele fingiu um acesso de tosse para disfarçar sua confusão.

— Apúlia — soltou, de uma vez.

— Sim, Apúlia. Foi o que você disse. Bem, eu não quero arriscar cair no mesmo destino daquele homem. Não tenho cartas nem dados. — Ele continuou, com ar de descaso, virando as páginas. — Já sei. Vamos jogar uma espécie de sorteio, mas digno dos apostadores. Eu escrevo as palavras da permissão do censor, *Revisto per mi*, cada uma em um pedaço de pergaminho. Você as sorteia. Se a ordem das palavras estiver correta, eu as inscrevo no livro. Se você tirar uma palavra fora de ordem, não completo a inscrição, e você perde.

— Mas isso significa um jogo no qual eu tenho que ganhar uma aposta de três a um, três vezes. As chances, padre, são mínimas.

— Mínimas? Sim. Talvez. Veja por este lado: se você acertar na primeira vez, pode tirar o pedaço de papel do segundo sorteio. As chances serão, então, maiores. Acho que é um jogo justo.

Aryeh observava enquanto a mão do padre inscrevia as tão ansiadas palavras em pedaços de pergaminho e as colocava, uma a uma, em uma caixa vazia sobre a mesa. Sentiu o coração saltar quando percebeu algo que o padre, já muito bêbado, não tinha visto. Um dos pedaços de pergaminho que ele tinha escolhido era de uma qualidade inferior à dos outros dois, um pouco mais grosso. Foi nele que Vistorini escreveu a palavra do meio, *per*. Aryeh agradeceu a Deus. De repente, suas chances haviam melhorado muito. Ele rogou a Deus que orientasse sua mão dentro da caixa. Seus dedos rapidamente identificaram o pergaminho mais grosso, rejeitando-o. Agora só existiam duas possibilidades. Certo ou errado. Claro ou escuro. A bênção ou a maldição. Escolha, portanto, a vida. Ele fechou a mão sobre o pergaminho e o tirou da caixa, entregando-o ao padre.

A expressão de Vistorini não mudou. Ele colocou o pergaminho sobre a mesa, com o lado escrito para baixo. Pegou a Hagadá, abriu-a na última página do texto hebraico, mergulhou a pena na tinta e escreveu, em letra muito legível, *Revisto*.

Aryeh tentou não deixar a alegria transparecer-lhe no rosto. O livro estava salvo. Ele só teria que escolher agora o pergaminho grosso e aquele terrível jogo acabaria. Colocou a mão na caixa, dessa vez, agradecendo a Deus em silêncio.

Entregou-o a Vistorini. Dessa vez, o rosto do padre não permaneceu impassível. Os cantos de seus lábios se curvaram para baixo.

Ele puxou a Hagadá para perto de si, zangado, e escreveu as próximas duas palavras: *per mi*.

Em seguida, olhou para Aryeh, que parecia radiante.

— Claro que isso não tem validade — disse o padre —, a menos que eu assine e coloque a data.

— Mas você... mas nós... Padre, você deu sua palavra.

— Como se atreve? — Vistorini se levantou, de repente, esbarrando na pesada mesa de carvalho. O vinho tremeu no copo. O álcool já o afetara até o ponto em que a ira se sobrepunha à euforia. — Como se atreve a falar de "minha palavra"? Você vem aqui com essa invenção implausível... Sejamos francos, essa mentira deslavada em seus lábios de como ganhou este livro, e diz que eu dei a *minha* palavra! Abusa de minha boa vontade, e ousa inferir que somos amigos. Eu gostaria que o barco que trouxe seus amaldiçoados ancestrais da Espanha nunca tivesse chegado à terra firme! Veneza lhes dá um lar seguro, e vocês não seguem as poucas regras que ela lhes exige. Abrem casas de impressão contra as leis do Estado e disseminam sua imundície a respeito de nosso abençoado Salvador. Você, Judah, Deus lhe deu inteligência e o fez culto; e, no entanto, você endurece o coração à verdade de Deus e desvia o rosto de Sua graça. Saia daqui! E diga ao verdadeiro dono deste livro que o rabino o perdeu em um jogo de azar. Assim, você o poupará da idéia de todas essas belas folhas de ouro se consumindo nas chamas. Vocês, judeus, amam o seu ouro, eu sei disso.

— Domenico, por favor... Eu farei qualquer coisa que você pedir... por favor... — O rabino falava com a voz embargada. Não conseguia respirar bem.

— Saia! Agora. Antes que eu o acuse de promulgar heresia. Você quer servir dez anos em uma galé, com os pés acorrentados? Quer uma cela escura nos calabouços? Saia!

Judah se ajoelhou e beijou a batina do padre.

— Faça o que quiser comigo — ele gritou. — Mas salve o livro!

A única resposta do padre foi um empurrão que fez o rabino se estender no chão. Ele se levantou com dificuldade e cambaleou para fora da sala, pelo corredor, e finalmente para fora da casa, chegando ao *canaletto*. Estava chorando e tentando recuperar o fôlego, puxando a barba com força, como um homem em luto. À sua volta, os pedestres se viravam para olhar o judeu enlouquecido. Ele sentia o olhar e o ódio deles. Começou a correr. O sangue se agitava como num turbilhão nas entranhas e fissuras de seu coração partido. Cada vez que sentia os pés tocarem a pedra dura, parecia que punhos lhe socavam o peito, golpes de um gigante.

Quando o menino trouxe a candeia, Vistorini tinha bebido o último gole do odre, agora vazio. A princípio, sob a fraca luz e em sua bebedeira, pensou que fosse Aryeh que tivesse voltado para implorar-lhe de novo, e ele grunhiu, enraivecido. Mas, quando focalizou o menino, Vistorini fez sinal de que sim, ele deveria acender as velas sobre sua mesa.

Depois que o garoto saiu, ele puxou a Hagadá até o foco de luz. Começou a ouvir a voz, dentro da cabeça; a voz que ele geralmente não se permitia escutar. Mas à noite, às vezes, em sonhos, e quando ele havia bebido demais...

A voz, a sala escura, o senso de vergonha, o medo debilitante. A Madona esculpida no nicho à direita da entrada. A mão da criança, envolta em uma mão maior, calosa, que levava os minúsculos dedos a tocar a madeira polida dos pés da Madona. "Você deve fazer isso, sempre." A tempestade de areia da cidade desolada. As vozes: árabes, ladinas, berberes? Ele não sabia mais que língua era aquela. E a outra, a língua que ele não devia falar.

— *Dayenu!* — ele gritou a palavra, em alto em bom som. — Basta!

Ele esfregou a mão pelo cabelo empastelado, como se pudesse com isso arrancar de sua mente as lembranças, e jogá-las fora. Ele via o pé quebrado da Madona, o pequeno rolo de pergaminho que de lá caíra. Estava gritando, apavorado, e se debatendo contra alguém que o segurava com força; mas, em meio às lágrimas, ele tinha visto. O escrito hebraico. O Mesusá escondido. Em meio às lágrimas, ele vira as palavras "Ama o Senhor teu Deus com todo o teu coração...". Ele tinha visto as letras hebraicas, amassadas na poeira sob as botas do homem que viera prender seus pais, condenando-os à morte como criptojudeus*.

---

* *Criptojudeus*: os judeus obrigados a praticar sua religião em segredo, por medo de perseguições, ao mesmo tempo que publicamente praticavam outra religião. (N. do T.)

Havia uma Hagadá, também; ele tinha certeza disso. Escondida no compartimento secreto onde eles entravam para falar a língua proibida. O rosto de sua mãe, quando acendia as velas. Tão enrugado, tão marcado sob o esplendor da luz. Mas os olhos, tão amáveis quando ela sorria para ele... A voz, quando entoava as bênçãos à luz das velas... Tão suave, apenas um murmúrio.

Não. Era errado. Aquilo nunca tinha acontecido. O excesso de livros hebraicos havia-lhe confundido a mente. Essas cenas não passavam de sonhos. Pesadelos. Não lembranças. Ele começou a rezar em latim, para afogar os fragmentos das outras vozes. Ergueu o copo. A mão tremia. O vinho escorreu até o pergaminho, mas ele nem notou.

— "Creio em Deus Pai todo-poderoso..." — Ele segurou o copo com mais força, levou-o aos lábios, e bebeu. — "E em Jesus Cristo, seu único filho, nosso Senhor... Gerado, não criado... e na igreja una, católica e apostólica. Professo um só batismo para o perdão dos pecados..."

Seu rosto estava molhado.

— Giovanni Domenico Vistorini. Sou eu! Giovanni. Domenico. Vistorini. — Ele murmurou o nome, repetidas vezes. Pegou o copo. Estava vazio! A mão se contraiu. O fino vidro veneziano se partiu, e um fragmento espetou-lhe o polegar. Ele mal o sentiu, embora o sangue escorresse e se misturasse à mancha de vinho já espalhada no pergaminho.

Ele fechou a Hagadá, borrando-a com a mancha vermelha. Queime o livro, Giovanni Domenico Vistorini. Queime-o agora. Não espere o auto-de-fé. Vá ao altar de Deus.

— Eu, Giovanni Domenico Vistorini. Eu irei, porque sou Giovanni Domenico Vistor... Eu sou... eu sou... quem sou? Sou Eliahu ha-Cohain?

Não! Nunca.

De repente, sua mão machucada segurava a pena. Ele virou as páginas até encontrar o lugar. Escreveu: Giovanni Dom. Vistorini. Este é quem eu sou, neste Ano de Nosso Senhor, 1609.

Ele jogou a pena pela sala, deitou a cabeça sobre a mesa, tocando a capa da Hagadá, e chorou enquanto seu mundo girava e rodopiava.

Hanna

Boston, primavera de 1996

— É MESMO UMA PENA — disse Raz, enquanto pegava o cesto cheio de *pappadams* quentinhos — se nunca descobrirmos o que aconteceu de fato.

— Pois é — concordei. Eu vinha pensando nisso a tarde inteira. Pela janela do restaurante, via Harvard Square, um piso abaixo. Estudantes com o pescoço envolto em cachecóis passavam pelos moradores de rua que esmolavam diante das portas costumeiras. Meado de abril, e a temperatura tinha caído de novo, deixando os últimos vestígios de neve cinzenta, não derretida, se acumulando em obstinados montículos nas esquinas. Harvard Square podia parecer uma festa em uma noite quente, cheia de energia e privilégios e promessas. Ou poderia dar a impressão de ser o lugar mais lúgubre da terra — um ninho de ratos gelado, varrido pelo vento, onde os jovens desperdiçavam a juventude se engalfinhando em uma disputa insensata por credenciais.

Após o êxtase inicial da descoberta da mancha de sangue, eu despencara, como que caindo num abismo. Era uma sensação que já conhecia; um risco ocupacional. Era como se eu enfrentasse um gênio que vivia nas páginas de livros antigos. Às vezes, se tivesse sorte, eu o libertaria por um ou dois instantes, e ele me recompensava com uma visão vaga do passado. Outras vezes, *puf* — ele fazia tudo desaparecer antes que eu pudesse entender alguma coisa, e ficava parado, com os braços cruzados: *Até aqui; daqui você não pode passar*.

Raz, ignorando meu estado de espírito, não parava de tocar no assunto.

— O sangue é potencialmente tão dramático! — ele disse, girando as uvas *pinot* no copo.

A mulher de Raz, Asfan, ficava em Providence três noites por semana porque conseguira um emprego como professora assistente, lecionando poesia em Brown. Por isso, estávamos jantando sozinhos, e podíamos conversar o quanto quiséssemos. Mas não passaríamos das especulações, e isso me incomodava.

— Não sei como vocês bebem vinho tinto com comida indiana — eu disse, tentando mudar de assunto, enquanto me servia de cerveja.

— Deve ter sido algo realmente dramático — Raz continuou, sem hesitar. — Espanhóis de sangue quente, lutando pela posse do livro, desembainhando sabres, adagas...

— É mais provável que alguém estivesse cortando a carne na Páscoa e a faca tenha escorregado — interrompi, amuada. — Não procure zebras.

— O quê?

— É só uma expressão. "Se tem quatro patas, focinho longo, e come feno, procure um cavalo antes de procurar uma zebra." Na verdade, era uma frase de minha mãe; alguma coisa a ver com seus residentes. Parece que os médicos inexperientes sempre querem diagnosticar síndromes raras, mesmo que os sintomas do paciente se encaixem perfeitamente em alguma patologia comum.

— Ah, você é uma desmancha-prazeres. As zebras são *muito* mais interessantes. — Raz apanhou a garrafa e reabasteceu seu copo. A Hagadá não era um projeto dele; ele não sentia a mesma frustração que eu. — Acho que poderíamos fazer um teste de DNA... Descobrir as origens étnicas da pessoa de quem escorreu o sangue...

— Poderíamos. Mas é melhor não. Teríamos que violar o pergaminho para extrair uma amostra grande o suficiente. E, mesmo que eu recomendasse isso, o que não farei, duvido que me dessem permissão.

Parti um pedaço de *pappadam* — chato, fresco, como *matzoh*. Como o *matzoh* da misteriosa mulher negra representada na iluminura da Hagadá. Outro mistério que eu não seria capaz de resolver.

Raz continuou martelando no assunto:

— Seria fantástico se pudéssemos viajar no tempo e estar lá quando aconteceu...

— Sim, aposto que a mulher gritou com o marido: "Seu desastrado, olhe o que você fez com nosso livro!".

Raz sorriu, finalmente derrotado por meu mau humor. Ele sempre tivera uma veia romântica. Por isso se sentia atraído pelos navios naufragados, imagino. O garçom chegou com uma tigela de *vindaloo** fumegante. Despejei um pouco do molho quente sobre meu arroz, servi-me de uma garfada e senti os olhos lacrimejarem. Eu adorava aquilo. Eu vivia daquilo, quando estava em Harvard. Era tão picante quanto meu prato favorito no mundo: sambal de camarão rei, no restaurante malaio em Sydney. Às vezes, a comida tem um dom restaurador. Depois de algumas garfadas, comecei a me sentir melhor.

— Você tem razão — eu disse. — *Seria* demais voltar no tempo, quando a Hagadá ainda era apenas um livro de família, um objeto de uso, antes de se tornar artigo de exibição, trancado em uma vitrine...

— Não sei — respondeu Raz. Ele cutucava o *vindaloo*, desconfiado. Serviu-se de uma única colher e encheu o resto do prato com *dal***. — Ele ainda serve o seu propósito original, ou pelo menos servirá, quando for para o museu. Foi criado para ensinar, e continuará ensinando. Aliás, pode ensinar muito mais do que a mera história do Êxodo.

— Como assim?

— Bem, pelo que você me disse, o livro sobreviveu ao mesmo desastre humano, repetidas vezes. Você tem uma sociedade na qual as pessoas toleram a diferença, como a Espanha, na *Convivência*, e tudo vai bem: criativo e próspero. De repente, esse medo, esse ódio, essa necessidade de demonizar "o outro", abalando e aniquilando toda a sociedade. Inquisição, nazismo, nacionalistas sérvios extremistas... a mesma velha história. Parece-me que este livro, hoje, dá testemunho de tudo isso.

— Muito profundo para um químico orgânico.

Nunca podia resistir a dar uns cutucões. Raz fez uma careta de zanga, e depois riu, perguntando-me o que eu planejava falar no Tate. Eu lhe disse que ia fazer uma apresentação sobre as características estruturais e os problemas de conservação de manuscritos turcos. O

---

* *Vindaloo*: da expressão portuguesa "vinha de alhos", prato típico de Goa, Índia, ex-colônia portuguesa. (N. do T.)

** *Dal*: prato feito de feijões secos. (N. do T.)

formato de sua encadernação geralmente resulta em danos, com o uso, e é incrível o número de conservadores de livros que ainda não sabem trabalhar com eles. Começamos, então, a fofocar sobre meu cliente biliardário e os prós e contras dos programas de disponibilização universitários. O laboratório de Raz cuidava de todo o trabalho importante de propriedade de Harvard, por isso ele tinha uma opinião bastante definida acerca do assunto.

— Uma coisa é um manuscrito estar em uma biblioteca universitária, acessível a todos; outra é ele passar para as mãos de um colecionador particular, ficando trancado a sete chaves em algum lugar...

— Pois é, e você devia ver o cofre desse sujeito...

Meu cliente vivia em uma das enormes e antigas mansões em Brattle Street, e havia mandado escavar uma sala-forte que era a última palavra em tecnologia e segurança, enchendo-a de tesouros. Raz, que tinha acesso diário a coisas fantásticas, era um homem difícil de impressionar. Mas arregalou os olhos quando eu lhe revelei, em caráter confidencial, algumas das coisas que o cliente biliardário conseguira adquirir.

Dessa conversa, nós passamos para o tema das políticas dos museus, em geral, e daí para um bate-papo mais picante: sexo nas estantes, ou seja, a vida amorosa dos bibliotecários. E esse foi o assunto que ocupou o resto da noite. Em determinado momento, eu me peguei mexendo no saleiro. Foi quando me lembrei de que, em meio à excitação da descoberta do sangue, não tínhamos analisado os cristais de sal que eu retirara do pergaminho. Disse a Raz que precisaria perturbá-lo novamente no dia seguinte, porque gostaria muito de observar aqueles cristais sob seu comparador de vídeo espectral.

— Venha quando quiser, sem problemas. Você sabe que nós adoraríamos tê-la em Straus. Permanentemente. Basta você erguer a mão, e haverá um emprego para você.

— Obrigada, colega. Sinto-me lisonjeada. Mas não posso sair de Sydney.

Creio que a conversa sobre quem estava se envolvendo com quem em nosso pequeno mundo teve algo a ver com o que aconteceu depois. Estávamos saindo do restaurante quando Raz pôs a mão em meu quadril. Eu me virei e olhei para ele.

— Raz.

— Afsana não está aqui — ele disse. — Que mal haveria? *Auld lang syne** e tudo o mais.

Olhei para a mão de Raz, peguei-a entre o meu polegar e o indicador, e a afastei de mim.

— Acho que preciso lhe dar outro nome.

— O quê?

— Vou chamá-lo de "rato" de agora em diante, em vez de Raz.

— Ora, vamos, Hanna. Quando você se tornou esse tipo de puritana?

— Ah, vejamos... talvez dois anos atrás? Quando você se casou?

— Bem, de minha parte, eu não espero de Afsana que ela viva como uma freira enquanto estiver em Providence, com todos aqueles jovens estudantes atraentes sentados aos seus pés, com olhares de apaixonado; por isso, não vejo...

Cobri os ouvidos com as mãos.

— Poupe-me. Não preciso saber dos detalhes do seu casamento.

Afastei-me dele e desci a escada, correndo. Talvez eu seja mesmo um tanto puritana em relação a algumas coisas, enfim. Gosto de lealdade. Quero dizer, que cada um faça o que quiser enquanto for solteiro. Viva e deixe viver. Transe e goze. Mas para que se casar se você não quer o compromisso?

Caminhamos pelas poucas quadras até o meu hotel, em silêncio constrangedor, e nos separamos com um frio boa-noite. Subi até meu quarto, sentindo-me abalada, e um pouco desolada. Se conhecesse alguém que eu amasse a ponto de me casar, eu não seria tão indiferente como Raz.

Por estranho que fosse, quando dormi, sonhei como Ozren. Estávamos no piso inferior, abaixo de seu apartamento, na padaria de Sweet Córner, exceto que o fogão era o meu DeLonghi, do apartamento em Bondi. Estávamos assando bolinhos, dentre tantas coisas.

---

* *Auld lang syne* é uma tradicional canção de língua inglesa cantada no Ano-Novo nos Estados Unidos e no Reino Unido. Embora muitos conheçam sua melodia, quase ninguém conhece sua letra. (N. do T.)

Quando tirei a forma do forno, ele veio por trás de mim, de modo que seu antebraço se colocou em cima do meu. Os bolinhos tinham crescido perfeitamente, quentinhos, fragrantes, transbordando por fora das forminhas. Ele pegou um e o aproximou de meus lábios. A crosta se partiu em minha boca e eu provei algo cremoso, rico, delicioso.

Às vezes um bolinho é apenas um bolinho. Mas não naquele sonho.

Acordei com a campainha insistente do telefone. Achando que era apenas o serviço de despertador, rolei na cama, levantei o fone e o coloquei de volta. Dois minutos depois, estava tocando de novo. Dessa vez eu me sentei e vi as horas no relógio digital, piscando em vermelho. Duas e meia. Se fosse o serviço de despertador, quatro horas antes, o recepcionista iria ouvir muita coisa. Atendi, grunhindo:

— Hummm?

— Doutora Heath?

— Hã-hã.

— Aqui fala o doutor Friosole, Max Friosole. Estou ligando do Hospital Mount Auburn. Estou com a doutora Sarah Heath...

Qualquer outra pessoa no mundo estaria com os olhos arregalados, e tendo um ataque de ansiedade, naquele momento. Mas o fato de minha mãe estar num hospital, no meio da noite, me parecia perfeitamente normal, naquele estado de estupor.

— Humm? — eu grunhi.

— Ela sofreu ferimentos graves. Creio que é sua parente?

De repente, me sentei, tateando pelo interruptor da luz, desorientada em uma cama estranha de hotel.

— O que aconteceu? — Senti a voz embargada, como se tivesse engolido uma escova sanitária.

— Foi um MVA. Ela foi socorrida na cena do acidente com dor e palpitação que sugerem comprometimento pulm...

— Espere, pare por aí. Fale inglês, por favor!

— Mas eu pensei... Doutora Heath...

— Minha mãe é médica, eu sou ph.D.

— Ah, sim. Ela sofreu um acidente de carro.

A primeira coisa em que pensei foi nas mãos dela. Ela sempre se preocupava em protegê-las.

— Onde ela está? Posso falar com ela?

— Bem, eu acho que a senhora deveria vir aqui. Ela... bem, para ser franco, é difícil lidarmos com ela. Ela entrou registrando especificamente que não queria aconselhamento médico, mas sofreu uma síncope. Quero dizer, desmaiou no corredor do hospital. Tem um trauma esplênico com forte hemoperitônio... ou seja, sangue no abdômen. Estamos preparando-a para a cirurgia agora.

Minhas mãos tremiam enquanto eu anotava os detalhes do hospital. Quando cheguei lá, ela havia sido levada para o pronto-socorro e de lá para o centro cirúrgico. O Dr. Friosole era um residente, com barba por fazer, e um aspecto de cansaço com olheiras abaixo dos olhos. No pouco tempo em que levei para vestir algo, chamar um táxi e chegar ao hospital, ele tinha lidado com uma pessoa baleada e um ataque cardíaco; por isso, mal podia se lembrar de quem eu era. Examinou os dados do internamento e revelou que minha mãe era a passageira no carro, dirigido por uma senhora de 81 anos, que chegou ao hospital com uma parada cardíaca. O carro batera contra um muro de proteção em Storrow Drive. O acidente não envolvera outro veículo.

— A polícia tomou o depoimento de sua mãe na cena do acidente.

— Mas como? Eles podem fazer isso, se a pessoa está gravemente ferida?

— Ela estava lúcida quando chegou aqui, administrando RCP* à outra vítima. — Ele olhou novamente na ficha. — Discutiu com os paramédicos, queria entubar a mulher no ato, e protestou quando os paramédicos insistiram em levá-la ao pronto-socorro.

Ela mesmo, pensei. Podia até ouvi-la.

— Mas, se ela estava bem, o que aconteceu?

— Esse é o problema com o baço. Você sente uma dor leve, mas parece normal, e só percebe que está com hemorragia bem mais tarde, quando a pressão arterial despenca. Ela se autodiagnosticou pouco antes de desmaiar... — Devo ter ficado um pouco verde, àquela

* Respiração cardiopulmonar. (N. do T.)

altura, porque ele parou de falar sobre hemorragia e perguntou se eu queria me sentar.

— A mulher idosa... você sabe o nome dela?

Ele virou a folha na prancheta.

— Delilah Sharansky.

Não tinha a mínima idéia de quem fosse. Tentei seguir as direções que o Dr. Frisole me dera para chegar à parte do hospital onde minha mãe estava, mas minha mente estava tão aturdida, processando toda a idéia do absurdo acidente, que errei umas seis vezes antes de chegar. Sentei-me numa cadeira de plástico duro, amarelo berrante, quase obscenamente clara, em contraste com o tom cinzento de tudo o mais no hospital. E nada podia fazer, além de esperar.

A aparência dela era absolutamente horrível quando a tiraram, em uma cadeira de rodas, da recuperação. Tinha tubos intravenosos do tamanho de mangueiras no braço, e uma das faces estava coberta de hematomas e inchada, provavelmente por ter batido contra a lateral do carro. Estava zonza, mas me reconheceu logo e mostrou um sorriso torto, provavelmente o mais sincero desde que eu nascera. Eu a segurei pela mão que não tinha o grande tubo intravenoso no braço.

— Cinco aqui — eu disse. — E cinco ali. Cirurgiã Heath, ainda na ativa.

Ela gemeu, devagar.

— Sim, mas os médicos que trabalham em hospitais precisam do baço — ela sussurrou. — Não se pode combater infecção... — A voz falhou e seus olhos se encheram de lágrimas, que começaram a escorrer pelo rosto machucado. Em trinta anos, nunca tinha visto minha mãe chorar. Peguei-lhe a mão e a beijei, e comecei a chorar também.

Eles me deixaram ficar no quarto dela, sentada em uma espécie de cadeira reclinável. A sedação e os analgésicos a derrubaram de novo dali a uns quinze minutos, o que foi bom para ela, pois estava muito perturbada. Eu não conseguia dormir na maldita cadeira, por isso apenas fiquei esperando o céu clarear e escutando os sons nos corredores, enquanto o turno da manhã se preparava para realizar os exames médicos, verificar pressão arterial dos pacientes e preparar os pobres coitados que precisariam de cirurgia. Pensei em todas as coisas que precisaria fazer — ligar para o Tate e cancelar minha apresentação. Ligar para a secretária de minha mãe, Janine, e pedir-lhe que reagendasse seus compromissos em Sydney. Ligar para a polícia e perguntar quais eram as obrigações legais de minha mãe, se houvesse alguma. Em Sydney, seria necessário um inquérito, provavelmente, se um acidente terminasse em morte. Imaginei minha mãe em um humor sombrio caso tivesse de permanecer em Boston para comparecer a um inquérito.

Acabei ficando tão agitada pensando nisso tudo que saí atrás de um telefone público para começar com os telefonemas. Ainda era horário comercial em Londres, e haveria alguém de plantão no hospital em Sydney, embora já fosse noite avançada. Quando voltei ao quarto, mamãe estava acordada. Devia estar se sentindo melhor, pois já tinha de volta sua voz de Dra. Heath, chefe da neurocirurgia, implicando com a enfermeira que estava tentando acertar a cânula. Vi seus olhos me fitando quando eu entrei.

— Pensei que tinha ido embora — ela disse.

— Que nada. Não pode se livrar de mim tão fácil. Acabei de deixar um recado para Janine... Como está se sentindo?

— Péssima. — Mamãe nunca dizia um palavrão, exceto por uma ocasional palavrinha que ela desferia como um porrete. Xingamentos coloquiais típicos australianos estavam aquém dela.

— Precisa de alguma coisa?

— De uma enfermeira competente.

Olhei para a enfermeira, como que para me desculpar pela grosseria de minha mãe, mas a moça não se incomodara nem um pouco. Ela só virou os olhos e deu de ombros, enquanto continuava cuidando de mamãe. Na verdade, não era próprio de minha mãe ser rude com enfermeiras. Eu percebi, portanto, que ela devia estar sentindo muita dor. Uma coisa eu tinha que admitir: a equipe de enfermagem em seu hospital a idolatrava. Uma delas, uma enfermeira que estudara medicina e agora era estagiária, certa vez me chamou de lado, depois de ouvir uma discussão entre nós duas no consultório dela. Eu devia estar com uma cara de "vou matá-la a qualquer momento" para ela se importar àquele ponto. Enfim, ela me disse que havia um lado de minha mãe que eu não conhecia; do contrário, não diria coisas tão terríveis a ela. Disse que ela era a única entre os cirurgiões que incentivava as enfermeiras a fazer perguntas, e assumir tarefas de maior responsabilidade.

— A maioria dos cirurgiões nos dá as costas quando perguntamos alguma coisa, tratam-nos como se estivéssemos saindo do nosso lugar, ou algo assim. Mas a sua mãe não. Foi ela que providenciou minha admissão, ainda que em idade madura, na escola de medicina, escrevendo a recomendação que me fez ser admitida.

Lembro-me de ter ficado muito irritada com aquela estagiária. Basicamente, eu lhe disse para dar o fora e cuidar de sua vida. Mas, por dentro, lá no fundo, o que ela me disse deixou-me orgulhosa. O problema era que o magnífico para ela era venenoso para mim. Em termos de medicina, mamãe era como uma pastora. E eu era a filha da pastora, que se torna apóstata.

Quando a enfermeira saiu, minha mãe fez um sinal, ainda fraca.

— Na verdade, eu preciso de uma coisa. Pegue papel e caneta. Anote um endereço.

Eu escrevi o endereço que ela me deu, uma avenida em alguma parte de Brookline.

— Eu quero que você vá lá.

— Para quê?

— É a casa de Delilah Sharansky. Hoje à noite, eles estarão no *shivah*. É o ritual de luto judaico.

— Eu sei o que é, mamãe — respondi com certa aspereza. — Sou graduada em hebraico bíblico. — Na verdade, eu queria dizer: "estou surpresa por *você* saber o que é". Sempre suspeitara de que ela fosse um tanto anti-semita. As tolerâncias de minha mãe eram um bocado contraditórias. Em relação a pacientes, ela não olhava para a cor da pele. Mas, assistindo ao noticiário, ela às vezes fazia comentários étnicos debochados, do tipo "esses aborígines preguiçosos" ou "aqueles árabes sanguinários". Do mesmo modo, ela dava postos muito cobiçados a judeus em seu programa de residência, mas não me lembro de ter convidado algum para jantar em casa.

— Mas a família dela... Sharansky? Eles não têm idéia de quem eu sou. Não deixarão entrar uma estranha.

— Deixarão, sim. — Ela mudou de posição na cama, e contraiu o rosto, no esforço. — Aliás, vão querer você lá.

— Mas por quê? Quem era Delilah Sharansky, enfim?

— Não adianta esconder agora. Seria revelado no inquérito, de qualquer forma, ou seja qual for a droga que tenham aqui.

— O quê? Do que você está falando?

Ela abriu os olhos e fitou-me profundamente.

— Delilah Sharansky era sua avó.

Fiquei parada na escadaria da casa elevada, de tijolos vermelhos, um bom tempo, tentando ganhar coragem para bater à porta. Era a minha parte favorita de Brookline, quase à beira do Alston, onde os vendedores de burrito cedem lugar às mercearias *kosher*, e a vida na rua é igualmente dividida entre a arte gótica e o *frum** judaico.

Provavelmente eu jamais teria batido à porta, se outro grupo de pessoas não tivesse chegado àquele momento e quase me empurrado para dentro, junto com eles. A porta se abriu, deixando ouvir o som de uma dúzia ou mais de vozes altas, todas falando ao mesmo tempo. Alguém me deu vodca em um cálice. Eu não imaginava o *shivah* daquele jeito. Talvez fosse uma variante própria dos judeus russos.

A casa não era como esperava, a julgar pelo exterior convencional, ou pelo fato de uma mulher de 81 anos de idade ter morado lá. O interior era totalmente claro e aberto, de uma maneira bastante contemporânea, com paredes brancas e luz entrando por clarabóias muito bem posicionadas. Havia vasos de cerâmica altos, simples, cheios de ramos retorcidos, e cadeiras Mies e outras peças finas modernas, Bauhaus Y e tudo o mais.

Na parede oposta, havia uma pintura enorme, do tipo que deixa uma pessoa estupefata. Era uma fabulosa vista do céu australiano, com uma pequena faixa de deserto vermelho insinuada em algumas poucas linhas de tinta na porção inferior da tela. Tão simples. Tão poderoso. Era um dos quadros que rendera fama ao artista na década de 1960. Podia-se encontrar um quadro dessa série em quase todos os museus importantes que se interessavam por arte australiana. Mas

* *Frum*: iídiche, original do termo alemão *fromm* (piedoso, devoto). (N. do T.)

aquele era um dos maiores. O melhor que eu já tinha visto. Nós tínhamos um — ou melhor, minha mãe tinha — na casa em Bellevue Hill. Eu nunca tinha pensado muito nele. Ela possuía vários quadros de renome: Brett Whiteley, Sidney Nolan, Arthur Boyd. Sempre os figurões de maior fama. Não havia motivo para não ter um Aaron Sharansky.

Naquela manhã, minha mãe e eu tínhamos conversado muito, até eu perceber que ela estava se cansando. Pedi à enfermeira que lhe desse algo, e, quando ela adormeceu, fui à biblioteca Widener para consultar a biografia de Aaron Sharansky. Estava tudo lá, fácil de localizar. Nascido em 1937. Pai, sobrevivente do campo de concentração na Ucrânia. Mudou-se com a família para a Austrália quando foi convidado para criar o primeiro departamento de língua russa na Universidade de New South Wales, em 1955. Aaron freqüentou a escola de arte em East Sydney Tech, foi trabalhar como ajudante em fazendas no Território do Norte, começou a pintar os quadros que o tornaram famosos. Tornou-se um *enfant terrible* da arte australiana. Franco, ultrajante. Profundamente político nas questões do ambiente desértico e de sua destruição por parte da indústria de mineração. Eu me lembrava de tê-lo visto nos noticiários, sendo preso em alguma demonstração de protesto contra uma mina de bauxita, acho. Tinha longos cabelos pretos e os violentos policiais se aproveitavam deles para arrastá-lo pela areia. Houvera um escândalo em torno disso, eu me lembrava. Ele se recusou a aceitar ser libertado sob a condição de não voltar à mina, e ficou na cadeia por um mês, com uma dúzia de homens aborígines. Saiu com muitas histórias para contar sobre o tratamento terrível que os aborígines recebiam em custódia. Em alguns círculos, ele se tornou um herói depois desse episódio. Até os conservadores o escutavam, com bons modos, se quisessem uma chance de comprar um de seus quadros. Sempre que ele montava uma exposição, havia uma comoção atrás de seus trabalhos, por mais altos que fossem os preços.

De repente, com 28 anos, sua história tomou um rumo diferente. Começou a ficar com a vista fraca. Foi descoberto que ele tinha um tumor, que pressionava o nervo óptico. Arriscou uma cirurgia delicada para removê-lo. Alguns dias depois, morreu de "complicações pós-operatórias".

O que não apareceu em nenhum dos perfis nem nos numerosos óbitos foi o nome do neurocirurgião que realizara a cirurgia. Os médicos australianos não podiam ser citados na imprensa, naquela época — era uma espécie de política ética médica. Embora eu não pudesse saber com certeza, suspeitava que, já com seus trinta e poucos anos, minha mãe não tinha a menor dúvida de que era capaz de operar aquele tumor difícil. Mas seria, mesmo? Se fosse verdade, então ela havia quebrado a antiga tradição de que os médicos não costumam operar as pessoas com quem se envolvem emocionalmente.

Sarah Heath e Aaron Sharansky eram amantes. Na época da cirurgia, ela estava no quarto mês de gravidez.

— Você pensou que eu não amava seu pai?

A expressão do rosto dela era de absoluto espanto. Era como se eu tivesse dito que havia um hipopótamo na pia. Tinha voltado ao hospital de Widener à tarde. Ela ainda estava dormindo quando cheguei, e esse foi o único modo que eu encontrei de acordá-la. Quando ela finalmente abriu os olhos, eu estava de pé, quase debruçando sobre ela, enlouquecida de tantas perguntas. Nós conversamos: perguntas, respostas, longos silêncios. Foi a conversa mais longa que nós já tivemos sem brigar.

— Bem, por que eu não pensaria isso? Você nunca o mencionou. Sequer uma vez. E quando eu tive a coragem de lhe perguntar sobre ele, você simplesmente se afastou, com um olhar de repugnância. — A lembrança daquele momento ainda doía. — Sabe que eu passei muito tempo convencida de que tinha nascido de um estupro, ou algo assim...?

— Oh, Hanna...

— E eu tinha certeza de que você não suportava sequer olhar para mim.

— Claro que isso não era verdade.

— E... eu pensava que a fazia se lembrar dele, ou...

— Você me lembrava dele, *sim*. Era tão parecida com ele, desde o instante em que nasceu. Aquela pinta que você sempre teve, o formato de sua cabeça, seus olhos. E depois seus cabelos, a cor e textura exatas dos dele. A expressão em seu rosto quando você se concentra

— é a mesma expressão que ele tinha quando estava pintando. E eu pensava: "Tudo bem, ela se parece com ele, mas será como eu, porque está comigo". Eu é que a estou criando. Mas você não era como eu. Você se interessava pelas coisas que ele amava. Sempre. Até o seu riso é igual ao dele, a sua expressão quando você está zangada... Cada vez que eu olhava para você, pensava nele... E então, quando chegou à adolescência, e você parecia me odiar tanto... era como se fosse parte de meu castigo.

— Castigo? Como assim? Castigo por quê?

— Por tê-lo matado. — A voz de mamãe ficou tão pequena, de repente.

— Ora, por favor, mamãe. Você mesma vive me dizendo para não ser tão melodramática. Perder um paciente não é o mesmo que matá-lo.

— Ele não era meu paciente. Você está louca? Não aprendeu nada de medicina vivendo comigo tantos anos? Que espécie de médica eu seria se operasse uma pessoa por quem estivesse absolutamente apaixonada? Claro que eu não o operei. Fiz os testes, passei o diagnóstico; ele se queixava de visão embaçada. Tinha um tumor. Benigno, crescendo devagar, mas não ameaçava a vida. Eu recomendei radiação, e ele tentou, mas a dificuldade visual persistiu. Ele quis fazer a cirurgia, correndo todos os riscos. Então, eu o indiquei a Andersen.

O legendário Andersen. Eu sempre tinha ouvido o nome dele. Minha mãe praticamente o idolatrava.

— Então você o enviou ao melhor. Como pode se culpar por isso?

Ela suspirou.

— Você não entenderia.

— Você poderia me dar uma chance de...

— Hanna, você teve sua chance. Muito tempo atrás.

Ela fechou os olhos, e eu continuei sentada, retraída. Não acreditava que estávamos caindo novamente na velha rotina. Não naquele momento, quando havia tanto que eu queria saber.

Devia estar escuro lá fora, mas, dentro do hospital, não tínhamos como saber, com certeza. O silêncio era cortado por sons das rodas das macas e dos *pagers* nos corredores. Minha dúvida era se ela tinha caído no sono induzido por medicação novamente. Mas, de repente, ela se mexeu, e começou a falar. Ainda estava com os olhos fechados.

— Sabe, quando eu me candidatei para a residência em neurocirurgia, não queriam dar a posição para uma mulher. Dois dos assessores disseram, com todas as letras, que seria desperdício de treino, pois eu me casaria, teria filhos e não exerceria a profissão. — A voz dela se elevava, ficando mais pesarosa. Dava para eu perceber que ele havia retornado àquela sala, enfrentando os homens que queriam lhe negar o futuro que ela tinha escolhido. — Mas o terceiro assessor era diretor do departamento. Ele sabia que minhas notas eram as mais altas em meu ano, que meu período de estágio fora excelente. Ele me disse: "Doutora Heath, eu só vou lhe fazer uma pergunta: você consegue se imaginar fazendo qualquer outra coisa no mundo que não seja a neurocirurgia? Porque, se a resposta for sim, eu lhe pedirei que retire seu pedido".

Ela abriu os olhos, olhou para mim, e continuou:

— Eu não hesitei um segundo, Hanna. Não havia nada que eu quisesse tanto. Nada. Eu não queria me casar. Não queria ter filhos. Havia me livrado de todos aqueles desejos comuns, normais. Eu tentei fazer você compreender, Hanna, como é fantástico, maravilhoso, ser capaz de fazer isso, de realizar a mais difícil cirurgia, aquela que mais importa. Saber que você tem os pensamentos de uma pessoa, a personalidade, sob as pontas de seus dedos, e que a sua habilidade... Hanna, eu não salvo vidas, apenas; eu salvo aquilo que nos torna humanos. Eu salvo almas. Mas você nunca... — Ela suspirou de novo, e eu me mexi, na cadeira. A pastora estava de volta ao púlpito. Eu já tinha ouvido tudo aquilo antes e sabia onde ia terminar: em um lugar para onde eu não queria ir. Mas, de repente, ela mudou de direção.

— Quando fiquei grávida, foi um erro, e eu fiquei com raiva de mim mesma. Não tinha a menor intenção de ter um bebê. Mas Aaron ficou animadíssimo, e me deixou animada, também. — Ela ainda me fitava com aqueles olhos azuis, que começaram a brilhar. — De certa forma, Hanna, nós éramos os amantes mais improváveis. Ele era aquele iconoclasta esquerdista, que joga tomates nos outros, e eu... — Ela se interrompeu. Começou a passar a mão, nervosa, pelo lençol, alisando rugas que não existiam. — Até eu conhecê-lo, Hanna, eu nunca tinha procurado ninguém. Nunca tinha desperdiçado um minuto sequer com algo além de me tornar médica; e, quando me tornei médica, em melhorar cada vez mais. Política, natureza, arte — ele me apresentou todas essas coisas. Eu não acredito em clichês como amor à primeira vista, mas foi isso que aconteceu conosco. Nunca tinha sentido nada assim antes. Nem voltei a sentir, depois. Ele entrou em meu centro cirúrgico, e eu sabia...

Uma assistente de enfermagem entrou no quarto, empurrando um carrinho de chá. As mãos de minha mãe tremiam; por isso, eu segurei a xícara para ela. Ela bebeu alguns goles e logo dispensou o chá.

— Os americanos não sabem fazer um chá decente.

Eu afofei os travesseiros, e ela ajustou a posição na cama, estremecendo com o esforço.

— Quer que eu peça alguma coisa a eles?

Ela balançou a cabeça.

— Já estou dopada demais — disse. Respirou fundo, tentando encontrar forças, e continuou a falar. — O primeiro dia, quando eu cheguei em casa, havia um quadro me esperando; aquele que está acima do aparador, na sala de jantar.

Eu assobiei. Mesmo naquela época, aquele quadro devia valer uns cem mil.

— O máximo que eu ganhei de um pretendente — tornei — foi um buquê de flores, e murcho.

Mamãe mostrou um sorriso torto.

— Pois é — disse. — Era uma declaração e tanto de intenção. Havia um bilhete. Eu ainda o tenho. Sempre. Fica na minha carteira. Pode ver, se quiser.

Fui até o armário e tirei de dentro a bolsa.

— A carteira está na parte com zíper. É essa mesma.

Tirei a carteira da bolsa.

— Está atrás da carta de motorista.

Era uma mensagem curta, só duas linhas, escrita com pincel, em grandes letras, vistosas.

What I do is me, for that I came (O que eu faço sou eu; foi para isso que vim.)

Eu reconheci o verso. Era de um poema de Gerard Manley Hopkins. Abaixo, Aaron tinha escrito: *Sarah, é você. Ajude-me a fazer aquilo que vim fazer.*

Fixei os olhos nas palavras, tentando imaginar a mão que as tinha escrito. A mão de meu pai, que eu nunca segurei.

— Eu liguei para ele, agradecendo pelo quadro. Ele me convidou para ir ao seu estúdio. E depois... depois, nós passávamos todos os momentos juntos. Até o fim. Não durou muito. Só alguns meses, na verdade. Às vezes eu me pergunto se teria durado; quero dizer, a nossa relação, se ele tivesse sobrevivido... Talvez ele acabasse me odiando, como você me odeia.

— Mamãe, eu não...

— Hanna, pare. Não adianta. Eu sei que você nunca aceitou o fato de eu não ser uma mãe presente vinte e quatro horas por dia, quando você era pequena. Quando chegou à adolescência, mais parecia um cacto. Não me deixava nem chegar perto. Eu entrava em casa e ouvia você e Greta rindo. Mas, quando me aproximava, você se fechava. Se eu perguntasse qual era a piada, você me dirigia um olhar de pedra e dizia: "*Você* não entenderia".

Era verdade, eu fazia exatamente isso. Era o meu jeito de castigá-la. Coloquei as mãos sobre o colo, num gesto de entrega.

— Isso foi há tanto tempo — falei.

Ela assentiu.

— Tudo isso — ela disse. — Foi mesmo há muito tempo.

— O que aconteceu com a cirurgia?

— Eu não disse a Andersen que nós estávamos juntos quando recomendei Aaron aos cuidados dele. Já estava grávida, mas ninguém sabia. É incrível o que você consegue esconder debaixo de um avental branco. Seja como for, Andersen me pediu que me preparasse para ajudá-lo na cirurgia, mas eu disse que não; inventei alguma desculpa esfarrapada. Lembro-me do modo como ele me olhou. Geralmente, eu fazia de tudo para participar de uma cirurgia com ele. Para aquele tipo de tumor, é preciso penetrar pela base do crânio. Remove-se o couro cabeludo e...

Ela parou. Percebi que involuntariamente eu tinha levado as mãos aos ouvidos, para não ouvir a descrição asquerosa. Ela me olhou com total desprezo. Tirei as mãos, como uma criança culpada.

— Enfim, eu não quis participar. Mas encontrei um motivo para estar por perto do centro cirúrgico quando Andersen saiu. Ele estava tirando as luvas, e eu nunca me esquecerei do rosto dele quando olhou para mim. Achei que Aaron tinha morrido na mesa. Precisei de todas as minhas forças para permanecer de pé, ali. Ele disse: "Era um meningioma benigno, como você diagnosticou. Mas as envolturas dos nervos ópticos estavam extensivamente envolvidas". Ele tentara remover o tumor das envolturas para devolver o suprimento de sangue aos nervos, mas tinha sido demais. Enfim, eu entendi, pelo que ele disse, que Aaron não poderia mais enxergar. Para ele, não enxergar seria o mesmo que não viver. De qualquer forma, ele nunca acordou para descobrir que estava cego. Naquela noite, houve um sangramento, e Andersen não percebeu. Quando levaram seu pai de volta ao centro cirúrgico para drenar o coágulo...

A enfermeira entrou, bem nesse momento. Olhou para minha mãe, avaliando seu estado. Era óbvio que ela estava agitada demais. A enfermeira, então, me disse:

— Acho melhor deixar a paciente descansar um pouco.

— Sim. Vá. — A voz de mamãe parecia cansada, como se mesmo essas duas pequenas palavras exigissem grande esforço. — Está na hora. Está na hora de você ficar com os Sharanksky.

— Hanna Heath?

Eu parei de olhar o quadro na parede de Delilah Sharansky e me virei, deparando com um conjunto de traços familiares: os meus, traduzidos no rosto de um homem muito mais velho.

— Sou filho de Delilah. Seu outro filho. Jonah.

Estendi a mão, mas ele me segurou pelos ombros, puxando-me para perto de si. Senti-me desesperadamente à vontade. Quando era menina, queria tanto uma família. Minha mãe era filha única e não muito chegada aos pais. O pai ganhara muito dinheiro no ramo de seguros e levara a esposa para uma comunidade de tênis e golfe da terceira idade, em Noosa, antes de eu nascer. Creio que vi minha avó uma vez, antes de ele morrer subitamente de um ataque cardíaco. Meu avô não perdeu tempo e se casou de novo com uma instrutora de tênis. Minha mãe não aprovou o casamento, por isso nunca o visitávamos.

De repente, lá estava eu, cercada por estranhos que eram minhas relações consangüíneas. Havia tantos deles: três primos, uma tia. Outra tia, pelo que entendi, que trabalhava como representante comercial em Yalta. E havia o tio Jonah, o arquiteto que tinha reformado aquela casa para Delilah.

— Ficamos aliviados ao saber que sua mãe está se recuperando — ele disse, jogando para trás um fio recalcitrante de seus cabelos pretos lisos, em um gesto nervoso que, percebi, era exatamente igual ao meu. — Nós não queríamos que mamãe continuasse dirigindo, quando ele completou oitenta anos, mas ela era uma raposa teimosa. — Delilah estava viúva havia mais de quinze anos, ele disse, e se acostumara a cuidar de si mesma. — Dez anos atrás ela obteve o ph.D; eu acho que era compreensível ela não querer que nós lhe déssemos ordens. Mas todos sentimos muito por sua mãe. Se houver algo que possamos fazer...

Eu lhe assegurei que minha mãe estava sendo bem cuidada. Quando a notícia se espalhou pela comunidade neurocirúrgica, toda a rede de médicos havia se mobilizado, como sempre faz para cuidar de alguém de seu meio. Duvido que houvesse um paciente em Boston recebendo mais atenção.

— Bem, nossa mãe ficaria feliz por essa tragédia ter trazido você a nós, finalmente.

— Sim, foi uma pena que vocês e sua mãe não ficaram na Austrália; teria sido bom eu ter uma avó quando era criança.

— Ah, mas nós ficamos lá por alguns anos. Mamãe queria me dar a chance de terminar a faculdade de arquitetura. Eu estudava à noite, no Instituto de Tecnologia, e trabalhava para a NSW Government Architect durante o dia. Desenhei os banheiros no zoológico de Taronga. Se você algum dia tiver a ocasião de usá-los... — Ele sorriu. — Bem, os banheiros são muito bons lá... — Ele baixou os óculos, e me olhou como se tentasse decidir se devia ou não dizer alguma coisa. — Só para você saber, mamãe implorou a Sarah que nos deixasse conhecê-la; queríamos que fizesse parte da família. Mas Sarah dizia que não. Ela insistia para que não houvesse contato.

— Mas você disse que sua mãe não aceitava ordens de ninguém. Por que dava ouvidos a Sarah?

— Acho que era difícil para ela. Mas ela sabia que íamos nos mudar para cá. Suponho que não achasse justo criar uma reviravolta em sua vida e, depois, ir embora. Mas ela descobriu onde você estudava na pré-escola, e às vezes ia lá e ficava observando-a, à tarde, quando a governanta ia pegá-la. Ela se preocupava com você. Dizia que você parecia uma menininha triste...

— Bem, ela era muito perceptiva — respondi. Minha voz, para o meu embaraço, estava ficando embargada, e eu não conseguia impedir o tremor de meus lábios. Quanta crueldade. Crueldade para com Delilah, que devia tanto querer abraçar a neta, que era tudo que lhe sobrara do filho. E crueldade comigo. Eu seria uma pessoa diferente, se tivesse aquela família.

— Mas por que minha mãe se mantinha em contato, então? Quero dizer, por que elas estavam juntas ontem à noite?

— Questões de propriedade. O patrimônio de Aaron. Ele queria que os direitos por sua arte fossem destinados para criar a Fundação Sharansky.

— Claro — eu disse. Um dos postos de direção de mamãe. Ela tinha grande necessidade dessas posições: corporativas, beneficentes. Ela recebia os cachês de diretora e o prestígio, mas eu sempre achava que não se importava muito com eles. A Fundação Sharansky sempre parecera estranha para ela; seus interesses não eram exatamente compatíveis com os da organização.

— Aaron escreveu um testamento antes da cirurgia, criando a fundação. Nomeou Delilah e Sarah como fiduciárias. Creio que tenha pensado em unir as duas, por esse intermédio.

Outra pessoa chegou, e Jonah se virou para falar com ela. Fiquei olhando para os retratos na estante. Havia poucos, em molduras douradas simples. Havia um retrato de Delilah jovem, vestindo uma saia de organza branca, com gola lantejoulada de prata. Seus olhos eram grandes e escuros, reluzentes de alegria pelo evento para o qual se vestira de forma tão elegante. E havia também um de Aaron, em seu estúdio, sujo de tinta, ponderando sobre a tela à sua frente, como se o fotógrafo nem existisse. Havia fotos da família, de *bar mitzvah*, creio, e talvez de circuncisões... Pessoas bonitas com o braço em volta dos ombros uns dos outros, olhos sorridentes, linguagem do corpo transmitindo a mensagem de que eram felizes por estarem juntos.

Todos foram tão gentis, trazendo-me comida, abraçando-me. Não estou acostumada a ser abraçada. Eu tentava me posicionar como uma pessoa que pertencia àquele cenário, uma pessoa meio russo-judia. Alguém que poderia ter se chamado a vida toda Hanna Sharansky.

A garrafa de vodca estava sobre a mesa, e eu não parava de ir até ela. Perdi a conta de quantas tomei. Bebia uma dose atrás da outra, dando boas-vindas ao amortecimento alcoólico. Todos estavam contando histórias de Delilah; a mulher de Jonah dizia que, quando eles se casaram, o *matzoh* que ela fazia não era tão bom quanto o de sua mãe.

— Eu tentava bater as claras de ovos separadas, misturando tudo devagar com a mão, e fazendo aqueles bolinhos adoráveis, leves, mas não, nunca eram como os de Delilah. Um dia, fiquei irritada e joguei tudo no liquidificador. Pareciam bolinhas de golfe, de tão duros. E o que Jonah disse? "Iguaizinhos aos de mamãe."

Outras histórias assim foram contadas. Delilah não fora uma mãe judia típica, nem avó típica, aliás. O filho de Jonah, um sujeito um pouco mais novo que eu, falou da primeira vez em que seus pais o deixaram sozinho durante o fim de semana, supostamente para ficar com a vovó Delilah.

— Ela abriu a porta para me receber e trouxe dois frangos encomendados de restaurante, embrulhados em papel-alumínio. Colocou-os na minha mão e disse: "Vá para casa e divirta-se com seus amigos. Mas não se meta — e não me meta — em encrenca". Era o sonho de um garoto de catorze anos superprotegido.

Jonah e a mulher esconderam o rosto entre as mãos, fingindo estar horrorizados.

— Se soubéssemos...

Eu disse que tinha que ir embora, não muito tempo depois. Disse que iria ver minha mãe, o que eu não tinha a menor intenção de fazer. Mas precisava sair dali. Estava tonta, em parte por causa da vodca, mas só em parte. Precisaria de mais de uma noite para atualizar trinta anos de falta de informação. Falta de amor.

Quando voltei ao hotel, todos os novos e confusos sentimentos que eu vinha experimentando em relação à minha mãe desde seu acidente se haviam dissolvido no conhecido pequeno nó de raiva que me acompanhava a maior parte de minha vida. Não bastava eu saber que ela já fora uma mulher capaz de amar muito. Sim, claro, ela tinha sofrido. Perdido o amor de sua vida, e carregado um sentimento de culpa por isso. E, sim, eu tampouco fora perfeita. Carente, incapaz de perdoar e uma adolescente infernal. Mas não bastava. Pois, no fim das contas, ela tomara todas as decisões, e eu pagara por elas.

Fui ao banheiro e vomitei, coisa que não acontecia (pelo menos por bebedeira) desde os meus tempos de faculdade. Deitei-me na cama com uma toalha úmida sobre o rosto e tentei não ver o quarto girar. Quando a dor de cabeça começou, resolvi não cancelar minha palestra no Tate, afinal. Que os médicos de mamãe cuidassem dela. Eu sabia que cuidariam. Ela sempre punha o trabalho em primeiro lugar...

E ele também. A voz em minha cabeça era a dela. *Foi ele que escolheu o trabalho, em vez do amor*. Não precisava ter arriscado a vida em uma operação perigosa. Ele já tinha tanto. Uma amante, uma família. Uma filha a caminho. Mas nada daquilo era tão importante para ele quanto seu trabalho.

Tudo bem, então, às favas com os dois. Melhor seria tocar o barco, como eles tinham feito.

Tive uma ressaca brava, o que ninguém quer em um vôo de sete horas de duração. Pelo menos, viajava na classe privilegiada de novo, cortesia do biliardário. Peguei o pedaço de salmão que a comissária de bordo me ofereceu, pensando nos pobres-coitados lá no fundo, comendo frango de papelão e massa de borracha. Mas, mesmo na primeira classe, a comida no avião é uma droga. O salmão defumado estava queimado mesmo; cozido à perfeição, e depois largado sobre a chapa por uma hora e meia. Na verdade, eu só queria água. Enquanto esperava alguém levar a bandeja, peguei o pequeno saleiro de plástico, deixando cair alguns grãos na mão. Depois do acidente de minha mãe, não tinha pensado em voltar ao laboratório de Raz. Como eu não tinha aparecido mais, ele achou que eu ainda estava enfezada.

Ele tinha feito a análise sem mim, como gesto de boa vontade, e deixara uma mensagem, escrita à mão, na recepção do hotel. Abri-a sobre a mesinha coberta pela toalha, à minha frente.

> *Você estava certa. NaCl. Mas do mar, não de rochas. Como eles podem fazer sal* kosher *a 15°C? 16°C? Talvez não seja sal de cozinha. Seriam aventuras marítimas? Teria a ver com as localidades conhecidas, Espanha e Veneza? Desculpe eu ter sido um completo babaca ontem à noite. Diga-me como as coisas estão indo.*
> *Seu colega,*
>
> *Rattus Raz.*

Eu sorri. Típico de Raz. Procurando zebras de novo. E, claro, sua obsessão com navios naufragados o levaria a pensar em acidentes marítimos. Mas eu seguiria o conselho e procuraria lá. Como era o sal *kosher*, afinal? Não tinha idéia. Aquela era outra linha de investigação, outro caminho a seguir. Talvez o gênio no livro me permitisse ter um vislumbre de alguma coisa.

Deixei os grãos brancos deslizarem de minha mão, caindo em uma folha de alface murcha, com cor de ferrugem. Milhares de pés abaixo, as ondas salgadas de um oceano invisível arfavam e se batiam, no escuro.

Água salgada

Tarragona, 1492

A palavra de YHVH é refinada
Como a prata e o ouro são refinados.
Quando tais letras vida ganharam, eram todas refinadas,
Entalhadas com precisão, cintilantes, reluzentes,
Israel todo viu as letras
Voando pelo espaço em todas as direções,
Incrustando-se nas tábuas de pedra.

— O Zohar

DAVID BEN SHOUSHAN não era um homem rude; apenas sua mente divagava por planos mais altos. Sua esposa, Miriam, vivia criticando-o por isso, por passar diante da irmã dela na praça do mercado sem um único aceno na forma de um cumprimento, ou por não ouvir quando os vendedores de cavala anunciavam os peixes pela metade do preço costumeiro.

Assim, ele nunca pôde explicar por que notou o jovem. Diferente dos outros mendigos e vendedores ambulantes, este não gritava, mas permanecia sentado, com os olhos vasculhando o rosto dos transeuntes. Talvez fosse essa placidez que atraíra a atenção de Ben Shoushan. Em meio a todo o clamor e à balbúrdia, ele era o único que estava quieto, centrado. Por outro lado, talvez não fosse nada disso. Talvez tivesse sido meramente um raio da frágil luz do sol de inverno refletindo sobre o ouro.

O jovem se acomodara em um pequeno território na beira do mercado, cercado pela muralha da cidade. Naquela época do ano, era um local úmido, com muito vento; um lugar ruim para atrair fregueses, motivo pelo qual os mercadores locais o haviam deixado para os ambulantes itinerantes ou para os foragidos de guerra de Andaluzia, que vagavam pela cidade. As guerras no sul tinham deixado muitos a vagar. Quando chegavam, o pouco que tinham de valor já havia sido vendido. A maioria dos refugiados que encontrava lugar às margens do mercado tentava vender objetos sem valor, casacos e sobretudos puídos ou alguns utensílios domésticos de segunda mão. Mas o jovem tinha um pedaço de couro desenrolado à sua frente, e, nele, brilhante e atraente, havia uma coleção de pequenos pergaminhos pintados.

Ben Shoushan parou e se espremeu entre a multidão para ver melhor. Ele se agachou, pressionando os dedos contra o barro frio para se equilibrar. Era o que ele pensava; e as imagens eram deslumbrantes. Ben Shoushan já vira iluminuras nos livros de orações dos cristãos, mas nenhuma como aquelas. Ele se curvou e olhou, incapaz de acreditar nos próprios olhos. Alguma pessoa bem familiarizada com o Midrashe devia tê-las feito ou instruído o artista. Ben Shoushan, então, teve uma idéia que o agradou imensamente.

— Quem fez isso? — ele perguntou. O rapaz o fitou, e seus olhos castanhos, brilhantes, refletiam incompreensão. Supondo que ele não tinha entendido, Ben Shoushan repetiu a pergunta em árabe, e depois em hebraico. Mas o olhar vago não se alterou.

— Ele é surdo-mudo — disse um camponês de um braço só, que vendia uma bacia para massa de pão, cheia de remendos, e um par de colheres de madeira. — Eu deparei com ele e seu escravo negro na estrada. — Ben Shoushan olhou mais atentamente para o jovem. Suas roupas, embora marcadas pelas viagens, eram muito finas.

— Quem é ele?

O homem sacudiu os ombros.

— O escravo me contou uma história fantástica; disse que ele é filho de um médico que serviu ao último emir. Mas você sabe como são os escravos; gostam de inventar histórias, não é?

— O rapaz é judeu?

— Ele é circuncidado; portanto, não é cristão, e não parece mouro.

— Onde está o escravo dele? Eu gostaria de saber mais a respeito dessas imagens.

— Fugiu uma noite destas, não muito depois de chegarmos à costa em Alicante. Sem dúvida, tentará chegar à sua terra natal, Ifriqiya. Minha esposa gostou do garoto; ele é uma alma gentil e não causa nenhum problema a ela. Mas, quando chegamos aqui, eu lhe dei a entender que ele teria de vender algo para pagar por sua permanência. Aquelas gravuras são tudo que ele tem. É ouro verdadeiro. Você quer uma?

— Eu quero todas — disse Ben Shoushan.

Miriam jogou a carne com tanta força contra o pão que a fatia de David se partiu, deixando escorrer um pouco de sumo sobre a mesa.

— Olhe o que você fez, homem imundo!

— Miriam...

Ele sabia que a fonte de sua zanga não era o pão partido. Sua filha, Ruti, já estava limpando a sujeira. David viu a menina curvar os ombros enquanto sua esposa continuava com os queixumes. Ruti detestava vozes alteradas. Pardal, ele a chamava, pois ela parecia um passarinho nervoso. Como o pardal, ela parecia uma coisa pequena e marrom, com olhos de uma tonalidade parda e uma compleição da cor do barro, que cheirava mal de tanto cuidar das chaleiras onde ele fervia bugalhos, resinas e vitríolo de cobre para fazer suas tintas. Pobre Pardal, ele pensou. Gentil, disposta a trabalhar, com quinze anos de idade, podia estar casada com algum jovem mancebo e viver longe da língua ferina de sua mãe. Mas Ruti não tinha fortuna nem um rosto bonito. E das famílias que seguiam a Torá e que não davam tanto valor a tais coisas, ela era excluída por causa da má conduta de seu irmão.

Miriam, dura como uma sela velha, não tinha a menor paciência com a timidez da garota. Ela sacudiu a menina com força, e tirou a escova de suas mãos, esfregando a mesa com um vigor exagerado.

— Você sabe melhor do que eu — ela disse — que tem pouquíssimas encomendas, mas mesmo assim gasta a renda de dois meses em gravuras! E Rachela disse que nem barganhou com o menino!

David tentou afogar seus pensamentos inamistosos em torno de Rachela, que parecia sempre saber da vida de todos na Kahal, em seus mínimos detalhes.

— Miriam...

— Como se já não tivéssemos tantas despesas chegando, com o casamento de seu sobrinho!

— Miriam — David disse, erguendo a voz de uma maneira nada costumeira para ele. — As gravuras são *para* o casamento. Você sabe que estou fazendo um *haggada shel Pesach* para o filho de Joseph e sua noiva. Não vê? Eu posso pegar os cadernos com essas gravuras e costurar no livro, e assim lhes daremos um presente com substância.

Miriam comprimiu os lábios. Ela empurrou um cacho de seus cabelos para baixo da touca.

— Bem, nesse caso... — Miriam preferiria engolir fel a ter de admitir que estava errada, mas aquela informação era tão reconfortante quanto se ele tirasse do pé uma bota apertada. Ela andava preocupada com o presente de casamento. Não poderiam comparecer ao casamento do filho mais velho de Dom Joseph e a filha da família Sanz com quinquilharias. Ela temia que uma Hagadá simples feita por David parecesse um presente muito barato a tão grandiosas famílias. Mas aquelas gravuras, com ouro e lápis-lazúli e malaquita, ela tinha que admitir, tinham qualidade.

David Ben Shoushan não ligava para o dinheiro e menos ainda para posição; o fato de ele ser o homem mais pobre em toda a família Ben Shoushan não o perturbava nem um pouco. Mas ele se importava, e muito, com a paz em sua casa. Ver que tinha agradado sua esposa refratária era um alívio. A idéia daquelas gravuras também agradara a ele. Uma década atrás, ele teria hesitado quanto à propriedade de imagens, mesmo religiosas, como aquelas. Mas seu irmão era cortesão: realizava banquetes, apreciava música e — embora David jamais dissesse isso a ele — mal se distinguia de um gentio. Por que seu filho não poderia ter um livro que fosse da estirpe de um livro de salmos cristão? O grande rabino Duran, afinal, insistira em ensinar seus estudantes somente com livros belos. Estes, dizia o rabino, fortaleciam a alma. "Uma das virtudes de nossa nação é que os ricos e importantes em todas as gerações tentaram produzir belos manuscritos", ele dizia.

Bem, ele não era rico nem importante, mas, com a ajuda do Todo-poderoso, aquelas finas gravuras lhe haviam caído nas mãos — mãos que eram agraciadas com o dom de produzir escrita harmoniosa. Queria que o livro por ele confeccionado fosse uma glória. A maior parte do tempo, achava difícil explicar à sua esposa que seu trabalho como *sofer* o deixava rico, apesar dos poucos maravedis* que o ofício lhe rendia. Mas, quando olhava para Miriam, sorrindo discretamente enquanto limpava a mesa, ele se sentiu feliz por, ao menos uma vez, ela o ter compreendido.

Ele estava trabalhando ainda quando os primeiros raios de sol anunciavam a manhã, dispensando Miriam com um aceno quando ela veio lhe oferecer o desjejum. A casa deles, como a maioria na Kahal,

* *Maravedi*: pequena moeda de ouro, cunhada durante a dinastia dos almorávidas, e usada na Espanha e em Portugal. (N. do T.)

era uma moradia pequena e inclinada, só com dois cômodos, um sobre o outro; por isso Ben Shoushan tinha que trabalhar fora de casa, mesmo no inverno. Era um espaço de no máximo dez passos entre a porta da rua e a casa, abarrotado de barris de peles embebidas em cal, e outras estendidas sobre armações, esperando os poucos raios de sol que as secariam lentamente. Algumas peles ainda estavam grossas de gordura e com os vasos sanguíneos, aguardando a cautelosa limpeza de sua lâmina recurvada. Mas ele tinha uma pequena pilha de peles secas, as quais manuseava com cuidado, procurando entre elas uma de carneiro montanhês, que combinasse com os pergaminhos das iluminuras. Após escolher as peles perfeitas, ele pôs Ruti para trabalhar, suavizando-as com pedra-pomes e giz. Ele lavou as mãos na água gelada da fonte no pátio, e se sentou pesadamente diante de sua *scriptionale*, pautando com seu estilo de osso as páginas preparadas. As letras pareceriam flutuar sobre aquelas linhas. Quando acabou de pautar as páginas, ele esfregou as mãos frias no rosto.

— *Leshem ketivah haggadah shel Pesach* — ele sussurrou. Em seguida, pegou a pena de peru e a mergulhou na tinta.

הא לחמא עניא

Ha Lachma a n'ya... Este é o pão dos aflitos...

As letras incandescentes pareciam queimar o pergaminho.

... que nossos antepassados comeram na terra do Egito. Quem tiver fome, que entre e coma...

Ben Shoushan sentiu o estômago roncar, reclamando a falta do desjejum.

Que os necessitados entrem e celebrem.

Havia muitos necessitados aquele ano, por causas dos impostos exigidos pelo rei e pela rainha para financiar suas intermináveis guerras no sul. Ben Shoushan tentou frear seus pensamentos desordenados. Um *sofer* só podia ocupar sua mente com as letras sagradas. Não podia se distrair com coisas do dia-a-dia. *Leshem ketivah haggadah shel Pesach*, ele sussurrou para si mesmo, tentando aquietar a mente. A mão formou a letra *shin* — a letra da razão. Qual seria a razão para aquela constante luta contra os mouros? Os muçulmanos, judeus e cristãos não partilharam dessas terras — em *convivência* — por centenas de anos? Como era o ditado? Os cristãos levantam os exércitos, os muçulmanos levantam os edifícios, os judeus levantam o dinheiro.

Este ano aqui, o próximo ano na terra de Israel.

Este ano aqui, graças a Dom Seneor e Dom Abravanel, que seus nomes fossem inscritos para uma bênção, pois ofuscaram os olhos de Ferdinando com ouro, e lhe taparam os ouvidos aos detestáveis murmúrios dos invejosos burgueses.

Este ano, escravos...

Ben Shoushan pensou no escravo que havia trabalhado para o rapaz mudo. Como ele gostaria de falar com ele, descobrir algo a respeito da história daquelas maravilhosas gravuras. A mão do *sofer* se movia do frasco de tinta para o pergaminho, enquanto sua imaginação conjurava uma figura negra e esbelta, caminhando com um cajado por uma estrada empoeirada e amarela, na direção de um agrupamento de casas de tijolos de barro onde uma família o aguardava, já tendo imaginado-o morto. Bem, provavelmente ele *estava* morto agora, ou acorrentado a um remo de uma galé, com as costas ensangüentadas.

E assim ele passou o dia, até a noite chegar, lutando contra as distrações de sua mente ocupada, colocando letra após letra, com todo o esmero. Ao chegar o crepúsculo, ele pediu à sua Pardal que lhe trouxesse uma túnica limpa, e caminhou até o *mikva*, esperando que, por meio da imersão ritual, conseguisse se limpar do clamor cotidiano e direcionar a mente para a total atenção de seu trabalho sagrado. Voltando ao trabalho, e recomposto, ele pediu a Pardal que abastecesse uma lamparina porque iria trabalhar à noite. Quando Miriam sentiu o cheiro forte do pavio aceso, ela voou para fora da casa, como uma vespa, repreendendo o marido por causa do preço do óleo. Mas David lhe retrucou com uma aspereza incomum, e ela se retirou, resmungando.

Foi no silêncio das primeiras horas, quando as estrelas brilhavam no céu negro, que aconteceu. Seu jejum, o frio, a luz forte da lâmpada: de repente, as letras se levantaram e giraram em um glorioso redemoinho. A mão de David voava sobre o pergaminho. Cada uma das letras flamejava. Cada caractere se elevava e dançava, rodopiando no espaço. E então as letras se fundiram em um grande fogo, do qual emergiram apenas quatro delas, chamejantes com a glória do nome santo do Todo-poderoso. Seu poder e candura eram demais para Ben Shoushan, e ele desmaiou.

Quando Ruti o encontrou pela manhã, ele estava caído, inconsciente, sob a *scriptionale*. Uma leve geada cobria-lhe a barba, embranquecendo-a. Mas sua escrita, cada letra e palavra perfeitas, cobriam mais páginas do que um *sofer* era capaz de fazer em uma semana de trabalho constante.

Ruti o convenceu a ir para a cama, naquela manhã; mas, à tarde, ele insistiu em se levantar e voltar ao trabalho. Sua mão já era novamente a mão de um *sofer* comum, e sua mente era o costumeiro emaranhado de pensamentos mundanos; o coração, porém, fora tocado pela glória mística da noite. O sentimento permaneceu no dia seguinte, e o texto progredia, com firmeza e constância.

No quarto dia, quando o trabalho que normalmente levaria semanas estava quase completo, Ben Shoushan ouviu uma leva batida na porta externa. Ele resmungou, exasperado. Ruti, deslizando em seu andar de pássaro em meio ao pátio entulhado, puxou a tranca e abriu a porta. Quando reconheceu a mulher, Ruti se aprumou, levando as mãos até o lenço na cabeça, para arrumá-lo. Com os olhos arregalados e assustados, ela se virou para o pai.

Enquanto a mulher atravessava o limiar da porta externa, Ben Shoushan largou a pena, indignado. Como se atrevia, aquela cujo nome ele não mencionava, vir à sua casa? A raiva lhe revirava o estômago como ácido, provocando uma dor aguda em suas entranhas. Ruti, alarmada ao ver a expressão no rosto do pai, se afastou silenciosamente da porta da rua, voltando em direção à casa.

A mulher estava falando com aquela costumeira voz melosa, de meretriz.

— Os lábios da mulher adúltera destilam favos de mel, mas seu fim é amargo como absinto.*

— Aquelas tinham sido as últimas palavras que ele havia dito ao filho — seu filho! Seu Kadish, a pupila de seus olhos e a raiz de seu coração! — antes de ele sair por aquela mesma porta e ir até a pia batismal, para depois, ao altar. David Ben Shoushan rasgara o casaco, naquele dia. Dois anos haviam-se passado, e, mesmo assim, para onde quer que olhasse, a lembrança do filho ainda estava lá, viva e ardente. E agora *ela* estava ali, a causa de seu coração partido, pronunciando um nome que não era mais dito naquela casa.

— Eu não tenho filho! — ele gritou, dando-lhe as costas e seguindo Ruti até a porta interna.

Após dois passos, contudo, ele se deteve. O que ela dissera?

— O aguazil veio com o oficial de justiça no meio da noite. Ele resistiu, e eles lhe bateram. Ele gritou, e então lhe colocaram uma mordaça de metal. Um o segurou enquanto o outro virou os parafusos até abrir sua boca a ponto de eu pensar que os maxilares iam quebrar. — Ela estava chorando agora. David percebia isso porque a voz da mulher já não soava mais melosa, e sim embargada. Ele ainda não conseguia olhar para ela. — Levaram-no à Casa Santa. Eu os segui, implorando que me dissessem do que o acusavam, querendo saber quem o acusava, mas eles se voltaram para mim, e disseram que eu era culpada de poluir o sangue cristão, por estar grávida de um herege marrano. Sou covarde; por isso, fugi, corri. Não suporto a idéia de ter um filho nos calabouços da Inquisição. Recorro ao senhor porque não sei para onde ir. Meu pai não tem dinheiro para o resgate. — A voz de mel, novamente, quando ela disse aquela mentira, parecia tão fina e aguda quanto de uma criança.

David Ben Shoushan olhou para a mulher, finalmente, e viu seu ventre protuberante. Faltava pouco. O sentimento misto de amor e

---

* Provérbios 5, 3-4. (N. do T.)

perda que o afligia naquele momento parecia derreter-lhe o tutano nos ossos. Um neto, que não seria judeu. Atordoado, como se tivesse bebido vinho em excesso, ele atravessou o pequeno pátio em direção à pesada porta de madeira e a fechou, diante do rosto marcado de lágrimas da mulher.

O rapaz falava com dificuldade. Quando tiraram a mordaça e puxaram o artefato de metal de sua boca, quatro dentes quebrados saíram junto. Seus lábios estavam partidos nos cantos, e quando ele os abriu para falar o sangue escorreu pelo queixo e manchou seu camisolão. Ele tentou levantar a mão para limpar a boca, mas as algemas o impediam.

— Como posso confessar, padre, se o senhor não me diz do que estou sendo acusado?

Eles o haviam trazido em suas vestimentas de dormir, e ele estava tremendo. A sala dentro da Casa Santa não tinha janelas; suas paredes estavam cobertas de tecido preto. A única luz vinha das seis velas colocadas a cada lado de uma imagem de Cristo crucificado. A mesa também estava forrada de preto.

O rosto do Inquisidor ficava invisível por dentro do capuz. Apenas as suas mãos pálidas, cujos dedos apoiavam o queixo, também invisível, eram discerníveis à luz das velas.

— Reuben Ben Shoushan...

— Renato, padre. Eu fui batizado como Renato. Meu nome é Renato del Salvador.

— Reuben Ben Shoushan — repetiu o padre, como se não o tivesse ouvido. — Seria melhor você confessar agora, por sua alma imortal, e... — Ele fez uma longa pausa, enquanto seus dedos tamborilavam discretamente. — E por seu corpo mortal. Pois, se não declarar seus pecados espontaneamente a mim, certamente o fará na sala do relaxamento.

Renato sentiu como se suas entranhas fossem derreter. Ele apertou com força as mãos algemadas contra a barriga. Engoliu, mas não tinha saliva na boca. Sua voz soara rouca.

— Eu não sei o que vocês imaginam que eu tenha feito!

No canto da sala, um escriba agitava sua pena, anotando tudo que Renato dizia. O som o fazia se lembrar de sua casa, do pátio da Kahal e do som de seu pai ajeitando o pergaminho. Mas seu pai só escrevia palavras de alegria. Não como aquele homem, cujo trabalho era registrar cada apelo desesperado, cada gemido e grito emitidos pelo acusado.

Um suspiro exagerado veio do fundo do capuz.

— Por que faz isso consigo mesmo? Admita, e se reconcilie. Muitos assim o fizeram, e foram embora livres. É melhor, sem dúvida, usar o San Benito do penitente por uma ou duas temporadas a perder a vida na fogueira!

Renato gemeu. Ele podia sentir o odor da fumaça acre do último auto-de-fé. Era um dia úmido, e o fedor da fogueira pairava no ar sobre a cidade. Seis haviam sido queimados. Três, confessando heresia no último momento, foram estrangulados antes que começassem as chamas. Ou outros, queimados vivos, tinham soltado gritos que ainda assombravam seus sonhos.

Outro suspiro exagerado, do fundo do capuz. As mãos brancas se agitaram. Um terceiro homem, alto, com a cabeça coberta por uma máscara de couro, se adiantou dentre as sombras.

— Água — disse o padre, e a cabeça mascarada assentiu. O padre se levantou e saiu da sala. O homem enorme tocou em Renato e, rudemente, lhe arrancou as roupas. Reuben Ben Shoushan passara a adolescência estudando, curvado sobre a *scriptionale*, treinando para seguir a profissão do pai. Mas nos últimos dois anos, desde que se tornara Renato, vinha trabalhando ao ar livre todos os dias, empenhado em dura atividade física nas plantações ou na prensa de oliva do pai de Rosa. Ele nunca seria um homem grande, mas seus braços eram fortes agora, musculosos e bronzeados de sol. Entretanto, nu como estava no momento, com aquele homenzarrão pairando sobre ele, sentia-se vulnerável. Seus ombros estavam machucados pelas pancadas do aguazil.

O guarda o empurrou para a frente, com força, e eles saíram da sala negra, descendo os degraus em direção à sala de relaxamento. Quando Renato viu a escada curvada sobre a grande tina de pedra, os grilhões ainda ensangüentados desde as contorções do último prisioneiro, os pinos de madeira que seriam fincados em suas narinas, ele não conseguiu mais segurar o esfíncter. Um fedor terrível tomou conta da câmara.

David Ben Shoushan se vestiu com esmero. Colocou a túnica menos usada e arrumou o *garde-corps* de modo que o longo capuz caísse elegantemente sobre os dois ombros. Ruti enxugava as lágrimas, enquanto tentava remendar um pequeno buraco no único par de meias longas do pai.

— Dê-me isso, garota estúpida — disse Miriam, arrancando a costura das mãos da menina. As mãos de Ruti, ásperas pelo trabalho com as peles, não eram tão hábeis para trabalho delicado quanto as de sua mãe. Rapidamente, Miriam uniu os dois pedaços de tecido com pontos tão pequenos que mal se viam. — Precisamos nos apressar aqui! — ela disse, jogando a meia para o marido. — Quem sabe o que eles farão com meu menino!

— Você não tem um menino! — disse David, frio. — Não se esqueça disso. Nós estivemos no *shivah* de nosso filho. Vou fazer o que for possível por um estranho que sofreu um grave infortúnio.

— Diga a si próprio o que dê paz, seu tolo! — respondeu Miriam. — Mas pare de procrastinar e ande logo, eu lhe rogo!

David caminhou pelos becos estreitos até a casa de seu irmão, sentindo um gosto amargo que vinha do estômago para a garganta. Jamais sentira o peso da pobreza como agora. Todo judeu, e todo *convertido*, sabia que a Inquisição tinha tanto interesse em encher as bolsas da realeza quanto em purificar a igreja espanhola. Pagando uma fiança estrondosa, a maioria dos prisioneiros conseguia andar de volta para casa — ou mancar, ou ser carregado numa liteira, dependendo de quanto tempo ficara detido —, deixando para trás a Casa Santa. Mas será que Joseph estaria disposto a gastar tamanha quantia por um sobrinho apóstata, cujo próprio pai o declarara morto?

David estava tão absorto em sua vergonha e tristeza que, ao chegar diante dos portões da casa do irmão, mal percebeu, a princípio, a comoção no interior. Joseph, que se orgulhava de seu refinamento, geralmente mantinha sua casa em ordem e tranqüilidade, os serviçais discretos e comedidos. Mas hoje o som de vozes excitadas tomava conta do pátio. David tentou se lembrar se aquela era alguma data importante — o casamento só seria no mês seguinte. Aquela agitação, portanto, não podia ser preparação para a celebração. O porteiro o reconheceu e o deixou entrar. Ele viu o melhor cavalo do irmão sendo trazido do estábulo, e os cavalos dos guardas e servos também sendo preparados para uma viagem.

O próprio Joseph saiu da casa naquele momento, vestido para tomar a estrada, envolvido em alguma conversa profunda com um homem de ar cansado, e com muitas viagens nas costas. Em um instante, David reconheceu o viajante: era o secretário de Dom Isaac Abravanel. A princípio, Joseph estava tão absorto na conversa que não notou o irmão, de pé, em meio aos servos ocupados. Mas, de repente, seu olhar se voltou para a figura meio curvada, quieta, e seu rosto se suavizou. Joseph Ben Shoushan amava e reverenciava seu devoto irmão caçula, embora sua importância relativa no mundo tivesse criado uma barreira entre os dois. O homem mais velho estendeu a mão ao mais jovem e o puxou para um abraço apertado.

— Irmão! O que o traz aqui, com essa expressão de quem parece vir de um funeral?

David Ben Shoushan, tendo ensaiado o pedido por todo o caminho até a vila, de repente sentiu que tinha a língua presa. Era óbvio que seu irmão estava preocupado com alguma premente questão pessoal, chegando até a franzir a testa, tenso.

— É o meu... é uma pessoa que caiu em... Isto é, que sofreu um infortúnio — ele gaguejou.

Um sinal de impaciência, logo sufocado, transpareceu no rosto de Joseph.

— Os infortúnios nos assolam de todos os lados! — ele exclamou. — Mas venha, estou indo pegar um pouco de pão antes de minha viagem. Venha fazer uma refeição apressada comigo e diga-me como eu posso ajudá-lo.

David refletiu que a "refeição apressada" de seu irmão pareceria um banquete em sua parca mesa. A carne era fresca, não salgada, e servida com frutas, difíceis de encontrar no inverno, acompanhadas de delicados doces. David não conseguia comer nada.

Quando David se abriu para o irmão, Joseph balançou a cabeça e suspirou.

— Em qualquer outra ocasião, eu pagaria o resgate desse jovem. Mas seu destino lhe recai em um dia maligno. Hoje, creio que devemos pensar primeiro nos judeus — perdoe-me, irmão — e deixar que aqueles que abandonaram nossa religião enfrentem as conseqüências de sua escolha. Estou partindo agora, com grande pressa, para Granada, com todos os cruzados que puder acumular. O secretário de Dom Abravanel aqui — ele acenou com a cabeça para o cavalheiro, que estava quase caído, exausto, sobre as almofadas — veio procurar-me com as notícias mais graves possíveis. O rei e a rainha estão preparando uma ordem de expulsão...

David engoliu em seco.

— Sim, como nós temíamos. Eles consideraram a capitulação de Granada como sinal da vontade divina de que a Espanha seja um país cristão. A intenção deles, portanto, é agradecer a Deus por sua vitória, declarando a Espanha uma terra onde nenhum judeu poderá permanecer. A escolha é nos convertermos ou partirmos. Criaram esse plano em segredo, mas a rainha o revelou confidencialmente ao velho amigo dela, Dom Seneor.

— Mas como o rei e a rainha podem cometer um ato desses? Foi o dinheiro dos judeus, ou pelos menos a angariação dele, que lhes garantiu a vitória contra os mouros!

— Tiraram-nos o leite, meu irmão. E agora, como uma vaca ordenhada seca, nós seremos mandados para o matadouro. Dom Seneor e Dom Abravanel estão preparando uma última oferta — suborno, para sermos francos — para ver se conseguem alguma coisa. Mas eles não têm muita esperança. — Joseph apontou, com a coxa de carneiro, para o homem exausto no canto. — Diga ao meu irmão o que a rainha disse a Dom Isaac.

O homem passou a mão no rosto antes.

— Meu mestre disse à rainha que a história de nosso povo mostra que Deus destrói aqueles que pretendem destruir os judeus. Ela replicou que essa decisão contra nós não vinha dela nem de seu marido. "O Senhor imbuiu essa ordem no coração do rei", foi o que ela disse. "O coração do rei está nas mãos do Senhor, assim como os cursos d'água. É o Senhor que lhe dirige o coração para onde ele quer."

— O rei, por sua vez — interrompeu Joseph —, coloca toda a culpa disso na rainha. Mas aquelas pessoas mais próximas do casal real sabem que o timbre das palavras da rainha reflete a posição de seu confessor, que seu nome seja amaldiçoado.

— O que você poderia lhes oferecer mais do que já lhes demos no passado?

— Trezentos mil ducados.

David cobriu o rosto com as mãos.

— Sim, eu sei. É uma quantia estonteante. Mais que o resgate de um rei; o resgate de um povo. Mas que escolha nós temos? — Joseph Ben Shoushan se levantou, e ofereceu a mão ao irmão. — Você entende por que não tenho nada para você hoje?

David assentiu. Juntos, os dois caminharam de volta até o pátio agitado. Os cavaleiros e servos armados já estavam montados. David acompanhou o irmão até o cavalo. Joseph montou, curvou-se da sela e sussurrou no ouvido do irmão:

— Não preciso lhe dizer, claro, para não mencionar a ninguém a nossa conversa. Haverá pânico quando a notícia se espalhar. Não há necessidade de pranto e lágrimas se formos capazes de recuperar as graças do casal real. — O cavalo, preparado e inquieto, mexeu as patas, ansioso para partir. Joseph segurou as rédeas e, depois, apertou a mão do irmão. — Sinto muito por seu filho.

— Eu não tenho filho — David respondeu, mas suas palavras saíram-lhe dos lábios como um hesitante sussurro, perdido no tropel de ferro sobre pedra enquanto o grupo atravessava rapidamente o portão.

Por quatro dias, o estado de Renato se alternava entre consciência e inconsciência. Ele acordou com o rosto rente ao piso de pedra, forrado de palha molhada de urina e fezes de rato. Ao tossir, expeliu coágulos de sangue, mas também longos fios de tecido limpo, que se desfaziam em seus dedos. Parecia que suas entranhas estavam se liquefazendo, como se seu corpo se desmanchasse de dentro para fora. Ele estava com sede, mas a princípio não alcançava o pote com água. Depois, quando conseguiu agarrá-lo com as mãos trêmulas e despejar um pouco na boca, a dor de engolir o fez desmaiar de novo. Em seus sonhos, ele estava novamente amarrado na escada inclinada, a água jorrando em sua boca, e ele engolia sem querer, o que forçava o estreito pedaço de linho cada vez mais fundo em suas entranhas.

Renato não sabia que tamanha dor era possível. Em silêncio, pois era impossível falar, ele rezava, pedindo para morrer. Mas suas preces não foram atendidas, pois, quando acordou, ainda estava deitado lá, vendo os olhos vermelhos dos ratos fitando-o no escuro. No quinto dia, ele ficou mais acordado que inconsciente; e, no sexto, conseguia se arrastar para uma posição sentada, recostando-se na parede. Só o que tinha a fazer agora era esperar, e se lembrar.

Depois do quinto dia de água, quando o pano já estava bem no fundo de sua garganta, o Inquisidor tinha voltado ao lugar de relaxamento. Eles haviam estendido a escada, enquanto ele engasgava e se contorcia de dor. E então Renato viu, por fim, a evidência contra ele, e sabia finalmente o que teria que confessar. Entre dois dedos, o padre segurava uma longa tira de couro marrom, uma pequena caixa quadrada. Dentro da caixa estava a palavra de Deus, inscrita na letra impecável de seu pai.

— Vocês, falsos convertidos, são um veneno, corroendo o coração da igreja — o padre disse. — Rezam suas orações imundas em segredo e, depois, poluem nossa igreja com sua presença mentirosa entre nós.

Renato não podia responder, fosse para confessar ou repudiar as acusações. Falar com um tecido enfiado até a garganta não era possível. O padre permaneceu lá enquanto eles revertiam a escada, jogavam mais água e, por fim, com uma força súbita, chocante, puxavam o pano, que havia penetrado em seu abdômen. Renato sentiu como se todas as entranhas estivessem sendo arrancadas garganta acima. Ele desmaiou e, quando acordou, estava sozinho na cela.

Shin. Fe. Kaf.
Faze jorrar a tua ira sobre as nações que não te conhecem...

Sem saber o que mais podia fazer, David Ben Shoushan retornara à sua *scriptionale* e voltara a trabalhar no Shefoch Hamatcha, perto da conclusão da Hagadá. Sua mente, porém, estava como os barris de tinta, fervendo em um borbulhar venenoso. As mãos tremiam, e suas letras não eram bem desenhadas. Ele ouvia, dentro da casa, Miriam extravasando sua ira em torrentes de palavras abusivas contra o nome de seu irmão, e gritando com a pobre Pardal, que devia estar tentando consolar a mãe. Ele nada tinha dito sobre a grande missão de Joseph, ou do destino que os ameaçava. Seus pensamentos giravam em torno de Reuben na casa de opressão, passavam para a amarga situação deles mesmos, assolados por inimigos, e culminavam na pobre Pardal. *Levanta-te, meu amor, e vai.* Ele tinha que encontrar um marido para ela, e logo. Se eles seguissem a estrada incerta para o exílio, ela precisaria de mais proteção do que ele poderia lhe dar. Ele pensava na lista dos possíveis candidatos. Avram, o *mohel,* tinha um filho da idade certa. O rapaz gaguejava e era estrábico, mas tinha um bom caráter. Mas Avram não deixaria de notar a mácula que Ruti carregava por ser irmã de um convertido. Moise, o *shochet*, era um homem forte com filhos fortes, que seriam melhores protetores, mas os jovens eram impertinentes e tinham um mau temperamento; e, além disso, Moise gostava de dinheiro, o que David não teria para oferecer.

Jamais ocorreu a David consultar Ruti nessa questão, ou em qualquer outra questão. Se o fizesse, teria se surpreendido muito com o resultado. Ele não percebia, mas seu amor pela filha andava de mãos dadas com uma espécie de desprezo por ela. Ele via a filha como uma alma de bom coração, prestimosa, mas dona de uma personalidade vaga e lastimável. David, como muita gente, cometia o erro de confundir "humildade" com "fraqueza".

Ruti, entretanto, tinha uma vida secreta que o pai não podia sequer conceber. Por mais de três anos, ela vivera imersa no estudo do Zohar, o Livro do Esplendor. Sozinha, em segredo, ela se tornara uma praticante da cabala. Tais estudos eram proibidos para ela, tanto pela idade quanto por ser mulher. Os homens judeus deviam ter ao menos quarenta anos para se aproximar do perigoso reino do misticismo. As mulheres jamais tinham a permissão de tentar. Mas a família de Ben Shoushan gerara cabalistas famosos, e, desde sua infância, Ruti sabia a respeito do poder e da importância do Zohar na vida espiritual de seu pai. Quando o pequeno grupo de estudiosos de confiança do pai se reunia na casa para estudar, Ruti se esforçava para escutar quando eles discutiam o texto difícil, mantendo-se acordada, mas fingindo dormir.

Se a alma de Ruti tinha uma vida secreta, seu delicado corpo também tinha. Ela não podia estudar com os livros do pai, ele jamais lhe permitiria tal coisa. Mas a jovem tinha visto os volumes necessários na encadernadora, quando levara o trabalho do pai. Micha, o encadernador, era um jovem amadurecido precocemente, com o queixo pálido e cabelos esparsos, os quais ele puxava, nervoso, sempre que sua esposa entrava em sua oficina. Ela era frágil e de aparência insípida, invariavelmente doente, exausta após ter tido tantos filhos, vários dos quais pareciam sempre correr atrás dela, chorando.

Ruti se lembrava do modo diferente como o encadernador a olhou quando ela lhe disse o que queria. A princípio, disse-me que o pai tinha pedido os livros emprestados, mas Micha logo percebeu a mentira; todo mundo na Kahal sabia que David Ben Shoushan, embora pobre, possuía uma biblioteca notável. Ele sabia o que ela pretendia, e sabia o peso do tabu que a jovem estava quebrando. Se ela estava tão disposta a desobedecer a regras como aquelas, talvez houvesse outras áreas de transgressão às quais poderia ser tentada. Em troca pelo uso dos livros, ele, então, se deitou com a menina sobre os pedaços de pele macia caídos de sua bancada de trabalho. Ela, por sua vez, inalava os cheiros fortes de couro fino, enquanto as mãos do encadernador, habilidosas no manuseio de carne, tocavam seus lugares íntimos. Quando concordou pela primeira vez com a transação, ela tinha ficado apavorada. Tremeu quando ele levantou a lã marrom, áspera, de seu avental e abriu-lhe as coxas. Mas o toque do rapaz era sutil, e não tardou até ela sentir gosto por ele, abrindo-se para um prazer que ela nem sequer imaginava existir. Quando ele pôs a língua entre suas pernas e a lambeu como um gato, Ruti entrou em um êxtase físico semelhante ao êxtase espiritual que ela sentira nas raras noites em sua caverna, quando as letras se elevavam, e ganhavam as alturas.

Ela passou achar correto que, de alguma maneira, os dois tipos de êxtase estivessem ligados: que sua feminilidade, que a deveria ter impedido de se dedicar a tais estudos, na verdade haviam facilitado as coisas para ela; a entrega de seu corpo, agora disposto ao ato, oferecendo o meio para adquirir o deleite da alma. Como ela conhecia o poder do desejo e os prazeres do corpo, havia encontrado um modo de compreender, ainda que não de perdoar, a traição de seu irmão à sua família e sua religião. Ela sentia que, se o pai tivesse sido menos exigente e menos rígido, se tivesse iniciado Reuben mais cedo nos mistérios e nas belezas do Zohar, seu irmão não teria caído — não poderia cair — na sedução de outra fé religiosa.

Mas Reuben fora criado de acordo com a lei. Todos os dias, ele se curvava diante da *scriptionale*, fazendo apenas o trabalho de rotina, sob a crítica constante do pai. Ela ainda ouvia a voz do pai, sempre calma, nunca alterada, apontando defeitos:

— O espaço no meio da letra *beit* deve ser exatamente igual à largura da linha em cima e da linha embaixo. Aqui, nesta linha, está vendo? Você a fez estreita demais. Anule-a e refaça a página. Reuben, você já devia saber que o canto inferior esquerdo da letra *tet* é quadrado, o direito, arredondado. Você inverteu aqui, está vendo? Refaça a página.

Refaça, refaça, refaça.

Seu pai nunca abrira para Reuben a porta da glória que se espiralava na tinta escura. Quanto a ela, sentia a mente se inflamar da glória. Qualquer letra minúscula era um poema, uma oração, um portal para o esplendor de Deus. E toda letra é o seu próprio caminho, seu próprio mistério especial. Por que seu pai não partilhara isso com Reuben?

Quando ela pensava na letra *beit*, não era na espessura nem na exatidão dos espaços. Era nos mistérios: o número dois, o dual; a casa, a casa de Deus na terra. "Eles me farão um templo, e entre eles Eu habitarei." *Entre eles*, não *no templo*. Ele viveria nela. Ela seria a casa de Deus. A casa da transcendência. Apenas uma única, minúscula letra, e, nela, o caminho para a alegria.

Com o tempo, o coração de Ruti se abrira para o encadernador, e uma afeição surgira entre os dois. Quando Micha sugeriu alguma espécie de código que os dois pudessem usar caso desejassem um o toque do outro, ela propôs a letra da união, *beit*. Ela veria a letra desenhada no canto de uma das contas do pai, e saberia que a esposa de Micha não estava na casa. Ela, então, a acrescentaria às notas de instrução que o pai mandava para a encadernadora, dizendo, sem palavras, caso houvesse outros fregueses por perto, que ela tinha tempo e não dariam por sua falta em casa se saísse. Ela gostaria de saber se Reuben também tinha algum sinal secreto com sua amada, uma marca numa árvore, ou um pedaço de pano colocado em algum lugar. Teria de ser algo assim, pois Rosa, como a maioria dos cristãos, não sabia ler.

Reuben se mostrava vivo no fim do dia, quando finalmente era liberado da *scriptionale* para sair e cumprir algumas tarefas. Ruti via o modo como ele pulava, cheio de vivacidade. E ela percebera que determinada tarefa o deixava com um sorriso cada vez maior, que o fazia até caminhar de modo mais animado.

Quando ele era enviado para comprar olivas ou óleo do pai de Rosa, como poderia não notar a filha, que também estava amadurecendo? Ruti podia imaginar perfeitamente como tudo tinha acontecido, embora o irmão jamais pensasse em macular o que ele acreditava ser a inocência da menina, com confidências de suas paixões físicas.

Após a conversão, o casamento e a alienação da família, Ruti e o irmão se encontraram por acaso no mercado. Ela sabia que deveria ignorá-lo, como se ele fosse apenas mais um gentio, pelo qual ela deveria passar sem olhar. Mas seu coração não se acostumaria a isso. Ela se deixou levar pela multidão, aproximando-se dele, e, sob o disfarce dos corpos se empurrando, pegou-lhe na mão. Como estava diferente, como se tornara áspera, livre da pena e do trabalho de podar as penas. Ela a apertou, transmitindo-lhe toda a afeição que podia naquele gesto, antes de ir embora depressa.

Na vez seguinte, umas duas semanas depois, ele quis encontrá-la. Colocou uma nota na mão da irmã, implorando-lhe que fosse vê-lo. Disse o lugar: sul da cidade, Esplugües. *Esplugües* significava "cavernas", e aquela colina branca, seca, era repleta de cavernas. Uma em particular, profunda e oculta, era um de seus esconderijos favoritos na infância. Posteriormente, ele levara Rosa até lá durante os dias secretos de seu namoro. Não sabia que era a mesma caverna que Ruti usava para seus estudos clandestinos. O primeiro encontro dos dois foi tenso: por mais que ela o amasse, não deixava de culpá-lo pela dor e desgraça que ele trouxera à família. Mas seu irmão era um homem bom, ela sabia disso em seu coração, e o maior amor que ela recebera na infância tinha vindo dele, e não de sua mãe implicante ou de seu pai ausente. Logo, os dois começaram a se encontrar uma vez por semana. No dia em que lhe deu a notícia do bebê, que nasceria na primavera, ele chorou.

— Só quando você sabe que será pai finalmente se dá conta do que seu pai sente por você — ele sussurrou. Ruti o puxou para perto de si, colocando a cabeça do irmão em seu colo e afagando-lhe os cabelos. A voz dele estava abafada. — Ele nunca fala de mim?

— Nunca — ela respondeu, da maneira mais delicada possível. — Mas creio que não vive uma hora inteira sem pensar em você. — Ela passou a mão pelas pedras esbranquiçadas, lisas. O lugar a fazia pensar em ossos, um ossuário forjado a partir dos restos dos mortos nunca amados. A carne fugaz da palma de sua mão era tão impermanente, afinal. Logo, todos eles estariam mortos, seus ossos ficariam secos, porosos como a renda. E quem se importaria se um padre havia derramado algumas gotas de água na testa de seu irmão e feito algumas orações em latim? Naquela caverna, Ruti sentia a presença de Deus. Ela estremeceu diante de uma imanência que faria evaporar a água e tiraria a própria respiração do padre.

Foi então que lhe ocorreu uma idéia. Parecia tão inofensivo dar ao irmão aquela lembrança de horas vividas entre pai e filho, juntos defronte a Deus.

— Eu poderia lhe trazer uma coisa — ela disse. E, na semana seguinte, levou.

David Ben Shoushan olhou ao redor, impaciente, procurando a filha.

— Pardal! — ele chamou. — Preciso de você, menina. Apresse-se e pare de procrastinar.

Ruti, que estava ajoelhada, largou a escova no balde e se levantou, esfregando a pele nos pontos marcados pelos azulejos.

— Mas eu não terminei de limpar o chão, papai — ela disse, tímida.

— Não importa, tenho uma tarefa para você que não pode esperar.

— Mas mamãe vai...

— Eu me entendo com sua mãe. — Havia algo de furtivo nos modos de seu pai que Ruti nunca tinha notado antes. Ele estava olhando para a porta da rua. — Preciso que você leve este pacote ao encadernador. Ele já tem minhas instruções detalhadas e sabe o que fazer. O livro deve estar pronto para ser dado a Dom Joseph quando ele voltar. Ele é esperado para o Sabá. Agora vá, filha, e seja rápida. Não quero dar ao larápio uma desculpa para atrasar o trabalho.

Ruti foi até o poço. Rapidamente, mas com esmero, ela lavou e secou as mãos antes de pegar o pacote, envolto em um pedaço de pano. A mão de seu pai, geralmente tão firme, estava tremendo. Quando sentiu a forma do metal enrolado em tecido, reconheceu-o logo. Ela o havia polido várias vezes, com medo de derrubá-lo ou de danificar a filigrana de prata. Era o objeto mais precioso na casa. Ela arregalou os olhos.

— O que está olhando? O trabalho nada tem a ver com você.

— Mas é o estojo da *ketubá* de mamãe! — ela exclamou. A *ketubá* em si era a mais bela que Ruti já tinha visto. O próprio David a havia feito, o jovem *sofer* fascinado pela idéia daquela noiva, que ele mal conhecia, escrevendo cada letra de cada palavra do contrato de casamento com um tributo perfeito à mulher que ele acreditava, na época, que seria sua alma gêmea. Quando o pai de David viu o trabalho, ficou tão orgulhoso do filho que acabou gastando mais do que pretendia e comprou um estojo bom para o documento.

— Papai! — grunhiu Ruti. — O senhor não quer que eu dê isto ao encadernador como pagamento?!

— Como pagamento, não! — A culpa e a incerteza de David o deixavam ríspido. — A Hagadá precisa de um invólucro digno. Onde mais arrumaríamos prata para embelezá-la? O encadernador encontrou um ourives fora de Tarragona que fará o trabalho sem cobrar, porque quer se auto-recomendar à família Sanz. Ele está esperando na encadernadora; por isso vá, agora. Vá logo!

A princípio, ele pensara em vender o estojo da *ketubá* como parte do resgate por seu filho. Mas o estojo estava inscrito com a palavra de Deus, e vendê-lo a um cristão que o derreteria para fazer moedas de prata era vergonhoso, provavelmente pecaminoso. Entretanto, sua religião revolvia em torno de um ensinamento fundamental, o de que salvar a vida humana deveria ter precedência sobre todos os outros *mitzvot*, ou mandamentos. De repente, ele viu o caminho. Podia usar a prata para embelezar a Hagadá, de modo que o sagrado permanecesse sagrado. Com certeza, um presente tão fino abriria as mãos de seu irmão. Como poderia não abrir? David estava convencido disso. Era a única esperança à qual ele se apegava. Extremamente irritado, ele notou que Ruti ainda estava ali, diante dele, segurando o pacote como se quisesse devolvê-lo ao pai.

— Mas a mamãe não deve ter concordado com isso... eu... eu... temo que ficará zangada comigo.

— Com certeza, minha Pardal, ela se zangará. Mas não com você. Foi por isso que eu disse que essa tarefa nada tem a ver com você. Agora corra, antes que o larápio se aproveite do seu atraso como pretexto para atrasar o trabalho.

Na verdade, seu pai não precisaria se preocupar com isso. Quaisquer que fossem os defeitos de Micha, ele tinha orgulho de sua arte, e sabia que as iluminuras e o texto apresentados a ele por Ben Shoushan traziam a promessa de um livro de excepcional beleza. Poderia garantir-lhe a reputação entre os mais ricos judeus na comunidade. Tais oportunidades não surgiam todos os dias, e ele tinha deixado para trás todas as suas encomendas menores para trabalhar com aquela.

A Hagadá estava sobre a bancada, encadernada na capa que ele havia confeccionado da pele mais fina, entalhada com intricada estampagem. Havia um espaço em branco no centro da capa.

O ourives era um homem jovem, mal saído do período de aprendiz, mas versado em desenho. Ele recebeu o pacote de Ruti cheio de entusiasmo, desembrulhou-o e examinou o estojo da *ketubá*.

— Muito bom. É uma pena desfazer esse trabalho. Mas eu prometo à sua mãe que farei algo digno do sacrifício dela. — Ele tinha consigo um pequeno pergaminho, o qual desenrolou sobre a bancada. Havia feito um desenho para o medalhão central da capa que mostrava a asa do emblema da família Sanz, entrelaçado com rosas, o símbolo da família de Ben Shoushan. Também tinha desenhado um par de belos fechos, que por sua vez também formavam asas e rosas.

— Trabalharei à noite, se necessário, para que o livro esteja pronto antes do Erev Sabá, como o seu pai deseja — ele disse. Embrulhou o livro e o estojo com cuidado e se despediu, ansioso para sair de Tarragona e chegar em casa ainda à luz do dia, antes que os brigantes começassem seu trabalho noturno.

Ruti passou o dedo sobre uma seção dos cadernos costurados, fingindo examinar a costura, ganhando tempo até o ourives sair da oficina. Ela tinha visto a letra da união, o *beit* secreto, inscrito em um pedaço de pergaminho sobre a bancada.

O encadernador se virou, de onde estava, junto à porta. Ele passou a língua sobre os lábios. Ela sentia sua mão tocar-lhe a nuca, enquanto ele a empurrava em direção à alcova. Lá dentro, o conhecido cheiro forte de couro a excitava, e ela se voltou para ele, colocando os braços rechonchudos em torno de sua cintura, desamarrando-lhe o avental e soltando a roupa, por baixo. O gosto dele em sua boca era ácido e salgado.

Ainda sentia o gosto, de pé agora diante da porta da rua de sua casa. Estava atrasada para a refeição da noite, mas tinha medo de entrar. Achava que os pais estavam se digladiando por conta do estojo desaparecido. Mas, quando finalmente criou coragem e entrou, pois não podia evitar, viu a mãe reclamando, como fazia todos os dias, dos maus hábitos diários do pai. Não havia nenhuma tempestade, apenas a costumeira maré baixa de amargura. Ruti fixava os olhos no pão, evitando olhar para o pai, embora o quisesse. Tentou imaginar que mentira ele teria contado e queria muito perguntar isso a ele. Algumas coisas na terra, entretanto, eram possíveis, e outras não; e Ruti sabia a diferença.

Quando Renato deveria ser interrogado pela terceira vez, estava fraco demais para ficar de pé. Os aguazis tiveram que arrastá-lo, um de cada lado. Ele se sentou na sala de cortinas pretas, sentindo o cheiro de cera de vela e o fedor acre de seu próprio medo.

— Reuben Ben Shoushan, confessa que tinha em seu poder aquelas coisas de que um homem judeu necessita para rezar?

Ele tentou falar, mas o som de sua garganta machucada era apenas um sussurro. Queria dizer que não rezava como judeu, como sugeriam os filactérios. Abandonara as preces judaicas quando saíra da casa de seu pai. Era verdade que já amava Rosa antes de amar a igreja dela. Mas o padre que o batizara tinha explicado que Jesus realizava sua vontade daquela maneira, e que o amor que ele sentia por Rosa era apenas uma partícula do amor do Senhor, que lhe fora dado como uma amostra prévia da doçura da salvação. Ele lutara consigo mesmo até conseguir acreditar que Jesus era de fato o Messias que os judeus aguardavam. Gostou da descrição esperançosa do céu feita pelo padre. Talvez, mais que tudo isso, ele gostava da idéia de ter uma esposa cujo corpo estaria livre para ele quase a qualquer momento, em vez da disciplina rígida da abstinência que tinha de seguir todos os meses, metade do mês, com uma noiva judia.

Ele tinha guardado os filactérios porque sentia falta, não das orações judaicas, mas sim de seu pai, que ele amava de todo o coração. Ao se levantar e antes de dormir, ele segurava as correias de couro, não para rezar, mas para pensar em seu pai por um momento, e se lembrar do amor com que ele havia inscrito o pergaminho no interior da caixa. Mas amar um judeu e suas obras era, em si, um pecado aos olhos daqueles padres da Inquisição.

Então, ele simplesmente assentiu.

— Que seja registrado que o judeu, Reuben Ben Shoushan, confessou práticas judaicas. Agora, admita que você corrompeu sua esposa com essas coisas. Um informante nos diz que vocês foram vistos rezando juntos.

Renato sentiu uma nova onda de medo. Sua esposa. Sua inocente e ignorante esposa. Certamente, ele não seria a causa de seu sofrimento. Ele balançou a cabeça com o maior vigor que seu estado debilitado lhe permitia.

— Admita. Você ensinou a ela suas vis orações e a forçou a rezar com você. Houve uma testemunha.

— Não! — Renato gritou, finalmente encontrando a voz. — É mentira! — Ele arrastava as palavras do fundo da garganta ferida. — Nós rezávamos o Pai-nosso e a Ave-Maria. Só isso. Minha esposa não tinha idéia de que eu havia trazido coisas judaicas para a nossa casa.

— Você tinha tais coisas quando realizou o sacramento do matrimônio?

Renato balançou a cabeça.

— Há quanto tempo, então, pratica ações judaicas?

Ele abriu os lábios partidos e sussurrou:

— Só há um mês.

— Você diz que pratica ações judaicas só há um mês?

Ele assentiu.

— Então, quem lhe deu essas coisas?

Renato estremeceu. Não tinha previsto aquilo

— Quem lhe deu? Diga o nome do homem!

Renato sentiu a sala começar a girar, e se agarrou na cadeira.

— Diga o nome! Eu lhe dou mais uma chance.

O padre fez um sinal, e o vulto mascarado se moveu na direção de Renato. Os aguazis o agarraram e o levantaram da cadeira. Ele ficou quieto enquanto o arrastaram da sala e desceram até o calabouço. Ficou quieto quando o amarraram à escada e a inverteram sobre a tina. Soluços sem lágrimas lhe dilaceraram o corpo quando ele ouviu a água do poço sendo preparada. Mesmo assim, ficou quieto. Foi quando eles pegaram o tecido e abriram-lhe a boca à força, que ele gritou. A dor da única palavra lhe feria a garganta.

— Pardal!

Quando o aguazil prendia alguém no setor cristão, tomava o cuidado de fazê-lo na calada da noite. Desse modo, a vítima estaria desprevenida, confusa, incapaz de oferecer grande resistência ou de chamar a atenção dos vizinhos, que poderiam complicar as coisas. Mas o Santo Ofício da Inquisição não mandava seus soldados à Kahal. Ele se preocupava em extirpar a heresia dentre aqueles que fingiam aceitar Cristo, não daqueles que persistiam em sua fé antiga, errônea. Os crimes dos judeus que se imiscuíam com os cristãos e, com suas tentações, os faziam se afastar da verdadeira religião eram um problema para as autoridades civis, e estes enviavam seus soldados quando bem entendiam.

Foi à tarde, portanto, e ainda dia claro, que uma peremptória batida à porta perturbou a paz na casa de Ben Shoushan. Só David estava em casa; Miriam tinha ido ao *mikva*, e Ruti, à encadernadora para ver se seu pai poderia receber o trabalho pronto àquela noite, a tempo de entregá-lo ao irmão, cujo retorno era aguardado. David tinha notado, com irritação, que ela estava demorando para voltar de suas tarefas, como sempre.

Ele caminhou até a porta, falando alto em sua zanga, irritado com o visitante rude que batia à porta daquela maneira. Quando puxou a tranca e viu quem estava lá, as imprecações morreram-lhe na boca. Ele deu um passo atrás.

Os homens entraram no pátio. Um deles cuspiu no poço. O outro se voltou, devagar e com propósito, deixando que a ponta da bainha de sua espada enroscasse na borda da mesa que continha os preciosos implementos de escrita de David. Frascos de tinta tombaram ao chão.

— Traga-nos Ruth Ben Shoushan — o mais alto dos homens armados ordenou.

— Ruth? — disse David, em voz baixa, arregalando os olhos em surpresa. Ele estava certo de que os homens tinham vindo atrás dele. — Deve haver algum engano. Vocês não querem Ruth.

— Ruth Ben Shoushan. Agora! — O homem levantou o pé e, em um movimento quase lânguido, sua bota chutou a *scriptionale* de David.

— Ela... ela não está aqui! — disse David, sentindo calafrios de terror na cabeça. — Saiu para cumprir uma tarefa para mim. Mas o que querem com a pequena Ruth?

A resposta do soldado foi um soco desferido contra o rosto do *sofer*. David cambaleou, perdeu o equilíbrio e caiu para trás, com violência, e sentado. Queria gritar de dor, mas não tinha ar, e, quando abriu a boca, nenhum som se fazia ouvir.

O soldado se curvou e arrancou-lhe o chapéu; em seguida, agarrou o nó nos cabelos grisalhos e puxou David, forçando-o a se levantar.

— Aonde ela foi?

David, encolhendo-se, gritou que não sabia.

— Minha esposa a mandou fazer algo, e eu...

Antes de ele terminar a frase, o soldado o puxou de novo pelos cabelos, jogando-o ao chão. Uma bota pisou-lhe o lado da cabeça.

O ouvido ribombava e tinia. Ele sentiu uma ardência do lado do rosto, e depois uma umidade.

Outro chute o atingiu no maxilar. Percebeu os ossos se esfregando um contra o outro.

— Onde está sua filha?

Mesmo que ele quisesse responder, o maxilar quebrado não se abria para formar as palavras. Ele tentou levantar um braço para proteger o crânio fraturado, mas parecia que estava preso por um pedaço de chumbo. Seu lado esquerdo não se mexia. Ele permanecia deitado no chão, impotente debaixo dos golpes contínuos, enquanto o sangue vazando em seu cérebro se espalhava, e extinguia-lhe totalmente a luz.

Rosa del Salvador não dormia bem havia dias. Sua barriga enorme não a deixava ficar em uma posição confortável. O rosto latejava por causa dos tapas que seu pai, irado, havia-lhe dado antes, naquela mesma noite. Mesmo quando ela adormecia por pouco tempo, dominada pela exaustão, tinha sonhos terríveis. Naquela noite, sonhara com um velho cavalo de sua infância, um garanhão preto com uma estrela branca na testa. Era um cavalo com cabresto, usado para arar. Um dia, o cavalo ficara manco, e seu pai o enviara para o matador. Rosa se lembrava do modo como o homem marcara com um prego de ferro a cabeça de seu velho amigo, bem em cima da estrela, e lhe desferira o forte golpe com o martelo. Sendo criança, ela chorara pela morte do cavalo. Mas, no sonho, o cavalo não morria; se sacudia, relinchando com o prego fincado na testa e o sangue escorrendo pela crina.

Rosa acordou, suando. Sentou-se na cama, na escuridão, e se pôs a escutar os sons noturnos da *masia* da família. A fazenda nunca ficava em silêncio total. Havia sempre o ranger das velhas vigas de madeira, os roncos do pai em seu sono de bebedeira de vinho, os arranhões dos ratos entre as ânforas nas quais os grãos eram guardados. Normalmente, esses sons a tranqüilizavam, mas não naquela noite. Ela passou as mãos sobre o ventre. Aqueles sonhos provavelmente estavam gelando o sangue que deveria alimentar o bebê. Ela temia que o bebê em seu interior pudesse se tornar algo monstruoso.

Por que fora se apaixonar por um judeu? O pai a havia alertado.

— Não confie nele. Ele diz que vai mudar de religião por sua causa, mas eles nunca fazem isso. No fim, ainda vai colocar a culpa em você, e a amargura será um veneno nos anos vindouros.

Bem, antes fosse só isso. Uma tristeza comum, como um casamento que perde o sabor, com o passar do tempo. Sem resgate, que seu pai se recusara a pagar, seu marido corria o risco de morrer na fogueira. Ela havia implorado ao pai que comprasse a vida de seu marido, e por isso lhe sobraram aqueles tapas. Toda a família agora estava sob suspeita de serem judeus disfarçados. Qualquer vizinho ciumento que quisesse um concorrente a menos no mercado de óleo, qualquer homem ganancioso que estivesse de olho em suas boas plantações, poderia acusá-los. Podia ser algo banal: a mãe engasgara com um pedaço de presunto, o pai tinha trocado de camisa numa sexta-feira, ela — Rosa — tinha acendido velas logo no início da noite. Seu pai tinha medo disso, era evidente. Todas as noites ele se atormentava, examinando listas de concorrentes, de fregueses que podiam estar insatisfeitos, de parentes que ele não tinha ajudado em momentos de necessidade. Ele repreendera sua mãe, uma vez, havia muito tempo, por ela ter comprado carne *kosher* porque o preço era mais baixo no mercado do que as peças do açougueiro cristão. Nessas ocasiões, Rosa tentava estar em qualquer parte da *masia*, longe do olhar do pai. Certa vez, quando ele lhe bateu, esbravejou que gostaria que ela abortasse, ou que o bebê, com sangue poluído de judeu, nascesse morto. A grande culpa de Rosa era que, enquanto apanhava, ela também começara a desejar a mesma coisa.

Agitada, ela se levantou e procurou o manto. Ar, era disso que precisava. A pesada porta da casa da fazenda rangeu quando ela a empurrou. A noite estava agradável; o aroma de terra úmida trazia os primeiros indícios da primavera. Seus passos conheciam o caminho até o olival que ela atravessara a vida toda. Ela amava aquelas árvores, a força rude delas. O modo como elas eram às vezes fulminadas por um raio ou chamuscadas por fogo na mata, e pareciam mortas, para depois desabrochar novamente em verde, a partir da madeira velha, e continuar vivas, apesar de tudo. Rosa teria que ser como uma oliveira, concluiu, passando a mão pela casca grossa da árvore.

Lá estava ela, no olival, quando o aguazil e o oficial de justiça passaram a cavalo pela trilha que se estendia da cidade. Ela ficou observando, escondida na sombra das árvores, enquanto as lamparinas iluminavam a casa. Ouviu o choro de medo da mãe, os gritos de protesto do pai, enquanto o oficial fazia um inventário do que havia na casa. Tudo que eles possuíam seria confiscado pela Coroa se as acusações contra eles fossem comprovadas. Ela se encolheu no chão, puxando o cobertor pardo sobre o corpo para esconder a brancura de sua camisola, cobrindo-se de terra e folhas, temendo que as tochas iluminassem o olival. Mas seu pai devia ter dito alguma coisa ao aguazil sobre o paradeiro dela, pois não fizeram sequer uma busca superficial. Ela viu quando os pais, impotentes, foram levados. E então ela correu, com o passo estranho, lento, da gravidez, em meio aos olivais, atravessando os campos do vizinho. Não podia pedir a ajuda dos vizinhos; não sabia se eles eram os informantes da Inquisição. Para além dos campos do vizinho, a terra se elevava abruptamente em direção a Esplugües. Ela podia se esconder lá, na caverna onde ela e Renato costumavam se encontrar quando namoravam. Por que ela havia feito isso? Por que trouxera tanta desgraça à própria família? O peso do bebê comprimia-lhe os pulmões, e ela quase não conseguia respirar, enquanto subia a inclinação. A pedra aguda arranhava-lhe os pés descalços. Estava com frio. Mas o medo a impelia a continuar.

Quando chegou à entrada da caverna, caiu, tentando recuperar o fôlego. Ao sentir a primeira dor, achou que fosse uma pontada. Mas a dor voltou, não muito forte, porém inconfundível: uma pressão como uma cinta apertada demais. Ela gritou, não porque se sentisse incomodada com a contração, mas porque o bebê, que ela não queria, aquele bebê que poderia ter se transformado em um monstro, estava nascendo, e ela estava sozinha e apavorada.

Ruti e Micha estavam juntos no depósito quando ouviram a porta da encadernadora abrir. O encadernador praguejou.

— Fique aqui, e em silêncio, pelo amor de Deus.

Ele fechou a porta pesada do depósito e saiu, apertando o avental de couro, tentando em vão esconder a protuberância por baixo. Sufocando a irritação, ele se concentrou em mudar a expressão no rosto para receber o cliente.

E a expressão mudou novamente, quando ele viu que era um soldado, e não um cliente, que havia entrado na oficina. A Hagadá, completa, esplêndida, com os fechos reluzentes e medalhão polido, se encontrava sobre o balcão, onde ele e Ruti a estavam admirando até serem dominados pelo desejo. Micha, cumprimentando polidamente o soldado, se colocou entre ele e a bancada, habilmente empurrando o livro sob uma pilha de pergaminhos.

Mas o soldado não se interessava por livros e mal notava o ambiente à sua volta. Ele pegara uma agulha grossa da bancada e a estava usando sob as unhas, limpando-as de alguma sujeira grossa, que caía sobre uma folha de pergaminho preparado, Micha observou, chocado.

— Ruth Ben Shoushan — o soldado disse, sem maiores delongas.

Micha engoliu em seco e nada disse. Seu pânico se manifestava em uma expressão de desalento no rosto, a qual o soldado interpretou como estupidez.

— Fale, imbecil! Seu vizinho, o vendedor de vinhos, diz que ela veio aqui.

Não adiantava negar.

— Você quer dizer a filha do *sofer*? Ah, sim, agora que a mencionou. Ela veio fazer uma coisa para o pai. Mas saiu com um... ah... um ourives... Acho que de Perello. A família dela tinha negócios com ele, parece.

— Perello? Ela foi para lá, então?

O encadernador hesitou. Ele não queria trair Ruti, mas não era um homem corajoso. Se desse informações falsas às autoridades, e fosse descoberto... Mas, por outro lado, se Ruti fosse encontrada em seu depósito, já bastaria para indiciá-lo.

— E-ela não me falou de seus planos. Entenda, senhor, que uma mulher judia não casada não fala com homens fora de sua família, exceto por algumas poucas palavras, sobre assuntos necessários de negócios.

— Como eu vou saber o que as suas meretrizes judias fazem? — disse o soldado, já chegando à porta.

— Posso perguntar... isto é, o senhor poderia me dizer por que um oficial tão importante se preocuparia com a humilde filha do *sofer*?

O jovem soldado, como a maioria dos grandalhões tiranos, não resistia a uma chance de provocar medo. Ele voltou à oficina, com um riso desagradável.

— Humilde, talvez — ele tornou —, mas não mais filha do *sofer*. Ele já está a caminho do inferno com o resto de sua raça maldita, e logo ela se juntará a ele. O irmão dela morrerá na fogueira, e ela deverá ir junto. Ele confessou que foi ela que o levou a praticar hábitos judaicos.

Miriam retornou do *mikvah*, pronta para cumprimentar o marido como noiva. No ano que se passara, tinha havido sinais que lhe diziam que não haveria mais muitos meses até o ritual de purificação ser exigido dela. Ela sabia que sentiria falta daquilo: a abstinência, a antecipação da união renovada.

Nos últimos dez dias, desde o começo da menstruação, David e Miriam não tinham sequer tocado nas mãos um do outro, de acordo com as antigas leis da pureza familiar. Hoje à noite, eles fariam amor. Por mais que suas personalidades não combinassem, a união física sempre fora um prazer mútuo, que não diminuíra com o avanço da idade.

Miriam foi poupada de ver o marido morto, envolto em sangue, sobre as pedras do pátio. Todo o beco tinha ouvido as vozes exaltadas, duras, e sabia muito bem o que elas significavam. Assim que os homens armados saíram da Kahal, os vizinhos vieram fazer o que era necessário e certo.

Quando Miriam viu a casa preparada para o *shivah*, pensou que fosse para Reuben. Eles realizaram *shivah* para Reuben durante sete dias, depois de ele ter sido batizado como cristão, indicando que, para eles, o rapaz estava morto. Mas agora ela sentiu o coração oprimido, sabendo que o filho estava morto de fato. Seu pai havia consentido ao menos lhe conceder ritos judaicos. Ela se apoiou no batente da porta.

Os vizinhos a ajudaram a entrar, e ao poucos a levaram a compreender a verdade. O corpo de David fora lavado e vestido de branco. Agora, os vizinhos tinham envolvido o corpo em um lençol branco e o levado para ser sepultado. O Sabá estava próximo, e a lei judaica exigia sepultamento sem demoras.

Tão logo seu marido fora sepultado, Miriam acendeu a vela de *yahrzeit*. Ela queria se entregar à dor. O marido morto, o filho acusado e sentenciado à morte na Casa Santa, a filha... onde estava? Os soldados, em sua grosseria, tinham invadido o local da sepultura, interrogando, inflexíveis, os que pranteavam David quanto ao paradeiro de sua filha. Quanto à primeira das tragédias, a morte de David, ela nada podia fazer além de lamentar. Quanto à segunda, o filho preso, só podia rezar. Mas a terceira tragédia, Ruti, era outra questão. Talvez não fosse tarde demais. Se a menina fosse encontrada, alertada, escondida e retirada da cidade...

Enquanto ela pensava em tais coisas, os vizinhos se afastaram, abrindo espaço para Joseph Ben Shoushan, ainda vestindo seus trajes de viagem, que se aproximava de sua cunhada para oferecer suas condolências. Estava com os olhos vermelhos de cansaço e de tristeza.

— Os serviçais me deram a notícia quando cheguei em casa. Vim direto para cá. As tristezas se amontoam umas sobre as outras. David! Meu irmão... se talvez eu tivesse pagado o resgate de seu filho, como ele me pediu, isso poderia não ter... — Sua voz, então, se interrompeu.

Miriam falou em tom de tão áspera urgência, que assustou o homem, já abalado.

— Você não pagou, e o que está feito está feito, e Deus o julgará. Mas agora você precisa salvar nossa Ruti...

— Irmã — Joseph interrompeu —, venha comigo à minha casa. Vai ficar sob minha proteção.

Miriam, com os olhos embaçados pela dor, não conseguia acompanhar as palavras do cunhado. Ela não poderia sair da casa durante o *shivah*, ele devia saber disso. E, por mais pobre que fosse, não pretendia sair de casa para se tornar um objeto de caridade na residência do cunhado. Como ele poderia pensar que ela ia abandonar sua pequena casa e todas as suas lembranças? A voz abalada de Miriam soara quase normal quando ela começou a apresentar uma lista de objeções à proposta de Joseph.

— Irmã — ele disse, calmamente —, logo, muito em breve, todos nós seremos obrigados a abandonar nossas casas e nossas lembranças, e seremos todos objetos de caridade. Eu gostaria de lhe oferecer um lugar em minha casa. Só o que posso lhe oferecer é um lugar ao meu lado, na estrada incerta que agora nos aguarda.

Lenta e dolorosamente, Joseph explicou às pessoas que abarrotavam a sala o desenrolar dos últimos eventos. Maridos e esposas, que não costumavam se tocar em público, abraçaram-se, chorando. Qualquer um que passasse pela pequena casa e ouvisse a lamentação pensaria: "Realmente, David Ben Shoushan era um homem bom e piedoso, quem diria que sua morte pudesse provocar tamanha comoção?".

Joseph não contou aos vizinhos de Miriam, pessoas simples como o peixeiro e o alisador de lãs, todos os argumentos e estratagemas que tinham sido tentados em um mês de luta para conquistar o coração e a alma dos monarcas. Disse-lhes, simplesmente, que seus líderes haviam feito o melhor possível. Em defesa da situação dos judeus estava o rabino Abraham Seneor, oitenta anos de idade, amigo da rainha, que ajudara a negociar seu casamento secreto com Ferdinando. Tinha servido como tesoureiro da força policial da *hermandad* da rainha e como cobrador de impostos para Castela. Seneor era um homem tão importante e rico que, quando viajava, levava trinta mulas para transportar sua bagagem. Com ele estava Isaac Abravanel, renomado sábio da Torá e o conselheiro financeiro da corte. Chegara àquele posto em 1493, o mesmo ano em que o confessor da rainha, Tomás de Torquemada, fora nomeado Grande Inquisidor da Santa Inquisição contra a Depravação da Heresia.

Era Torquemada quem insistira na expulsão dos judeus. Durante a Reconquista, não conseguira dar vazão ao seu ódio, uma vez que os monarcas contavam com o dinheiro dos judeus e a coleta de impostos para financiar a guerra contra os mouros; com os mercadores judeus para abastecer as tropas durante milhas de caminhada por terreno difícil e montanhoso; com os tradutores judeus, fluentes em árabe, para facilitar as negociações entre os reinos cristãos e muçulmanos. Mas, com a conquista de Granada, a guerra tinha acabado; não havia mais governantes árabes com quem negociar; e as habilidades dos judeus, como tradução e conhecimento científico, trabalhos manuais e medicina, podiam ser encontradas entre os *convertidos*.

Quatro semanas se passaram entre o dia em que os monarcas assinaram o edito de expulsão e o dia em que finalmente ordenaram sua proclamação. Nesse período, eles exigiram segredo quanto ao assunto, e isso dava esperanças a Seneor e Abravanel de que a questão ainda não era definitiva, e de que o tom certo de persuasão poderia ser eficaz. Uma luz discreta, da janela de treliças de alabastro atrás e acima dos monarcas, se projetava sobre seus rostos cansados, perturbados. Cada um, por sua vez, defendia sua posição.

— Ouvi-nos, ó Rei — disse Abravanel. — Não sejais tão cruel com vossos súditos. Por que tratar desse modo vossos servos? Tirai de nós nosso ouro e prata, tudo que a casa de Israel possui, mas deixai-nos permanecer neste país. — E ele fez sua oferta: trezentos mil ducados. Ferdinando e Isabella se entreolharam, e pareciam hesitar.

Uma porta oculta para a ante-sala se abriu, estrondosamente. Torquemada, que estava escutando a conversa, avesso a toda palavra de louvor à lealdade dos judeus e às suas contribuições para com o reino, entrou na sala do trono. A luz das janelas altas iluminava o crucifixo de ouro que ele segurava diante de si.

— Olhai para o Cristo crucificado que Judas Iscariote vendeu por trinta moedas de prata! — ele vociferou. — Vossas Majestades o venderíeis novamente? Aqui está ele, pegai-o! — Ele colocou o crucifixo sobre uma mesa diante dos dois tronos. — Pegai-o e barganhai com ele. — Torquemada se virou, fazendo girar sua batina preta, e saiu da sala, sem ao menos pedir a licença dos monarcas.

Abravanel olhou para seu velho amigo, o rabino Seneor, e viu nele o ar de derrota. Mais tarde, longe do alcance dos ouvidos dos monarcas, ele extravasou sua ira.

— Assim como a víbora tapa os ouvidos com poeira para não ouvir a voz do encantador, também o rei endureceu o coração contra nós, com a imundície do Inquisidor.

O encadernador foi o último dos conhecidos mais íntimos de David Ben Shoushan a se apresentar no *shivah*. Ele havia esperado até a proximidade do Sabá. Com o ensejo, os outros se afastariam, voltando às suas casas. Queria falar com Miriam, na maior privacidade possível.

Sua estratégia funcionou. Miriam, que se recusara a ir com Dom Joseph, apesar dos sinceros apelos do cunhado, estava sozinha, exceto por um servo que Dom Joseph havia deixado com ela. Ficou irritada quando o servo anunciou Micha. Ela precisava de tempo para pensar. Como poderia sair da Kahal, o único mundo que conhecia? Havia nascido ali. Seus pais tinham vivido e morrido ali. Os ossos deles, e agora o corpo de seu marido, estavam enterrados no cemitério judeu. Como um povo poderia deixar seus mortos para trás, sem serem cuidados? E entre cristãos! Quando os judeus saíssem da terra, eles vasculhariam tudo atrás de ganhos materiais, perturbando o repouso de todos os entes queridos e mortos. E quanto aos velhos, aos doentes, que não podiam viajar, as mulheres grávidas? Miriam pensou na esposa de seu filho condenado. Ela, pelo menos, estaria em segurança, capaz de dar à luz em casa, sob os cuidados da família; dar à luz o neto que Miriam jamais veria. Começava a sentir as lágrimas novamente, e agora aquele tolo encadernador estava ali, e ela precisaria se recompor.

Micha expressou as costumeiras condolências e, depois, se aproximou de Miriam mais do que seria apropriado. Falhou-lhe no ouvido.

— Sua filha — disse, e ela enrijeceu, pronta para receber o golpe de mais uma má notícia. Rapidamente, ele falou da visita do soldado. Em qualquer outra ocasião, a astuta mente de Miriam a levaria a indagar por que Ruti se tinha demorado na encadernadora, já que a tarefa dela era apenas descobrir quando o pai poderia buscar a Hagadá. Ela perguntaria o que Ruti estava fazendo no depósito. Mas a dor e a tristeza lhe haviam amortecido a mente, e ela só se concentrou no que o encadernador disse em seguida.

— Como assim, "foi embora"? Como uma garota tão jovem pode ir embora, sozinha, na estrada do sul e à noite, com o Sabá começando? Que absurdo é esse?

— Sua filha me disse que conhece um lugar seguro onde poderia se refugiar antes do Sabá. A intenção dela é se esconder lá e se comunicar com a senhora, quando puder. Eu lhe dei pão e um odre de água. Ela disse que há comida no esconderijo.

Micha partiu em seguida, correndo para casa pelas ruas estreitas da Kahal. Miriam estava tão perdida em suas preocupações — que lugar secreto Ruti poderia conhecer? — que não se lembrou de perguntar a Micha sobre a Hagadá.

Mas o encadernador tinha dado a Hagadá a Ruti, por insistência dela. Enquanto ia para casa, ele ficou em dúvida se tinha agido corretamente. Chegou à porta bem no instante em que o chifre de carneiro soava, anunciando o início do Sabá. Quando entrou em casa, o discreto chamado se misturava ao choro de seus filhos, e ele parou de pensar na garota e em seus problemas. Certamente, Micha já tinha problemas suficientes.

Quando Ruti se aproximou da caverna, ela também ouviu um choro discreto. Ruti conhecia o caminho no escuro. Tinha feito aquele percurso ilícito muitas vezes, esgueirando-se do quarto onde dormiam seus pais para aproveitar algumas horas de estudo secreto. Mas o som inesperado a fez parar subitamente na trilha íngreme, e algumas pedras se soltaram e escorregaram pelo caminho, e foram dar na rocha seca, lá embaixo.

O choro parou, de repente.

— Quem está aí? — uma voz fraca chamou. — Pelo amor do Salvador, me ajude!

Ruti mal reconheceu a voz de Rosa. A desidratação tinha feito sua língua inchar; terror e pânico a haviam deixado exausta. Por vinte horas, ela vinha se contorcendo sozinha, enquanto as contrações aumentavam. Ruti subiu até a caverna, entrou, dizendo palavras de conforto, e tateou no escuro pela lâmpada e as pederneiras que guardava lá.

A luz permitiu discernir uma figura machucada, tomada de aflição. Rosa estava sentada, com as costas contra a parede da caverna e os joelhos comprimidos contra o peito. Sua camisola estava manchada de sangue e outros fluidos. Ela grunhiu a palavra "água" entre os lábios rachados, e Ruti rapidamente aproximou o odre de sua boca. Rosa engoliu demais, e dali a um segundo se curvou, arfando. No meio do vômito, foi tomada por outra contração.

Ruti tentou controlar o próprio medo. Ela tinha uma idéia muito vaga de como os bebês vinham ao mundo. Sua mãe era muito reticente nas questões do corpo, considerando que Ruti não precisaria saber de tais coisas até ser prometida a alguém. A Kahal era lotada, com as casas comprimidas umas contra as outras; por isso, ela ouvia os gritos de mulheres em trabalho de parto e sabia que era doloroso, às vezes perigoso. Mas nunca tinha imaginado tanto sangue e excremento.

Ela olhou ao redor, em busca de algo para limpar o vômito do rosto de Rosa. Só encontrou os tecidos pungentes onde enrolava pedaços de queijo seco para se alimentar nas longas noites de estudo. Quando os aproximou do rosto de Rosa, a garota começou a arfar de novo. Mas não tinha mais o que vomitar.

A noite se arrastava. As dores vinham, no fim, sem trégua. Rosa gritava até ficar rouca, incapaz de emitir sequer mais um único soluço. Ruti só podia umedecer a testa da jovem e segurar seus ombros durante os espasmos. Será que o bebê nunca nasceria? Ela tinha medo de saber o que estava acontecendo entre as pernas de Rosa; mas, quando a garota começou a gritar e se agitar, em nova onda de agonia, Ruti relutantemente saiu de onde estava e se ajoelhou diante daquela mulher que seu irmão amara tanto. Pensar nele e nas agonias que devia estar sofrendo naquele exato momento lhe dava certa coragem. Delicadamente, ela abriu as pernas de Rosa, puxando-as pelos joelhos, num misto de deslumbramento e pânico. A coroa escura do bebê estava forçando para sair, contra a pele esticada, tensa. Na contração seguinte, Ruti superou o medo e tocou a cabeça, tentando colocar os dedos de uma maneira que pudesse segurar o pequeno crânio e facilitar sua passagem, mas Rosa estava fraca demais para forçar. Passaram-se minutos, uma hora, e nada mais aconteceu. Os três estavam presos. O bebê no canal do nascimento, que não cedia; Rosa em meio à dor; Ruti, em seu medo.

Movendo-se ainda ajoelhada, ela chegou bem perto do rosto angustiado de Rosa.

— Eu sei que você está cansada. Sei que está sofrendo — ela sussurrou. Rosa gemeu. — Mas esta noite só pode terminar de uma maneira ou de outra: ou você tem a força para esse bebê nascer, ou morrerá aqui.

Rosa gemeu e levantou a mão, numa vã tentativa de bater em Ruti. Mas as palavras a tocaram. Quando teve mais um espasmo, ela usou o pouco das forças que lhe restavam no corpo. Ruti viu a coroa do bebê se esforçando, a pele se abrindo. Ela apoiou a cabeça do bebê com as duas mãos e a puxou. Depois os ombros. De repente, o bebê estava em suas mãos.

Era um menino. Mas a longa luta para nascer fora demais para ele. Seus minúsculos braços e pernas caíam, inertes, das mãos de Ruti, e ele não chorava. Enojada, Ruti cortou o cordão umbilical com sua faca pequena e envolveu o bebê em um pedaço de pano que ela tinha rasgado de seu manto.

— Ele está... está morto? — sussurrou Rosa.

— Acho que sim — disse Ruti, pesarosa.

— Ótimo — a outra suspirou.

Ruti se levantou e levou o bebê para fora da caverna. Os joelhos doíam por causa da pressão contra a rocha, mas não era por isso que seus olhos se enchiam de lágrimas. Como uma mãe podia se sentir feliz pela morte de seu bebê?

— Ajude-me! — Rosa gritou. — Tem alguma coisa... — Ela gritou. — É o monstro! Está saindo!

Ruti se virou. Rosa estava se contorcendo, tentando se escorar na parede, fugindo da placenta. Ruti viu a massa brilhosa e estremeceu. Então, se lembrou da gata que tinha dado cria num canto do pátio, e da asquerosa placenta que viera depois. Meretriz cristã imbecil, supersticiosa, ela pensou, dando vazão a toda a raiva e ciúme que sentia daquela mulher. Ela colocou no chão o bebê inerte, deu um passo em direção a Rosa, e teria batido nela, se as hematomas em seu rosto, visíveis até sob aquela fraca luz, não lhe despertassem pena.

— Você foi criada em uma fazenda... nunca viu uma placenta?

A raiva e a tristeza tornavam impossível qualquer conversa com Rosa. Sem falar, ela dividiu os poucos suprimentos na caverna — o queijo, o pão e a água que recebera de Micha. Metade, ela colocou ao lado de Rosa.

— Já que você se importa tão pouco com seu filho, suponho que não seja um problema se eu o enterrar de acordo com os ritos judaicos. Levarei o corpo e sepultarei assim que termine o Sabá, ao pôr do sol.

Rosa deu um longo suspiro.

— Como ele não foi batizado, não faz diferença.

Ruti amarrou sua pequena porção de provisões no que lhe restava do manto. Jogou o embrulho sobre o ombro. No outro ombro, ela colocou um saco que continha um pacote pequeno, cuidadosamente embrulhado em camadas de peles e amarrado com correias. Em seguida, pegou o corpo da criança natimorta. O bebê se mexeu em suas mãos. Ruti olhou e viu os olhos de seu irmão, calorosos, gentis, confiantes, olhando também para ela, piscando. Ela não disse nada a Rosa, que se encolhera num canto e já caía de sono, exausta; e saiu logo da caverna. Assim que se viu na trilha, desceu o mais rapidamente possível, preocupada com a segurança de sua carga, temendo que a criança chorasse e denunciasse o segredo de que estava viva.

No domingo, pouco depois do sino do meio-dia, por toda a Espanha, os arautos reais iniciaram uma fanfarra, e os cidadãos se reuniram nas praças das cidades para ouvir uma proclamação do rei de Aragão e da rainha de Castela.

Ruti, vestida como uma mulher cristã, em roupas que não lhe serviam, mas que ela havia surrupiado do baú no quarto de Rosa, passou no meio da multidão na principal praça da vila de pescadores até se aproximar o suficiente para ouvir o arauto. Era um texto longo, que descrevia as perfídias dos judeus e a insuficiência das medidas tomadas até então para impedir sua corrupção da fé cristã.

— Ordenamos, portanto, que todos os judeus e judias, de qualquer idade, que morem, residam e habitem em nossos reinos e domínios... saiam desses mesmos reinos... até o fim do mês de julho próximo... e que não tentem a eles retornar, ou neles residir; do contrário incorrerão a pena de morte.

Os judeus não tinham permissão para levar ouro ou prata ou pedras preciosas; deviam pagar todas as dívidas pendentes, mas não podiam esperar receber qualquer pagamento que lhes fosse devido. Ruti, parada em meio à cena, sob o sol da primavera que lhe banhava o adorno incomum sobre a cabeça, sentia como se o mundo estivesse rachando. Por toda a sua volta, as pessoas celebravam, louvando os nomes de Ferdinando e Isabella. Ela nunca se sentira tão sozinha.

Não havia judeus na aldeia, por isso Ruti preferira ir lá, após pegar o que pôde na *masia* Salvador. Não considerava o ato um roubo, pois as coisas que pegara eram para o sustento do neto dos Salvador. Na aldeia, ela tinha procurado uma ama-de-leite, inventando uma história implausível sobre uma irmã que se perdera no mar. Felizmente, a mulher era ignorante e tola, e não questionou a invencionice de Ruti, pois o que uma mulher que acabara de dar à luz estaria fazendo no mar?

À medida que a multidão se dispersava, cantando e proferindo infâmias contra os judeus, Ruti caminhou através da praça em direção a uma fonte, e sentou pesadamente sobre as pedras. Cada trilha à sua frente era uma estrada rumo às trevas. Ir para casa e se encontrar com a mãe seria o mesmo que se entregar aos Inquisidores. Fingir ser cristã era impossível. Ela tinha enganado uma tola camponesa, mas, na hora de procurar abrigo ou comida, a natureza absurda de sua história certamente se revelaria. Tornar-se cristã — converter-se, como os monarcas insistiam para que os judeus fizessem — era impensável.

Sentada ali, ela via a tarde passar. Qualquer pessoa que observasse com atenção a delicada menina a teria visto se balançando delicadamente, para a frente e para trás, enquanto rezava a Deus, pedindo orientação. Mas Ruti não era o tipo de garota que as pessoas notavam.

Por fim, quando a luz começava a tingir de laranja as pedras brancas, ela se levantou da fonte. Tirou o lenço de cabeça próprio das mulheres cristãs e o jogou. Da sacola ao seu lado, ela tirou seu cachecol e casaco, marcado com o distinto botão amarelo do judeu. Dessa vez, ela não baixou os olhos quando andou pela praça, passando pelos cristãos que a encaravam; antes, mantinha o olhar firme, devolvendo a todos o olhar de raiva e resolução. E logo chegou à choupana perto das docas, onde a ama-de-leite aguardava com o bebê.

Quando o sol se pôs, e a escuridão a protegia dos olhos curiosos, Ruth Ben Shoushan caminhou mar adentro, com o bebê ainda sem nome apoiado contra o peito, mergulhando até a cintura. Ela o desenrolou, jogando os panos do bebê para o alto, por cima da cabeça. Os olhos castanhos do bebê piscaram para ela, e seus pequeninos punhos, livres agora, socavam o ar.

— Perdão, meu pequeno — ela disse, delicadamente, e o jogou sob a superfície escura.

A água o cercou logo, tocando cada centímetro de seu corpo. Ela ainda o segurava com firmeza pelo braço. Então, soltou-o. A água tinha que levá-lo.

Ela olhou para a pequena forma se agitando; mas mantinha uma expressão resoluta no rosto, embora chorasse. A onda se ergueu e avançou contra ela. O refluxo ia levar o bebê embora. Ruti estendeu os braços e o segurou com as duas mãos. Quando o levantou do mar, a água escorria por sua pele nua, brilhante, enchendo-o de esplendor. Ela o ergueu em direção às estrelas. O bramido em sua cabeça era agora mais alto que o ruído da rebentação. Ela gritou para o vento, pronunciando as palavras para o infante em suas mãos:

— *Shema Yisrael, Adonai eloheinu, Adonai echad.*

Em seguida, ela tirou o pano da cabeça e cobriu o bebê. Por todo o reino de Aragão, judeus estavam sendo forçados para a pia batismal, levados à conversão por medo do exílio. Ruti, exultante, desafiadora, tinha convertido um cristão ao judaísmo. Como sua mãe não era judia, o ritual de imersão fora necessário. E agora estava feito. Com a emoção do momento transbordando de dentro de seu ser, Ruti contava os dias. Não precisaria esperar muito. No oitavo dia, deveria encontrar alguém para fazer a circuncisão. Se tudo corresse bem, tal evento já aconteceria em sua nova terra. Nesse dia, ela daria à criança o nome.

Ela se virou para a praia, abraçando o bebê contra o peito. Lembrou-se de que tinha o livro, envolto em pele, guardado na mochila pendurada ao ombro. Puxou as tiras da mochila para deixá-la mais no alto, longe das ondas. Mas algumas gotas de água salgada penetraram o cuidadoso embrulho. Quando a água secasse na página, ficaria uma marca, e um resíduo de cristais, que durariam quinhentos anos.

Pela manhã, Ruti começaria a procurar um navio. Pagaria sua passagem e a do bebê com o medalhão de prata que tinha tirado da encadernação de couro; e onde parassem — se parassem — eles descansariam na mão de Deus.

Mas, esta noite, ela iria à tumba de seu pai. Rezaria o *kadish* e ofereceria a oração ao neto judeu dele, que levaria seu nome para além dos oceanos, para qualquer que fosse o futuro que Deus lhes reservasse.

Hanna

Londres, primavera de 1996

EU AMO O TATE. De verdade. Apesar do fato de sua coleção de arte australiana ser muito escassa. Em primeiro lugar, não há um único quadro de Arthur Boyd, o que sempre me incomodou muito. Fui direto ao Sharansky, claro. Tinha uma compulsão de ver todas as obras dele. Sabia que o Tate tinha algum trabalho de Sharansky, e sabia que eu o tinha visto, mas não me lembrava onde estava o quadro. Quando finalmente o encontrei, percebi por quê. Não é uma obra muito memorável. Pequeno, de início de carreira, em nada indicando o poder de seus trabalhos vindouros. Típico daquele museu, eu pensei. Dar um espaço pequeno aos australianos. Diante do quadro, pus-me a pensar: foi meu pai quem o fez.

Por que ela não tinha me contado? Pelo menos, eu teria crescido com isto, que não é pouca coisa: a habilidade para ver a beleza que ele deixara para trás. Sentir orgulho por meu pai, em vez da vergonha que sempre invadia meus pensamentos em torno dele. Enquanto eu olhava deslumbrada para o quadro, enxuguei os olhos com a manga do suéter, mas não adiantou. Grandes lágrimas se formavam. Diante do quadro, ao lado de um grupo de crianças de alguma escola inglesa, vestidas com saiotes e blazers, que se amontoavam à minha volta, eu me descontrolei. Comecei a soluçar. Era a primeira vez em minha vida que aquilo acontecia. Assustei-me. Comecei a entrar em pânico, o que piorava ainda mais a situação. Eram soluços chorosos, grandes e embaraçosos. Recostei-me contra a parede e tentei me escorar, enquanto me empenhava em readquirir o autocontrole. Não deu certo. Fui escorregando pela parede até me transformar numa verdadeira poça, no chão. Agachei-me lá, e os ombros tremiam. Os britânicos se afastavam, como se eu fosse radioativa.

Alguns minutos depois, um dos guardas se aproximou e perguntou-me se eu estava doente, e se precisava de ajuda. Olhei para ele, balancei a cabeça, respirei fundo, tentando parar o choro. Mas não conseguia me controlar. Ele se abaixou ao meu lado e bateu-me gentilmente nas costas.

— Alguém morreu? — ele sussurrou. Sua voz era muito gentil. Tinha um forte sotaque regional. Yorkshire, talvez.

Assenti com a cabeça e respondi:

— Meu pai.

— Ah, entendo. É difícil, meu bem — ele disse.

Depois de algum tempo, ele me ofereceu o braço, eu o peguei, e juntos nós nos levantamos, meio desajeitados. Gaguejei um agradecimento, soltei-lhe o braço e caminhei devagar pela galeria, tentando encontrar a saída.

Em vez de sair, fui parar numa sala com todos os quadros de Francis Bacon. Detive-me diante de um que era o meu favorito. Não é um dos quadros mais conhecidos, e nem sempre eles o expõem. Há um homem caminhando como se se afastasse, meio que se forçando contra o vento, enquanto um cão preto corre atrás do próprio rabo, em primeiro plano. É ao mesmo tempo ominoso e inocente. Bacon fora absolutamente expressivo com o cão. Mas, dessa vez, com os olhos ainda cheios de lágrimas, o que eu registrei não foi o cachorro. Foi o sujeito. Indo embora. Fixei os olhos naquela imagem por um bom tempo.

No dia seguinte, acordei no meu quarto de hotel em Bloomsbury, sentindo-me leve e descontraída. Sempre desconfiei daquelas pessoas que afirmam que um bom choro é remédio para tudo. Mas sentia-me realmente muito melhor. Decidi, então, me concentrar na conferência. Havia vários temas muito interessantes, se eu pudesse vencer a dificuldades dos estranhos sotaques dos palestrantes. O mundo da arte na Inglaterra é um verdadeiro ímã para a segunda geração de lordes empobrecidos, ou mulheres chamadas Annabelle Alguma Coisa hífen Outra Coisa, que usam longas meias pretas e *cashmere* laranja e exalam um cheiro discreto de labrador molhado. Sempre me vejo em um estado paleolítico quando estou com essas pessoas, usando termos que eu nunca sonharia usar na vida real, como *cobber* e *bonza**. Nos Estados Unidos, é o oposto. Apesar de meus melhores esforços, tenho de tomar muito cuidado com o que eles chamam de "acomodação lingüística" para não cair no embalo do jeito americano de pronunciar o *t* no meio das palavras quase como *d*, e usar palavras típicas do inglês americano, esquecendo-me dos termos australianos. Creio que na Inglaterra apresento maior resistência a essa acomodação, porque minha mãe sempre forçava um sotaque empolado, que eu associava ao esnobismo. Quando era criança, ela chegava a estremecer quando eu conversava com ela.

— Realmente, Hanna, suas vogais! Parece que foram atropeladas por um caminhão. Qualquer um pensaria que eu matriculei você em alguma escola de periferia do leste, em vez da creche mais cara em Double Bay.

Para sair da amargura em que eu me tinha deixado cair, resolvi me concentrar no ensaio da Hagadá. Com todo o drama em Boston, eu havia deixado meu texto para trás, e o prazo da edição estava quase acabando. Uma amiga jornalista, Maryanne, que estava visitando a família em Oz, tinha me oferecido seu chalé em Hampstead; por isso, assim que a conferência acabou, acomodei-me lá por alguns dias. Era uma fantástica cabana de madeira, ao lado de um cemitério tosco, com cenotes de um azul profundo e rosas que se esgueiravam sobre muros cobertos de musgo. Era uma casa velha, diminuta, que rangia. As entradas eram baixas, e as vigas do teto podiam provocar cabeçadas em qualquer pessoa desatenta. Maryanne tinha baixa estatura, diferente de mim. Azar de quem tivesse mais de 1,70 metro de altura — que parecia ser a altura do teto da cozinha. Eu já tinha ido a festas lá, onde os convidados altos passavam a noite curvados, como furtivos gnomos.

Achei que seria bom ligar para Ozren e lhe dizer como estava indo meu ensaio, mas, quando telefonei para o museu, a bibliotecária assistente respondeu com um ríspido "não aqui".

---

* *Cobber* e *bonza*: gírias australianas que significam, respectivamente, *colega* ("cara") e *bacana*, *legal*. (N. do T.)

— Quando ele volta?

— Exatamente, não sei. Talvez aqui depois de amanhã. Talvez não.

Tentei o apartamento dele, mas o telefone tocou e tocou, sem ser atendido. Então, resolvi prosseguir com meu trabalho. Eu gostava de escrever no pequeno estúdio de Maryanne, uma salinha sob o beirado na parte de cima da casa. Tinha ótima luz e uma vista de toda a área, até Londres. Em raros dias, quando não chovia nem havia excesso de poluição, dava para ver os contornos de South Downs.

Estava muito confiante quanto ao ensaio. Embora não tivesse feito a descoberta sensacional que esperava fazer, sabia que as informações sobre a *Parnassius* e os fechos desaparecidos estavam abrindo terreno. Queria deixar os toques finais para mais tarde, depois de verificar a amostra de cabelo branco que eu tinha extraído da capa. Pedi a opinião de Amalie Sutter. Ela disse que eu poderia pedir a todos os zoólogos no museu que a analisassem.

— Mas as pessoas que entendem de cabelo, seja cabelo humano ou pêlo de animal, são os policiais.

Achava que um laboratório forense seria o lugar ideal. Tendo lido já muitos romances policiais de P. D. James, resolvi protelar a questão até chegar a Londres. Estava curiosa para ver se a realidade correspondia à ficção.

Por sorte, para mim, Maryanne tinha contatos muito bons com a Polícia Metropolitana. Ela era uma das editoras colaboradoras da *London Review Books*, e havia escrito sobre Salman Rushdie logo depois de ele ser ameaçado pelos iranianos. Ela era uma das poucas pessoas em que Rushdie confiava e que recebia com regularidade durante os piores anos, e Maryanne acabou se envolvendo com um dos sujeitos do grupo da Scotland Yard que cuidava dele. Conheci o homem em uma festa na casa dela — era um dos que precisavam se abaixar muito na cozinha, porque tinha mais de 1,80 metro de altura, mesmo encolhido. Ele providenciou para que eu fosse recebida no laboratório de pêlos e fibras da Polícia Metropolitana.

— É contra o protocolo — Maryanne me preveniu. — Portanto, você terá que ser muito discreta. Mas parece que a pessoa do laboratório ficou intrigada com a história do livro e queria cuidar do caso para você.

Eu também queria saber se Ozren conseguira verificar a procedência da *Parnassus*, descobrindo em qual aldeia nas montanhas a Hagadá fora escondida durante a Segunda Guerra Mundial. Se ele tivesse mais algum dado, eu poderia incluí-lo no ensaio. Geralmente os ensaios desse tipo são tão secos quanto o lago Eyre. Áridos, muito técnicos, como o relatório do francês em Viena, Martell. Cheio de detalhes meticulosos, como o número de cadernos e o número de folhas por caderno, o estado dos fios da encadernação, o número de orifícios da costura, e assim por diante. Eu queria que esse fosse diferente. Queria passar uma imagem das pessoas do livro, das diferentes mãos que o tinham feito, usado, protegido. Queria que fosse uma narrativa estimulante, até com suspense. Por isso, escrevi e reescrevi algumas seções de fundo histórico para usar como tempero em meio à discussão de questões técnicas. Tentei passar um sentido da *Convivência*, das reuniões de poesia nas noites de verão, em belos e formais jardins, de judeus que falavam árabe se misturando livremente com vizinhos muçulmanos e cristãos. Embora eu não pudesse conhecer a história do escriba ou do iluminador, tentei torná-los visíveis, explicando os detalhes de suas artes e como eram os pavilhões medievais do livro, bem como os pontos em que tais artesãos se encaixavam no meio social. Além disso, queria construir certa tensão entre os dramáticos e terríveis reveses da Inquisição, e da expulsão. Eu queria transmitir fogo e naufrágio e medo.

Quando o texto empacou, liguei para o rabino local em Hampstead e lhe perguntei a respeito do sal. Como era o sal *kosher*?

— Você ficaria surpresa ao saber quantas pessoas me perguntam isso — ele disse, com um tom de enfado na voz. — De modo geral, não é o sal que é *kosher*, e sim o fato de ser o tipo certo de sal para a carne *kosher*, curando-a para tirar todos os traços de sangue, pois os judeus que observam o *kosher* não consomem sangue.

— Então, o que o senhor diz é que qualquer sal com uma estrutura cristalina grande pode ser *kosher*? Não importa se for sal minerado ou evaporado do mar?

— É isso mesmo — confirmou o rabino. — E também ele não pode ter aditivos. Se tiver, por exemplo, dextrose, que é adicionada a certos tipos de sal com iodo, torna-se um problema na Páscoa, porque a dextrose vem do milho.

Não me dei ao trabalho de perguntar por que o milho não era *kosher* na Páscoa, pois eu tinha certeza de que ninguém havia adicionado dextrose ao sal que era usado na época da Hagadá. Mas usei o fato de que as manchas de sal vieram do mar, descrevendo assim a jornada marítima da Hagadá, provavelmente na época da expulsão, trabalhando com citações de alguns vívidos relatos contemporâneos daquelas terríveis viagens forçadas.

Cheguei até Veneza e sua comunidade judaica no gueto original, às pressões da censura em geral e, em particular, contra os livros judaicos; os vínculos comerciais e culturais que uniam as comunidades judaicas na Itália com as do outro lado do Adriático; a sugestão de que o livro poderia ter ido parar na Bósnia por intermédio de um precentor treinado na Itália, chamado Kohen. Eu estava tão concentrada em meu texto — às vezes acontece isso, nos bons dias, quando você segue o coelho branco e todo o resto do mundo desaparece — que quase explodi quando a campainha tocou.

Vi uma perua dos correios estacionada na entrada e desci para abrir a porta, irritada, sem motivo, por alguma encomenda de Maryanne ter interrompido minha concentração. Mas o mensageiro tinha um envelope para mim, do Tate. Assinei e o abri, tentando imaginar o que era. Dentro, havia uma carta expressa que já vinha reencaminhada de Boston. A porcaria estava me seguindo ao redor do mundo.

Cortei o envelope e o abri, curiosa. Havia dentro dele uma cópia de um ambrótipo e um molde com uma mensagem escrita à mão, na letra exuberante de *frau* Zweig. A foto era de um homem e uma mulher, em pose formal — ela sentada, ele de pé, atrás, com a mão no ombro da mulher. Alguém, penso que *frau* Zweig, desenhara um círculo em volta da cabeça da mulher, virada em três quartos de perfil. Uma seta apontava para seu brinco.

A carta de *frau* Zweig não tinha preâmbulos nem cumprimentos. Era a versão escrita de um grito de surpresa.

* * *

Veja isto!

A mulher está usando parte do nosso fecho? Lembra-se da descrição de Martell da asa? Mittl morreu de envenenamento por arsênico, pouco depois de trabalhar com a Hagadá. Ele tinha o fecho (assim como, no mínimo, metade dos cidadãos de Viena!) e o marido dessa mulher, o Dr. Franz Hirschfeldt, era médico dele. Só consegui descobrir tudo isso porque acusaram e *julgaram* Hirschfeldt pelo assassinato de Mittl. Ele se livrou — só estava tentando salvar o homem —, mas o caso tem sido discutido muito, ultimamente, como parte de nosso estudo, há muito parado, do anti-semitismo na Áustria.

Ligue-me quando receber isto!

Claro que corri para o telefone.

— Achei que você não ia ligar nunca! Pensei: "sei que os australianos são tranqüilos, mas até que ponto ela vai enrolar?".

Eu expliquei sobre o caminho da carta e que tinha acabado de recebê-la.

— Agora, se pudermos encontrar a outra peça: as rosas. Ainda estou à caça, acredite. É *muito* mais divertido que qualquer outra coisa que eu faço aqui...

Olhei para o relógio e percebi que, se não encerrasse àquela hora, perderia meu compromisso na Scotland Yard. Agradeci efusivamente a *frau* Zweig e logo fui vestindo um casaco, enquanto tentava encontrar um número para chamar um táxi. Já era tarde para tomar o metrô. Enquanto esperava o táxi, tentei ligar para Ozren mais uma vez. Queria lhe dar a notícia acerca dos fechos, e também, talvez, me gabar um pouco sobre como meu texto ia bem. A assistente no museu foi tão brusca quanto no dia anterior:

— Não aqui. Ligue depois.

Chamei um táxi cigano porque os táxis pretos de Londres são ridiculamente caros. Quase tive um ataque quando vinha do aeroporto de Heathrow quando o taxímetro chegava ao equivalente a cem dólares australianos e ainda nem tínhamos saído de Hammersmith.

O táxi era uma perua cinza, um tanto velha, mas o motorista era um indiano muito bonito. O carro tinha um leve cheiro de ganja. Ele ficou visivelmente surpreso quando lhe disse aonde eu queria ir.

— Babilônia, madame?

— O quê?

— Você trabalha com os homens?

— Ah, os policiais? Não, amigo. Só vou visitar os homens.

Ele parou algumas quadras antes do endereço.

— Eles têm cães farejadores, senhora — explicou. Como só me cobrou dez libras por uma viagem que teria me custado sessenta no táxi preto, eu não reclamei, embora estivesse chovendo. A chuva em Londres não é como em Sydney. Lá não chove demais; mas, quando chove, você sabe: são tempestades grandes, dilacerantes, que transformam as estradas em cataratas. Em Londres, a garoa é mais ou menos constante; mas nem vale a pena abrir o guarda-chuva, tão fina ela é. Já ganhei vários drinques em Londres apostando com as pessoas qual das duas cidades tem o maior índice de chuva.

Uma mulher aguardava do lado de dentro da entrada principal. Logo que me viu subir os degraus, ela saiu.

— Doutora Heath?

Assenti. Era uma senhora de aparência formal, com sessenta e poucos anos, e de aspecto forte. Parecia mais carcereira que cientista. Cumprimentou-me com um forte aperto de mão e, sem soltar-me, quase me fez girar sobre os degraus, conduzindo-me de volta à rua.

— Sou Clarissa Montague-Morgan. — Outra Alguma Coisa hífen Alguma Coisa, embora não tivesse o estilo clássico, e seu leve odor era de substâncias de laboratório, e não do laboratório em si. — Sinto muitíssimo por não convidá-la a entrar — ela disse, como se eu a estivesse visitando para tomar chá. — Mas há protocolos rígidos aqui que protegem a rede de evidências e assim por diante. É muito difícil realmente obter permissão para um visitante que não seja funcionário, ainda mais se a pessoa não trabalha na área legal.

Fiquei decepcionada; gostaria de ver como era o trabalho da avaliação da amostra de cabelo, e disse isso a ela.

— Bem, eu posso dizer tudo a respeito — ela replicou. — Mas por que não paramos aqui, antes, abrigadas da chuva? Estou no meu intervalo para o chá, tenho uns quinze minutos.

Estávamos em frente a uma lanchonete com mesinhas de Laminex. Não havia outros fregueses. Pedimos chá. Mesmo em estabelecimentos modestos em Londres, pode-se tomar um bom chá, que vem em chaleira, diferente dos saquinhos ao lado de uma xícara de água morna, servidos nos bares americanos.

Tão logo chegou o chá, fervendo e muito forte, Clarissa entrou no assunto da análise do cabelo. Ela usava frases claras, curtas e muito precisas. Eu não gostaria de tê-la como uma testemunha contra mim num tribunal.

— A primeira pergunta que faríamos, se fosse uma questão criminal, é se o cabelo é humano ou animal. Isso é muito fácil de determinar. Primeiro, você examina a cutícula do pêlo. As escamas do cabelo são rapidamente identificáveis e macias, enquanto em animais são de espécies variadas, em forma de pétala, espinhosas, dependendo do animal. Com um molde de escama dá para ver o padrão com mais clareza. No caso raro de a escamação não ser definitiva, sempre temos a medula, o núcleo central do pêlo. As células da medula são muito regulares nos animais, mas amorfas nos humanos. E também há o pigmento. Os grânulos de pigmento no pêlo animal são distribuídos em direção à medula; no ser humano, em direção à cutícula. Você está com a amostra aí?

Entreguei-lhe a amostra. Ela colocou os óculos, levantou o envelope contra a luz fluorescente, e espiou.

— Que pena.

— O que foi?

— Não há raiz. Se fosse ampliada, poderia revelar uma riqueza de informações. E o DNA está lá, claro; então, nesse sentido, você está sem sorte. Sempre há tecido de raiz em pêlos que caíram naturalmente. Os mamíferos estão sempre perdendo cerca de um terço de seus pêlos, a qualquer momento, sabe? Mas eu diria que esse cabelo foi cortado; não caiu nem foi puxado. Verificarei isso quando voltar ao laboratório.

— Você já resolveu algum crime com uma amostra de pêlo?

— Ah, vários. Os menos desafiadores são aqueles em que temos pêlo humano no corpo da vítima cujo DNA combina com o do suspeito. Isso coloca o suspeito na cena do crime. Meus casos favoritos são um pouco mais intricados. Houve um sujeito que estrangulou a ex-mulher. Ele tinha se mudado para a Escócia depois da separação, e ela continuou vivendo em Londres. Ele teve o cuidado de criar um bom álibi. Disse que estava na casa de seus pais em Kent o dia todo. Bem, ele *estava* lá, durante parte do dia. O oficial investigador notou que os pais tinham um cachorrinho pequinês que pulava muito. Os pêlos do cão eram iguais aos encontrados na roupa da vítima. Não era uma coisa definitiva, mas chamou a atenção do oficial. Uma busca na casa do sujeito em Glasgow revelou um canteiro de flores cavado recentemente. Nós o escavamos, e descobrimos que ele tinha enterrado lá as roupas que usou quando cometeu o assassinato, e estavam cobertas de pêlos de cachorro pequinês.

Clarissa olhou o relógio e disse que era melhor voltar ao trabalho.

— Vou verificar isso para você hoje à noite. Ligue-me em casa, por volta das vinte e uma horas. Aqui está o número. Eu lhe direi o que descobri.

Tomei o metrô de volta a Hampstead, já que não tinha pressa, e fiz um gostoso passeio molhado pelo brejo. De volta à cabana de Maryanne, esquentei uma caneca de sopa e subi a escada, com ela, para retomar meu ensaio. Resolvi tentar mais uma vez falar com Ozren, no apartamento dele.

O aparelho tocou uma só vez, e alguém o atendeu. Era uma voz de homem, mas não de Ozren, com um discreto *"Molim?"*.

— Desculpe-me, eu não falo bósnio. Ozren está?

O homem passou para o inglês, facilmente, mas continuou falando tão baixo que eu mal ouvia suas palavras.

— Ozren está em casa, mas não pode atender no momento. Quem gostaria de falar com ele, por favor?

— Meu nome é Hanna Heath. Sou colega de Ozren; trabalhei com ele alguns dias, no mês passado. Eu...

— Senhorita Heath — ele me interrompeu —, posso sugerir que outra pessoa na biblioteca a ajude? Este não é um bom momento. Meu amigo não está pensando no trabalho agora.

Eu tive aquela sensação própria de quando você quer fazer uma pergunta, mas já sabe a resposta, e não quer ouvi-la.

— O que aconteceu? É Alia?

A voz do outro lado da linha emitiu um longo suspiro.

— Sim, lamento informar. Duas noites atrás, ligaram para o meu amigo do hospital dizendo que o menino estava com febre alta. Era uma infecção generalizada. Ele morreu hoje de manhã. Logo o enterraremos.

Engoli em seco. Não sabia o que dizer. A frase convencional em árabe é: "Que todas as suas tristezas fiquem para trás agora". Mas eu não tinha idéia do que os muçulmanos bósnios diziam para expressar condolências.

— Ozren está bem? Quero dizer...

Ele me interrompeu de novo. Parecia que os moradores de Sarajevo não tinham muito tempo para as condolências de forasteiros.

— Ele é um pai que perdeu seu filho único. Não, ele não está "bem". Mas, se você me perguntar se ele vai pular no Miljacka, bem, eu acho que não.

Sentia-me aturdida e com náuseas, mas aquele sarcasmo convertia todos os outros sentimentos em raiva.

— Não precisa falar desse jeito. Só estou tentando...

— Senhorita Heath, quero dizer, doutora Heath. O outro especialista em livros disse que era doutora. Eu deveria ter me lembrado disso. Sinto por ter sido rude. Mas nós estamos todos muito cansados, e um tanto atarefados com os arranjos para o funeral, e seu colega ficou aqui tanto tempo...

— Que colega? — Foi a minha vez de ser abrupta, agora.

— O israelita, doutor Yomotov.

— Ele esteve aí?

— Achei que você sabia. Ele disse que vocês estavam trabalhando juntos na Hagadá.

— Bem, mais ou menos.

Amitai talvez tivesse deixado uma mensagem em meu laboratório em Sydney dizendo que ia a Sarajevo, e não lembraram de me informar. E eu não podia imaginar por que cargas d'água ele iria ao apartamento de Ozren. Com o homem sofrendo pela perda do filho, era uma situação muito peculiar. Mas aquele sujeito do outro lado da linha não ia me dizer mais nada, isso era óbvio. Percebi que o fone estava quase de volta ao gancho enquanto eu lhe pedia que transmitisse meus sentimentos a Ozren.

Eu estava na dúvida se deveria ir a Sarajevo quando saísse de Londres. Mas, de repente, estava ligando para a companhia aérea para reservar a passagem. Disse a mim mesma que o motivo era descobrir o que Amitai estava fazendo. Como já expliquei, não sou do tipo de pessoa que anda com lencinhos de papel para emergências. Um pai em luto não é minha especialidade; por isso, a idéia de ver Ozren de novo, nessas circunstâncias, não afetaria minha decisão.

Fiquei ao telefone por algum tempo com a companhia aérea, entendendo as conexões, e, assim que desliguei, o telefone tocou.

— Doutora Heath? É Clarissa Montague-Morgan, da Unidade Forense da Polícia Metropolitana.

— Olá. Eu ia lhe telefonar às nove. Eu... — Fiquei imaginando como ela conseguira o número, pois eu não o havia dado. Mas, para uma pessoa que trabalha para a Scotland Yard, é fácil descobrir essas coisas.

— Não importa, doutora Heath. Apenas achei que minhas descobertas seriam interessantes, e queria partilhá-las com a senhora. É pêlo de gato, disso nós podemos ter certeza. As raspas de cutículas são acentuadas e pontudas. Mas há algo muito estranho em sua amostra.

— O quê?

— A cutícula. Há partículas-traço aqui, que não se vêem em animais, de tinturas muito fortes no espectro amarelo. Podemos encontrar partículas assim em cabelo humano — se uma mulher tivesse tingido ou feito luzes no cabelo, por exemplo. Mas nunca vi em amostras de pêlo de animal. Acho que a senhora concordaria comigo que os gatos, de modo geral, não tingem o pêlo.

Um pêlo branco

Sevilha, 1480

De meus olhos vertem tristeza; odres de água que vazam.

— Abid bin al-Abras

NÓS NÃO SENTIMOS O SOL AQUI. A própria passagem dos anos, isso é o mais difícil para mim. Em casa, eu vivia na claridade. O calor cozinhava a terra amarela e secava o sapé no telhado até ele estalar.

Aqui, a pedra e o azulejo estão sempre frios, mesmo ao meio-dia. A luz entra furtivamente em nosso meio, como um inimigo, esgueirando-se pela treliça ou se projetando das poucas vidraças altas, em fragmentos insípidos de esmeralda e rubi.

É difícil fazer meu trabalho sob essa luz. Preciso sempre mudar a página para conseguir um pequeno quadrado de luz suficiente, e essa constante mudança quebra minha concentração. Eu largo o pincel e flexiono as mãos. O menino ao meu lado se levanta, sem falar nada, e vai buscar a jovem do *sherbet*. Ela é nova aqui, na casa de Netanel ha-Levi, e não sei como ele a conheceu. Talvez, assim como eu, ela fosse um presente de algum pai grato. Se fosse, era realmente generoso. Ela é uma serviçal habilidosa, e desliza sobre o piso frio, silenciosa como seda. Eu aceno com a cabeça, e ela se ajoelha, despejando um líquido da cor de ferrugem que eu não reconheço.

— É romã — ela diz, com um sotaque tribal desconhecido.

Ela tem olhos verdes, como o mar, mas sua pele reluz com os tons de alguma terra do sul. Enquanto ela se curva sobre o cálice, o pano em volta do pescoço cai e eu noto que ele tem a tonalidade marrom-dourada de um pêssego manchado. Isso me intriga, e fico pensando em que tintas eu misturaria para reproduzir aquele efeito. O *sherbet* é bom; ela misturou de tal maneira que a textura da fruta ainda é saborosa sob o sabor do xarope.

— Que Deus abençoe suas mãos — eu digo, quando ela se levanta.

— Que as bênçãos sejam tão abundantes sobre você quanto a chuva — ela murmura. Vejo, então, que ela arregala os olhos enquanto observa meu trabalho. Quando se vira, seus olhos começam a se mexer, e, embora o sotaque gere certa confusão, penso que a oração que ela está sussurrando é de uma origem totalmente diferente. Olho para a minha tábua e tento ver meu trabalho como ele devia parecer a ela. O doutor me observa, com a cabeça tombada para o lado e a mão erguida, tocando os cachos da barba — o que ele sempre faz quando pensa em alguma questão de seu interesse. É o próprio, não resta dúvida. A semelhança é excelente. Poder-se-ia até dizer que ele ainda está vivo.

A garota não está surpresa à toa. Faz-me lembrar de meu próprio assombro quando Hooman mostrou-me pela primeira vez as imagens nos quadros que tinham provocado a ira dos iconoclastas. Mas agora Hooman é que se surpreenderia se me visse; eu, de origem muçulmana, trabalhando para um judeu. Ele não pensou que estava me treinando para tal destino. De minha parte, já me acostumei com isso. A princípio, quando cheguei aqui, sentia vergonha de minha escravidão nas mãos de um judeu. Mas agora minha única vergonha é a escravidão. E foi o próprio judeu que me ensinou a sentir tal coisa.

Eu tinha catorze anos quando meu mundo mudou. Valorosa prole de um homem importante, nunca me imaginei vivendo na escravidão. No dia em que os mercadores me levaram a Hooman, parecia que havíamos passado pelas oficinas de todas as profissões do mundo conhecido. Haviam coberto minha cabeça com um saco, para que eu não tentasse fugir; mas, mesmo através da juta, os cheiros e sons me diziam por quais guildas estávamos passando. Lembro-me do odor forte dos curtidores, do cheiro adocicado do esparto na rua dos fabricantes de espartilhos, do clangor dos armadores, da batida monótona dos teares, e das notas desordenadas, incertas, dos fabricantes de instrumentos testando sua mercadoria.

Por fim, chegamos ao pavilhão do livro. O guarda tirou-me a venda, e eu vi que o estúdio dos calígrafos ocupava o piso mais alto e dava para o sul, recebendo a melhor iluminação. O estúdio dos pintores era embaixo deste. Enquanto o mercador me conduzia por fileiras de figuras sentadas, nenhuma daquelas pessoas levantava a cabeça do trabalho para sequer me olhar de relance. Os assistentes na oficina de Hooman sabiam que ele exigia completa concentração, e era rigoroso na punição pela falha.

Duas gatas dormiam, abraçadas, num canto de seu tapete de seda. Com um aceno da mão, ele as espantou, e fez-me um sinal que me ajoelhasse no lugar delas. Falou friamente com meu guarda, e o homem se curvou para cortar a corda imunda que prendia meus punhos. Hooman pegou minhas mãos, ergueu-as e as virou, examinando os locais onde a corda tinha provocado cortes profundos. Ele gritou, rude, para o guarda, antes de dispensá-lo. E, então, voltou-se para mim.

— Bem, você diz que é um *mussavir*. — Sua voz agora soara como um sussurro; parecia o som do movimento do pincel sobre o papel polido.

— Sei pintar desde que era criança — respondi.

— E quando foi isso? — ele perguntou, divertindo-se, enquanto as linhas em torno de seus olhos se contraíram.

— Farei quinze anos antes do Ramadã.

— É mesmo? — Ele passou a mão longa sobre meu queixo liso, sem barba. Recuei, e ele levantou o braço com vigor, como se fosse me bater, por causa daquela atitude. Mas deixou-o cair, em seguida, ao lado do corpo, e colocou a mão no bolso de sua túnica. Não dizia nada, apenas me olhava até eu sentir calor no rosto e baixar a cabeça. Para quebrar o silêncio, eu disse:

— Minha especialidade é pintar plantas.

Ele tirou a mão do bolso e eu vi que segurava entre o polegar e o indicador um saquinho de seda bordada. De dentro, tirou um grão de arroz do tipo alongado, que os persas tanto apreciam. Deu-o a mim.

— Diga-me, *ya mussawir*, o que você vê?

Fitei o grão, e senti o queixo cair, em total perplexidade. Nele estava pintada uma partida de pólo — um jogador galopando, a cauda de seu cavalo esvoaçava enquanto ele atacava as traves, e o outro estava montando, enquanto um servo lhe entregava sua vara. Eu podia até contar as tranças na crina do cavalo e sentir a textura do casaco de brocado do cavaleiro. Como se aquilo já não fosse extraordinário, havia ainda uma inscrição:

Em um grão, vêm cem colheitas
Em um coração, um mundo inteiro está contido.

Ele pegou o grão de volta e colocou outro em minha mão. Esse era simples: um grão de arroz como qualquer outro.

— Como você é "especialista em plantas", fará para mim um jardim. Quero folhas e flores que revelem toda a sua habilidade. Você tem dois dias. Pegue um lugar ali, entre os outros.

Ele se virou e apanhou o pincel. Bastou olhar de relance pela sala e um garoto se levantou imediatamente, o escarlate que tinha preparado, incandescente como fogo, tingindo as laterais do pote que ele segurava, com toda a cautela, com as duas mãos.

Não será nenhuma surpresa, creio, se eu disser que não passei no teste. Antes de minha captura, eu passava o dia fazendo desenhos de plantas conhecidas de meu pai por seus valores médicos. Assim, os curandeiros que viviam a milhas de distância dele, e se distanciavam também pela língua, saberiam exatamente a que planta ele se referia, qualquer que fosse o nome que usassem para ela. Era um trabalho meticuloso, e eu me orgulhava por meu pai me considerar hábil para o ofício.

Meu pai, Ibrahim al-Tarek, já era idoso quando eu nasci. Vim ao mundo em uma casa tão cheia de filhos que nunca esperei a atenção dele. Muhammad, o mais velho de meus seis irmãos, tinha idade para ser meu pai; na verdade, um filho dele nasceu dois anos antes de mim, sendo, por algum tempo, o principal atormentador de minha infância.

Meu pai era um homem alto, apesar de ser também ligeiramente curvado; belo, embora seu rosto fosse murcho e marcado com rugas. Após as orações noturnas, ele ia até o pátio e sentava sobre os tapetes entrelaçados, debaixo da tamargueira, ouvindo as mulheres falarem de como fora o dia, admirando o trabalho de tecelagem delas, e fazendo perguntas gentis sobre nós, as crianças mais novas, e como estávamos. Quando minha mãe era viva, ele se sentava com ela por mais tempo, e eu sentia um prazer secreto, em meu entendimento ainda malformado, pelo lugar especial dela em relação a ele. Nós falávamos mais baixo quando ele chegava, e, embora não parássemos de brincar, as brincadeiras diminuíam de intensidade. De uma forma ou de outra, acabávamos brincando cada vez mais perto de onde ele se sentava, ignorando as testas franzidas de nossas mães como alerta, ou seus gestos com as mãos, indicando que fôssemos embora. Por fim, ele estendia seu longo braço e pegava um de nós, colocando a criança sortuda ao seu lado, no tapete, e trocando uma palavra gentil com ela. Outras vezes, quando brincávamos de esconde-esconde, ele deixava um ou outro de nós se esconder nas longas dobras de sua túnica, e ria de nossos gritinhos quando éramos descobertos.

Nos aposentos dele — o cômodo simples onde ele dormia, a biblioteca cheia de livros e rolos, e a sala de trabalho entulhada de delicados potes e jarros — nós não podíamos entrar. E eu não teria me atrevido a entrar, se o lagarto que tinha se tornado meu companheiro secreto não tivesse escapado de meu bolso uma tarde e corrido pelo chão de terra batida, distanciando-se cada vez mais de mim. Eu tinha sete anos e minha mãe morrera havia quase um ano. As outras mulheres eram gentis comigo, principalmente a esposa de Muhammad, que era mais próxima da idade de meu pai que suas outras esposas. Mas, apesar do carinho delas, a saudade que eu sentia de minha mãe corroía-me o coração, e eu penso que o lagarto era um dos meios pelos quais eu tentava preencher o vazio.

Estava bem em frente à biblioteca quando finalmente cheguei perto do lagarto. Minha mão já estava quase tocando sua pele enrugada, quando ele escorreu de mim como líquido, encolhendo-se todo, e sumiu por baixo da porta da biblioteca. Meu pai estava fora, pelo menos eu achava que sim; por isso, hesitei um instante antes de empurrar a porta e entrar.

Geralmente ele era um homem ordeiro, mas essa ordem não se estendia aos seus livros. Mais tarde, quando passei a trabalhar com ele, descobri a causa do caos que vi em sua biblioteca naquela tarde. Seus rolos de papel se empilhavam ao longo de uma das paredes, apertados, do piso ao teto, de modo que as extremidades circulares ficavam um pouco achatadas, como as células de um favo de mel. Ele devia ter uma ordem mental daquilo, da qual se lembrava, pois puxava um rolo sem hesitação, abria-o sobre sua bancada e estendia os braços sobre ele. E nessa posição ele ficava por muitos minutos, ou poucos, para de repente se endireitar, tirando as mãos de cima do papel, que se enrolava sozinho, novamente. Ele o deixava de lado e caminhava até a outra parede, onde tinha alguma espécie de registro de volumes encadernados. Escolhendo um, ele folheava o livro, resmungava, dava mais alguns passos, deixava o livro também de lado e apanhava seus instrumentos de escrita; ele rabiscava algumas linhas num pergaminho, largava o pincel e repetia todo o processo. No fim, havia sempre tantos itens no chão quanto na bancada.

Meu lagarto escolhera um lugar excelente para se esconder de mim, pensei, abaixando-me sob a bancada, empurrando papéis e volumes caídos. Eu estava lá quando vi os pés de meu pai calçando sandálias. Abandonei a busca pelo lagarto e fiquei absolutamente imóvel, esperando que ele tivesse vindo em busca de algum dos rolos e logo sairia novamente, deixando-me fugir, incólume.

Mas ele não saiu. Tinha na mão um galho de alguma planta verde lustrosa. Ele a colocou sobre a bancada e iniciou o ritual prolongado que eu descrevi. Passou-se meia hora, depois uma hora. Meus músculos estavam enrijecidos. Meu pé, sobre o qual eu descansava o peso do corpo, começou a formigar. Mas eu não me atrevia a me mexer. Enquanto meu pai trabalhava, páginas de sua escrita, iniciadas e deixadas de lado, caíam da bancada, junto ao galho que ele tinha deixado ali. Quando uma das penas com a qual escrevia caiu ao meu lado, o tédio já me dava coragem suficiente para pegá-la. Observei uma folha do galho. Gostei do jeito como ela era dividida em linhas de um padrão regular e definitivo, como os mosaicos que forravam as paredes da sala onde meu pai e meus irmãos mais velhos recebiam seus convidados. Em um canto de uma das páginas descartadas por meu pai, comecei a desenhar aquela folha. O pincel era uma maravilha para mim — alguns pêlos finos inseridos na haste de uma pena. Com ele, se eu firmasse a mão e concentrasse o pensamento, poderia reproduzir exatamente a delicadeza do objeto desenhado. Quando a tinta secava, eu a reabastecia das manchas que caíam no chão dos traços impacientes de meu pai.

Talvez meu movimento tenha atraído sua atenção. Ele estendeu aquela mão enorme e me agarrou pelo punho. Meu coração bateu rápido. Ele me puxou e me fez ficar de pé diante dele. Não desviei o olhar do chão por medo de detectar raiva naquele rosto que eu tanto amava. Então ele disse meu nome, com delicadeza e sem rancor.

— Você sabe que não tem permissão de entrar aqui.

Com a voz trêmula, eu lhe falei do meu lagarto, e lhe implorei o perdão.

— Achei que ele podia ser comido por um dos gatos.

Enquanto eu falava, ele afrouxou o aperto em meu braço. Em seguida, envolveu minha mão na dele, muito maior, e a acariciou.

— Bem, o lagarto tem o seu destino, como todos nós — ele disse. — Mas o que é isso? — Meu pai levantou minha outra mão, que ainda segurava com força a página sobre a qual eu tinha feito o desenho. Examinou-o por um momento e não disse nada. Depois, me mandou sair da sala.

No pátio, aquela noite, mantive-me longe dele, não querendo que me notasse, na esperança de que ele não mencionasse mais a minha transgressão. Mais tarde, quando me dirigi ao meu tapete com os outros (e sem receber castigo), parabenizei-me pelo sucesso desse estratagema.

No dia seguinte, depois de conduzir todos os membros da casa na oração matutina, meu pai me chamou para o seu lado. Senti um frio no estômago. Achei que viria o castigo, afinal. Mas, em vez disso, ele me trouxe uma pena fina, um pouco de tinta, e um rolo velho só parcialmente escrito com suas anotações.

— Eu quero que você pratique — ele disse. — Sua habilidade, se for desenvolvida, será de grande valia para mim.

Eu trabalhei com afinco naqueles desenhos. Todas as manhãs, depois de colocar de lado a prancha de madeira sobre a qual eu aprendia a escrever os versículos do Alcorão sagrado — meu pai insistia para que cada um de seus filhos assistisse àqueles lições —, eu não participava dos jogos ou das tarefas dos outros, mas pegava meu pergaminho e desenhava até a mão ficar dura. Eu me deleitava com a atenção de meu pai e desejava, acima de tudo, ser útil para ele. Aos doze anos, já tinha desenvolvido certa competência. Quase todos os dias, passava parte de meu tempo na companhia dele, ajudando-o a fazer os livros que curavam a saúde de estranhos em centenas de países.

No fim da tarde do primeiro dia, no estúdio de Hooman, eu sentia como se todos aqueles doces anos de aprendizagem tivessem me abandonado totalmente. À medida que a luz do sol diminuía e minha mão tremia por causa da tensão de traços tão diminutos que nenhum observador perceberia que o menor movimento fora feito, eu me deitei em meu tapete, em um canto da oficina, sentindo-me, ao mesmo tempo, inútil e amedrontado. As lágrimas feriam-me os olhos cansados, e devo ter soluçado, pois o homem que se acomodava sobre um tapete próximo sussurrou, um tanto rude, que eu não deveria me importar.

— Contente-se por não ter sido mandado para a encadernadora — ele falou. — Lá os aprendizes devem aprender a desenhar um fio de ouro tão fino que seja capaz de passar por um buraco de uma semente de papoula.

— Mas Hooman não ficará comigo se eu não conseguir fazer esse trabalho; e esta é a única habilidade que eu possuo.

Na jornada até lá, após minha captura, eu tinha visto outros jovens estrangeiros agarrando-se, apavorados, ao cordame do navio em um mar revolto, quebrando rochas sob o sol abrasador das pedreiras, ou saindo da escuridão das minas, curvados e imundos.

— Você não será o primeiro a falhar, acredite-me. Ele encontrará alguma tarefa para você.

E, de fato, encontrou. Ele mal olhou para meu grão de arroz antes de jogá-lo fora. Mandou-me trabalhar com os "preparadores da base" — aqueles pintores e calígrafos cuja vista ficara muito fraca, ou cujas mãos não tinham mais firmeza. O dia todo, eu ficava sentado com aqueles homens amargurados, esfregando cada um dos pergaminhos com madrepérola, talvez mil vezes, até a página ficar polida o suficiente. Alguns dias depois, meus dedos começavam a se enrugar e descascar em tiras. Logo, eu já não conseguia mais segurar um pincel. Foi então que cedi ao desespero que vinha refreando desde a captura.

Eu não me permitia pensar na minha casa, no modo como havíamos saído dela, em celebração, com as esposas de meu pai dançando alegres enquanto a caravana *hadji* partia aos sons de tambores e címbalos. Não me permitia pensar em meu pai, como o vira pela última vez. Mas agora não conseguia mais afastar as imagens dele, seus cabelos grisalhos manchados de sangue e tecido cinzento, uma bolha de saliva carmesim se formando em seus lábios enquanto ele tentava expressar as palavras de sua última oração. Seus olhos, aqueles olhos desesperados, sondando meu rosto enquanto o berber me segurava, com o braço em volta de minha garganta, forte e grande como um galho de árvore. De alguma forma, eu consegui me libertar o tempo suficiente para gritar as palavras no lugar de meu pai, aquelas palavras que ele não tinha fôlego para dizer:

— Deus é grandioso! Não há outro Deus além de Deus! — Senti uma pancada e caí de joelhos, ainda gritando, no lugar dele: — Eu confio em Deus!

A pancada seguinte foi mais forte. Quando recuperei os sentidos, sentia um gosto de ferro na boca. Eu estava de bruços sobre um carro, em meio aos nossos bens saqueados, seguindo para o norte. Com dor, levantei a cabeça, que latejava, para espiar por entre as frestas laterais. Meu pai ainda estava estirado, à distância, um amontoado de panos se agitando no vento quente do deserto: trapos de tom índigo, e, por cima deles, as penas negras, lustrosas, do primeiro abutre.

Eu passei três meses com os preparadores da base. E agora, quando relembro aqueles dias sem o medo que sentia na época — medo de passar a vida toda no tédio de bater e esfregar pergaminhos, e de remoer o passado —, consigo admitir que aprendi muito lá, principalmente com Faris. Assim como eu, Faris nascera do outro lado do mar, em Ifriqyia. Diferente de mim, ele viera até ali por sua vontade, para praticar sua arte no pouco que restara da nação, outrora poderosa, de al-Andalus. Diferente dos outros, ele não se gabava o tempo todo da grande habilidade que possuía. Tampouco se envolvia nas constantes querelas, tão persistentes quanto o zumbido das moscas-varejeiras.

Os olhos de Faris eram embaçados como o céu de inverno. A doença lhe tirara a visão quando ainda era muito jovem. Um dia, enfim, depois de conhecê-lo melhor, eu lhe perguntei por que ele não ia se consultar com um dos excelentes médicos da cidade. Eu sabia que existia uma operação que às vezes devolvia a visão a olhos embaçados. Pessoalmente, nunca a tinha visto. Meu pai curava com plantas em vez de sondas, mas ele me mostrara certa vez uma linda série de desenhos que ilustrava como aquilo podia ser feito por uma pessoa habilidosa: um delicado corte no globo ocular, abrindo a janela embaçada e forçando-a para o espaço de trás.

— Eu experimentei esse corte — Faris disse. — O próprio cirurgião do emir tentou duas vezes. Mas, como você vê, não deu certo.

— Deus o colocou na neblina, e o deixa lá em penitência pelos quadros que ele pintou. — A voz titubeante vinha do velho Hakim, que fora calígrafo. Ele se gabava de ter copiado vinte Alcorões em sua carreira, e que as palavras sagradas estavam gravadas em seu coração. Se assim o fosse, elas não o tinham amolecido. As únicas palavras gentis que vinham de sua boca enrugada eram suas orações. O restante de sua fala era uma corrente cruel de vilania. Ele se levantou de seu tapete, onde estivera cochilando, evitando sua quota de trabalho. Apoiando-se no cajado, veio cambaleando até onde nós estávamos sentados com nosso trabalho. Ergueu o cajado e cutucou Faris com ele.

— Você quis criar como Deus cria, e Deus o puniu por isso.

Toquei delicadamente o braço de Faris, mas ele balançou a cabeça.

— Ignorância e superstição — ele murmurou. — Celebrar a criação de Deus não é o mesmo que competir com o Criador.

O velho ergueu a voz.

— Os artesãos de imagens figuradas são os piores de todos os homens — ele declarou, seu tom entrando naquele som cadenciado árabe da oração. — Será que você é tão arrogante que duvida da palavra do Profeta?

— Que a paz esteja com ele, jamais eu duvidaria de suas palavras. — Faris sussurrou. Era evidente que os dois já tinham discutido essa questão muitas outras vezes. — Eu duvido daqueles que afirmam que essa idéia é verdadeira. O Alcorão, que transcende qualquer dúvida, se omite a respeito desses assuntos.

— Não, não se omite! — O velho começava a alterar a voz agora, curvado, com sua barba amarelada quase se encostando à testa de Faris, que baixara a cabeça. — O Alcorão não usa a palavra *sawwara* para descrever o modo como Deus forma o homem a partir de um coágulo? Portanto, Deus é um *mussawir*. Chamar-se a si mesmo disso é usurpar aquele que nos formou!

— Basta! — Faris ergueu a voz. — Por que você não conta ao menino a verdade acerca de sua vinda para cá? Ele não tem tremor nas mãos e enxerga tão bem quanto um falcão. Foi dispensado por deflagrar a arte dos pintores.

— Dispensado por fazer a obra de Deus! — o homem gritou. — Eu cortei suas gargantas! Decepei-os todos! Matei-os para salvar a alma do emir! — Ele começou a rir, como se lembrasse de alguma piada particular.

Eu estava confuso. Olhei para Faris, mas todo o seu corpo tremia. A testa estava banhada de suor. Uma gota caiu sobre o papel à sua frente, estragando todo o esforço de uma manhã. Quando coloquei a mão sobre seu braço, ele a tirou. Jogando seu pedaço de concha para o lado, ele se pôs de pé e empurrou o velho com força, tirando-o de seu caminho.

Hooman mandou me chamar dois dias depois. Atravessei o estúdio, observando as coisas que o medo havia me impedido de ver, da primeira vez: os brilhantes fragmentos de lápis-lazúli esperando ser moídos em um pigmento azul, o brilho da luz sobre chapas de prata, e o velho em uma alcova coberta por uma tela, protegido da mais leve brisa, enquanto pegava pedaços cintilantes de cor de uma pilha de asas de borboleta. Hooman fez um sinal para que eu me ajoelhasse onde tinha me ajoelhado antes, num canto de seu tapete. Uma gata dormia em seus braços. Ele a ergueu até o queixo e mergulhou o rosto na densa pelagem por um instante; e então, inesperadamente, aproximou-a de mim:

— Pegue-a! — ele disse. — Você não tem medo de gatos, tem?

Eu balancei a cabeça e a peguei. Minhas mãos, fustigadas pelo trabalho e endurecidas com calos, mergulharam em seus pêlos macios. A gata parecia grande, mas na verdade era pequena, envolta em uma nuvem de pêlos. Ela ronronou uma vez, como um filhote, e se enrolou em meu colo. Hooman deu-me uma faca, com o cabo voltado para mim. Eu me encolhi. Ele não podia esperar que eu matasse sua gata! Meu rosto demonstrou o assombro. As linhas em voltas dos olhos de Hooman se tencionaram por um momento.

— E de onde você acha que obtemos os pêlos finos para os nossos pincéis? — ele perguntou. — Os gatos têm a gentileza de nos fornecê-los. — Ele ergueu a segunda gata e a colocou no colo, acariciando-a embaixo do queixo até ela rolar e estender o pescoço. Ele segurou não mais que cinco ou seis dos longos pêlos da garganta e passou a faca por baixo.

Quando me olhou novamente, a gata em meu colo tinha se esticado toda, puxando-me uma das mangas, de modo que sua pata branca estava agora em meu antebraço.

— Sua pele — disse Hooman, delicadamente. Ele fitou-me. Eu tentei puxar a manga de minha túnica por cima dos punhos, mas ele estendeu a mão e me impediu. Ele continuou me olhando sem me ver. Eu conhecia aquele olhar. Era o jeito como meu pai estudava um tumor, esquecendo, enquanto o examinava, que o tumor estava no corpo de uma pessoa. Quando Hooman falou de novo, dirigiu-se mais a si mesmo que a mim. — É da cor da fumaça azul... não... é como uma ameixa amadurecendo, com a parte de baixo ainda em tom pálido. — Eu me mexi, desconfortável com aquela inspeção. — Fique quieto! — ele ordenou. — Preciso pintar essa cor.

Assim, lá permaneci até a luz falhar. Nesse momento, então, ele me dispensou abruptamente, e eu me dirigi a uma paleta vaga num canto do estúdio, sem saber por que ele me havia chamado.

No dia seguinte, Hooman me deu os novos pincéis que tinha mandado fazer, com os pêlos de gato firmes no talo da pena. Havia pincéis de vários tamanhos. Alguns continham um único pêlo, e deveriam ser usados para as linhas mais finas. Ele me entregou também um pedaço de pergaminho polido.

— Faça-me um retrato — ele disse. — Pode escolher como tema qualquer pessoa no estúdio.

Eu escolhi o garoto que auxiliava os batedores de ouro, sentindo que seu rosto liso, com olhos amendoados, lembrava melhor a juventude ideal, reproduzida em muitos dos mais finos livros. Hooman jogou a página para um lado depois de mal olhar para ela. Levantouse, de maneira abrupta, e fez um sinal para que eu o seguisse.

Os aposentos particulares de Hooman ficavam a certa distância do estúdio, acessíveis por uma passagem abobadada alta. A sala era grande, com um divã coberto de brocado e empilhado de almofadas. Em um canto da sala se encontrava um conjunto de pequenos cofres, caixas para guardar livros. Hooman se ajoelhou diante do mais refinado deles e levantou a tampa esculpida. Apanhou o pequeno livro de dentro da caixa, com grande reverência, e o colocou sobre o suporte para leitura.

— Esta é a obra de meu mestre, a pérola do mundo, Maulana do pincel delicado — ele disse; e abriu o livro.

A imagem reluzia. Eu nunca tinha visto uma pintura como aquela. Dentro dos limites de uma página pequena, o pintor havia construído um mundo de vida e movimento. O texto, escrito em persa, eu não sabia ler, mas a iluminura tinha eloqüência suficiente. A cena reproduzia o casamento de um príncipe. Havia centenas de figuras, mas não apareciam duas que fossem idênticas: cada turbante era de um tecido diferente, amarrado de um modo diverso. Cada túnica tinha um desenho distinto, também, cujos bordados e apliques continham centenas de tipos de arabescos. Olhando para a pintura, podia-se ouvir o farfalhar da seda e o sussurro do damasco enquanto a multidão revolvia em torno do noivo real. Eu já tinha visto pessoas retratadas em pinturas, de frente ou de perfil, mas aquele pintor não se limitara a isso. As cabeças por ele desenhadas se mostravam em todos os aspectos — algumas em três quartos de perfil, outras inclinadas para baixo, outras com o queixo erguido. Havia um homem virado para trás, de modo que só se via a parte de trás de uma de suas orelhas. O mais notável, porém: cada rosto era único, como na vida. Havia tanta expressão nos olhos que eu sentia como se pudesse ler os pensamentos daqueles homens. Um deles transbordava de alegria, orgulhoso por estar presente à cerimônia. Outro sorria maliciosamente, talvez em gesto de desprezo por toda aquela ostentação. Um terceiro, deslumbrado, fitava o príncipe. Um quarto fazia uma espécie de careta, como se a faixa em sua cintura o pinicasse.

— Está vendo o que faz de um homem um mestre? — Hooman disse, por fim.

Eu assenti, incapaz de desviar os olhos da imagem.

— Eu sinto... que é... Parece... — Engoli em seco, em meio ao nervosismo, tentando organizar meus pensamentos — O que ele pinta parece ter massa, como na vida. É como se qualquer um desses homens pudesse sair da página e viver.

Hooman respirou fundo.

— Exatamente — ele falou. — E agora eu lhe mostrarei por que tenho este livro, e por que ele não é mais a valiosa propriedade do príncipe para quem foi feito.

Ele virou a página. A imagem seguinte era igualmente ofuscante, vívida. Mostrava a procissão conduzindo o noivo à residência da noiva. Mas, dessa vez, minha reação de deslumbramento se transformou em assombro. A diferença entre essa imagem e a última era que cada um dos convidados tinha uma linha vermelha e grossa atravessando o pescoço.

— Aqueles que fizeram isso se autodenominam iconoclastas, destruidores de ídolos, e acreditam estar fazendo o trabalho de Deus. — Ele fechou o livro, incapaz de olhar para tal profanação. — Pintam a linha vermelha para simbolizar o corte na garganta, como você vê. As imagens, destituídas de vida por meio de tal artifício, não competem mais com a criação viva de Deus. Cinco anos atrás, um bando desses fanáticos saqueou o pavilhão do livro e destruiu muitas obras notáveis. É por isso que você não vê nenhum retrato produzido aqui. Mas agora nos chega um pedido que não pode ser recusado. Eu quero que você experimente fazer isso. — Ele baixou a voz, de repente. — Eu procuro uma *semelhança*. Você entende?

Determinado a não fracassar no segundo teste, eu observei os rostos no estúdio. Por fim, escolhi um velho que trabalhava com as asas de borboleta. Havia nele uma intensidade de expressão que eu achei que seria capaz de captar. Também a sua compostura e seus poucos movimentos me ajudariam.

Levei três dias. Eu fixava o olhar no homem, tentando vê-lo assim como tinha aprendido a ver uma planta desconhecida, esvaziando a mente não só de todas as outras plantas que já havia pintado antes, mas de todas as minhas pressuposições de como deveria ser uma planta — com caule, folhas que caem em determinados ângulos e que são verdes. Do mesmo modo, eu olhava para o homem das borboletas. Tentava vê-lo como um padrão de luz e sombra, insubstancial e, ao mesmo tempo, sólido. Criei como uma grade mental e dividi o rosto do homem como se cada quadrado da grade fosse uma unidade separada, que contivesse uma informação única.

Tive de pedir várias outras páginas até encontrar um caminho para algo que parecesse vivo. Minha mão tremia quando passei meu trabalho a Hooman. Ele não disse nada, e sua expressão não mudou; mas, dessa vez, não jogou o trabalho de lado. Quando olhou para mim, começou a analisar-me o rosto, e passou a mão em meu queixo, como fizera em nosso primeiro confronto.

— Uma oportunidade inesperada se apresentou, e eu creio que você é a pessoa apropriada para ela. O emir quer nomear um *mussawir* para o harém. Como tal homem deve ser um eunuco, é melhor que seja alguém que ainda não tenha chegado à maturidade, como você.

Senti o sangue fugir do rosto. Meu nervosismo era muito grande para eu comer mais que um ou dois bocados desde que voltara ao pavilhão. Senti na cabeça, de repente, um som como de ondas em rebentação. Ouvia de longe a voz de Hooman:

— ... uma vida de conforto e quem sabe quanta influência... um preço não muito alto, enfim... do contrário, um futuro incerto... muitos outros aqui, que pintam no mínimo tão bem quanto você...

Acho que tentei ficar de pé; talvez tenha conseguido me segurar. Seja como for, antes de eu cair, vi meu próprio braço escorregando sobre a mesa de Hooman, derrubando as tigelas, e uma onda de lápis-lazúli deslizando até o chão.

Quando acordei, percebi que eles tinham me colocado sobre o divã na sala de Hooman. Ele me olhava, e as linhas em volta de seus olhos ondulavam como velo amarrotado.

— Parece que não precisaremos incomodar o fazedor de eunucos, afinal — ele disse. — Como somos infelizes, realmente infelizes, por termos sido enganados por você.

Minha boca estava seca. Quando tentei falar, as palavras não saíam. Hooman me deu um cálice que continha vinho. Bebi tudo.

— Calma, criança. Certamente as filhas muçulmanas de Ifriqiya não bebem vinho com tanta avidez. Ou será que você nos engana também quanto à sua religião?

— Não há outro Deus além de Deus, e Maomé é seu mensageiro — eu sussurrei. — Até hoje eu não tinha tomado vinho. Bebo-o agora porque já li que ele dá coragem.

— Não creio que lhe falte coragem. Foi preciso muita coragem, com certeza, para viver essa mentira entre nós, como você viveu. Como chegou aqui na *jelaba* de um menino?

Hooman sabia muito bem que eu tinha sido vendida aos seus serviços pelo bando de Banu Marin, que tinha me seqüestrado da caravana *hadji*.

— Meu pai quis que eu me disfarçasse depois que saímos de nossa cidade — expliquei. — Ele acreditava que eu ficaria mais confortável durante a travessia do deserto se cavalgasse ao lado dele, em vez de permanecer confinada o dia todo em uma liteira sem ar. Disse também que estaria mais segura vestida como menino, e os eventos mostraram que ele estava certo... — De repente, fui assolada por lembranças, e o vinho em meu estômago vazio fazia minha cabeça rodar. Hooman colocou a mão em meu ombro e me empurrou delicadamente de volta ao divã. Olhou para mim e balançou a cabeça.

— Sempre me considerei um bom observador dos homens. Agora que sei a verdade, parece impossível não ter percebido. Devo estar ficando velho, mesmo.

Mais uma vez, ele passou a mão por meu rosto, mas agora seu toque era tão leve quanto uma neblina. Hooman se sentou no divã, ao meu lado. Minhas roupas já estavam abertas, e a mão dele logo encontrou meu peito.

Muito tempo depois, quando consegui pensar melhor na situação, consolei-me com o fato de que poderia haver maneiras piores de eu ser estuprada. Na verdade, eu vinha imaginando que aquilo iria acontecer desde que os saqueadores berberes apareceram nas dunas. As famosas mãos de Hooman não me deixaram nenhuma marca. Quando lutei e esperneei, tentando me livrar dele, ele me dominou com um toque habilidoso, que me deixava indefesa, mas sem me machucar. Mesmo quando me penetrou, ele o fez sem aspereza. O choque foi maior que a dor. Creio que sofri menos, na verdade, que muitas noivas no leito nupcial. Mesmo assim, quando ele finalmente permitiu que eu me levantasse, e eu senti a umidade escorrer pela coxa, dobrei-me sobre as pernas, ao lado do divã, e vomitei vinho azedo em seu fino tapete até não sobrar mais nada dentro de mim. Ele suspirou, ajeitou a túnica no corpo, e saiu.

Sozinha nos aposentos de Hooman, chorei por muito tempo, revendo a lista de perdas em minha vida, desde a morte de minha mãe, o assassinato de meu pai, até minha escravidão. E agora, o novo e mais sombrio lugar em que eu me encontrava havia-me violado da maneira mais fundamental. Por um instante, ocorreu-me um pensamento consolador: que meu pai, estando morto, não saberia de tal desonra. Mas percebi, porém, que ele devia ter morrido imaginando isso. Vomitei de novo, mas não havia nada mais.

O eunuco que Hooman me enviou era muito jovem. Ao vê-lo, lembrei-me de que havia pessoas cujas perdas eram piores que as minhas. A onda de autocomiseração começou a baixar. Ele era um garoto persa que não falava a língua árabe. Penso que Hooman levou isso em conta, ao escolhê-lo. O jovem tirou o tapete sujo com eficiente discrição, e depois voltou com um recipiente com água e uma bacia de água de rosas, morna. Por meio de gestos, ele me fez entender que me ajudaria a me banhar, mas eu o dispensei. A idéia de outro me tocando era repulsiva. Ele tinha trazido uma túnica para eu usar, e levou embora minhas roupas velhas, segurando-as longe de si, como se cheirassem mal. O que, aliás, devia ser verdade.

Quase não dormi àquela noite. Mas, quando o céu clareava, ao amanhecer, percebi, com alívio, que Hooman não voltaria, e caí num sono de exaustão, atormentada por sonhos em que eu me sentava em tapetes de palha, ouvindo minha mãe cantarolar enquanto trabalhava no tear. Porém quando lhe puxei a túnica, querendo a atenção dela, o rosto que me fitou não era o seu típico, sorridente, paciente, mas sim a face corrugada de um cadáver, cujo olhar impiedoso me atravessava.

O menino me acordou, trazendo-me roupas novas. Eu não sabia o que esperar. Seria uma odalisca, destinada ao harém? Mas as roupas que ele havia trazido eram as vestimentas de uma mulher nobre: um vestido simples de seda rósea, que combinava muito bem com a cor de minha pele. Havia também fitas da Tunísia, de um tom mais escuro de rosa, cujo tecido era tão fino que eu tive de dobrar para convertê-lo em véu que me cobrisse os cabelos. E, por fim, havia um haique preto feito do mais leve merino, que descia do alto da cabeça e ia até os pés.

Quando me vesti, sentei-me no divã, sentindo-me novamente tomar pelo desespero. A voz de Hooman interrompeu meu choro. Ele esta de pé, do lado de fora, pedindo permissão para entrar. Surpresa com tal atitude, eu não respondi. Ele perguntou novamente, em um tom de voz mais alto. Não consegui dominar a voz; por isso, não disse nada.

— Prepare-se — ele disse, e empurrou as cortinas. Senti uma onda de pânico, e me afastei dele.

— Fique em paz. Depois deste encontro, é improvável que nos vejamos novamente. Se tiver quaisquer perguntas quanto ao seu trabalho, questões de material ou técnica, escreva-me a respeito; se estou certo, lembro-me que você é alfabetizada. Estranhíssimo para uma garota; outro engodo por que passamos. E me envie-me, de tempos em tempos, amostras de seu trabalho para a minha análise. Eu responderei e darei as melhores instruções possíveis, e, se detectar áreas que precisam ser melhoradas, comunicarei por escrito. Embora você esteja longe de chegar ao nível de um mestre, assumirá uma posição que normalmente só recairia a uma pessoa de tal nível. Independentemente do que você sente por mim, não desabone minhas habilidades, nem as suas. O trabalho que fazemos aqui durará mais do que qualquer um de nós. Lembre-se disso. É de uma importância muito maior que... sentimentos pessoas.

Deixei escapar um soluço de choro. Ele se agitou, e dirigiu-me a palavra com frieza:

— Você acha que é a única que já foi trazida aqui amarrada e humilhada? A própria esposa do emir passou pelos portões desta cidade acorrentada, sob a ponta de uma lança e na frente do cavalo de guerra do homem que seria seu marido.

Ele nem precisava me dizer aquilo: o escândalo da linda cativa do emir era o tema das fofocas obscenas dos preparadores de base. Por mais apática que eu fosse no decorrer daqueles meses, essa história tinha conquistado meu interesse, pois tocava certos aspectos da minha história pessoal. Parecia que todos tinham uma opinião formada sobre o assunto.

No início de seu governo, o emir se recusara a pagar o costumeiro tributo da cidade aos castelhanos.

— De agora em diante — ele disse — a casa da moeda real só produzirá lâminas para espadas.

Constantes disputas e querelas foram o resultado. Em um desses conflitos, o emir entrou numa aldeia cristã e levou embora a filha do cobrador de impostos. Ninguém criticava o emir por levar espólios de guerra; o próprio profeta Maomé tomava como esposas mulheres tanto dos judeus quanto de cristãos derrotados por suas tropas. Era entendido que as cativas entravam para o harém, de vez em quando, e o estupro fora legalizado como uma forma de casamento. O que chocara a cidade foi a atitude do emir de colocar essa cativa acima de sua primeira mulher, uma nobre de Sevilha, prima do emir e mãe de seu herdeiro. Ela foi banida do palácio e levada para sua casa fora das muralhas, de onde, se dizia, vivia tecendo intrigas, contando com o apoio de Abu Siraj, cuja ferocidade em questões de fé era notória. A cisão se estendera muito além das muralhas do harém, e até para fora da cidade; e, segundo os rumores, a coroa de Castela estava elaborando um plano para explorar essa cisão.

O eunuco persa entrou, com cálices de *sherbet*. Hooman fez um sinal para que eu pegasse um.

— O emir me confiou essas ordens, que eu lhe passo agora para que não haja nenhum mal-entendido depois. O emir, como você sabe, sai muito da cidade, em campanhas. Ele me confidenciou que, nesses momentos, sente falta da esposa, de olhar para ela, e deseja imagens às quais possa recorrer, nessas ocasiões. Portanto, você deverá pintar para um público de uma pessoa. As imagens serão vistas só pelo emir, e só quando ele estiver sozinho. Seu trabalho, portanto, estará protegido dos iconoclastas, e você não precisa temer acusações de heresia.

Fiquei olhando para minhas mãos em volta do cálice, durante a maior parte de sua fala, incapaz de suportar a imagem de seu rosto. Mas, de repente, dirigi-lhe o olhar com firmeza. Ele me fitou, como se me desafiasse a falar. Vendo que eu nada dizia, Hooman pegou o haique e passou-o para mim.

— Vista isto agora. Está na hora de eu levá-la ao palácio.

Minha mãe tinha-me ensinado a andar, coberta pelo véu, como se eu não tivesse pés, deslizando pelo chão com a graça de um pássaro aquático resvalando sobre a superfície líquida. Mas, depois de tantos meses vivendo como menino, eu tinha perdido a arte. Tropecei várias vezes enquanto caminhávamos pelas vielas da medina, cheias de gente. Em seus trajes de verão, os mercadores no pátio da caravançará pareciam tão multicoloridos quanto um canteiro de flores: havia homens usando trajes persas listrados, nativos de Ifriqiya em jelabas de açafrão e índigo, e, aqui e ali, movendo-se circunspetos, judeus em seus calções amarelos, sem os turbantes exigidos pela lei, apesar do tórrido calor do meio-dia.

O sol ofuscava a vista quando finalmente nos aproximamos do palácio. Cem anos atrás, as muralhas tinham sido brancas; mas a terra rica em ferro havia permeado o estuque, dando-lhe um tom de garança rósea. Com um olho descoberto, eu vi as inscrições gravadas na grande entrada arqueada, inúmeras quantidades delas, como se as vozes de mil fiéis estivessem aprisionadas na magnífica alvenaria, capturadas em seu caminho ascendente aos céus: *O único vitorioso é Deus.*

Passei pelas enormes portas de madeira do local, sabendo que talvez nunca mais saísse de lá. Uma velha, cujo rosto parecia tão sulcado como um vale no deserto, recebeu-me no setor das mulheres.

— Então esta é a al-Mora? — perguntou a matrona. *A mulher moura.* Naquela nova vida, eu nem ao menos teria um nome.

— Sim — respondeu Hooman. — Espero que preste um bom serviço. — E assim eu fui passada, como uma mera ferramenta útil. Separei-me de Hooman sem retribuir-lhe o adeus. Quando a mulher idosa fechou a porta, porém, tive um ímpeto de me voltar e correr através da porta, agarrar aquele homem, ainda que desprezível, e implorar-lhe que me levasse embora do palácio, cujas muralhas, de repente, pareciam as de uma prisão.

Desde que eu fora capturada, minha mente se alimentava de todos os tipos de medo. Eu me imaginava fazendo trabalhos pesadíssimos, nos lugares mais hediondos, surrada, exausta, abusada. Agora, a velha estendeu a mão para o haique, que ela entregou a um menino bonito, o qual não devia ter mais que sete ou oito anos de idade, e que caminhava atrás dela. Fez um sinal para que eu tirasse as sandálias. Um par de chinelos bordados estava preparado para mim do lado de dentro da porta. Ela indicou que eu a seguisse, e nós passamos do pórtico para os cômodos cuja magnificência roubara as palavras da boca dos poetas.

A princípio, parecia que as próprias paredes se mexiam, o teto descendo para me engolfar. Levantei a mão, como que para me segurar, e fechei os olhos ante a ofuscação. Quando os abri, forcei-me a olhar uma pequena área do cômodo apenas, com azulejos envidraçados e coloridos em verde-azulado e marrom, preto e lilás, dispostos com tamanha argúcia que pareciam estar girando em volta da porção inferior da parede. Levantando os olhos, notei que o teto sufocante era, na verdade, uma abóbada alta, da qual descia uma floresta, de cabeça para baixo, de reboco, cada forma refletindo e se harmonizando com sua vizinha.

Parecíamos andar por uma série interminável de câmaras, tão belas quanto variadas. Uma ou duas vezes, uma garota atendente passava por nós, acenando com a cabeça em deferência à mulher mais velha, e olhando-me de relance, curiosa. Calçando aqueles chinelos macios, passávamos em silêncio por labirintos de pilares esguios e ao lado de longas piscinas, plácidas como espelhos, refletindo as inúmeras inscrições entrelaçadas do alto.

Por fim, começamos a subir os degraus de pedra até uma seção elevada do palácio que se estreitava em ascensão. Quando chegamos ao topo, a mulher, respirando com dificuldade, escorou-se contra a parede e tateou entre as dobras de suas vestes, onde encontrou uma grande chave de bronze. Inseriu-a na fechadura e abriu a porta. A sala era redonda, e suas paredes brancas não tinham outra decoração além de alguns notáveis espaços entalhados e pintados em volta de um par de janelas em arco, instaladas no alto da parede oposta. Havia poucos móveis e acessórios: um pequeno tapete de seda para orações, persa e muito fino; um divã estreito coberto de almofadas claras; uma mesa baixa incrustada de madrepérola; um suporte para livros; e uma arca de sândalo, entalhada. Andei até as janelas, ergui-me sobre as pontas dos pés, pus as mãos no parapeito, e me elevei, a fim de olhar para fora. A vista era de jardins cheios de árvores frutíferas. Reconheci figos, pêssegos, amêndoas, marmelo e cereja-azeda, em árvores cujos galhos estavam tão carregados que mal se podia ver o chão, embaixo delas.

— É bom este lugar? — a velha perguntou, falando pela primeira vez, com a voz enfraquecida, própria da idade, porém, de uma pessoa culta. Desci de minha posição diante da janela e me virei, embaraçada. — Disseram-me qual seria a sua tarefa, e achei apropriado colocá-la sozinha em um cômodo que lhe permita ter paz e privacidade para o seu trabalho. Este aqui não é usado desde que a última esposa do emir saiu do palácio.

— O lugar é muito bom — eu disse.

— Uma menina lhe trará um repasto. Diga-lhe se quiser alguma coisa específica. Verá que a maioria de suas necessidades será suprida aqui.

A velha se virou para sair, fazendo um sinal para que o pajem a acompanhasse.

— Por favor — eu chamei rapidamente, cheia de perguntas a fazer. — Por favor, se tenho a permissão de perguntar, por que há tão poucas pessoas no setor das mulheres?

A mulher suspirou e pressionou a palma da mão contra uma das têmporas.

— Posso me sentar? — ela disse, descansando o frágil corpo no divã. — Acho que você não está há muito tempo na cidade.

Era mais uma afirmação que uma pergunta.

— Você chegou aqui em um momento conturbado. Só dois pensamentos ocupam a mente do emir: a guerra com Castela e seu apetite pela jovem que agora ele chama de Nura. — Os olhos da mulher, que pareciam incrustados naquele rosto cheio de rugas, como um par de pedregulhos brilhantes, me observavam com muita atenção. — Em sua loucura, ele mandou embora sua prima Sahar e toda a família dela. O emir não confia em ninguém. Ele conhece a prima e a mania que ela tem de conspirar. Também mandou embora as concubinas; entregou-as apressadamente aos seus oficiais favoritos, antes que alguma delas se tornasse instrumento de vingança para Sahar e o filho dela, Abu Abd Allah, que toma as dores pelo insulto que a mãe sofreu.

A velha continuou:

— Nura, claro, chegou aqui com nada além da túnica rasgada em que fora trazida. Ela tem um pequeno séqüito para servi-la; eu mesma e um punhado de garotas tribais mal treinadas, que não têm aliança alguma na cidade.

Fiquei pasma pela franqueza da mulher em me contar todas aquelas coisas. Olhei de relance, preocupada com o menino de turbante, em pé, próximo à parede.

— Não se preocupe com ele — ela disse. — É irmão de Nura. Seria usado como catamita*, mas, em consideração à sua irmã, o emir proíbe que ele seja tratado como tal. Devo treiná-lo para ser pajem.

---

* *Catamita*: homem usado como objeto sexual passivo; homossexual passivo. (N. do T.)

Ela suspirou de novo, mas seus olhos agora emitiam um brilho de sorriso.

— Acha que sou irreverente? É natural perder a reverência aos príncipes depois que você os vê mancando e ofegando como cães. Eu era concubina do avô desse emir. O bode velho já tinha cheiro de morte quando me levou para a cama. Este — ela disse, inclinando a cabeça na direção da sala do trono — eu amamentei, e o tenho observado desde então. Um moleque mimado e um tirano sanguinário, agora que é adulto. Mandou decepar todos os jovens de boa formação na cidade que poderiam desafiá-lo pelo direito ao trono. E agora ele retém o poder, mas chega a colocar a cidade em perigo, só para satisfazer seus caprichos.

Ela balançou a cabeça e riu.

— Está chocada com minhas palavras! Não se incomode com minha velha língua ferina. Já estou curvada demais pela idade para ainda prestar reverência. — A mulher se levantou com uma facilidade que parecia contradizer todo o discurso sobre enfermidade. — Logo você verá como são as coisas. Deve atender à esposa do emir amanhã. Mandarei uma garota para acompanhá-la.

Quis agradecer-lhe por sua franqueza, mas, quando comecei a falar, percebi que não sabia como me dirigir a ela.

— Por favor, qual é o seu nome?

A velha sorriu, para depois rir abertamente.

— Meu nome? Já tive tantos que nem sei qual devo lhe dizer. Muna é como me chamavam quando o velho queria que seu pênis fosse duro o suficiente para ficar comigo todas as noites. Se os desejos fossem cavalos, os mendigos cavalgariam, não é? — O riso se interrompeu, e o rosto da mulher murchou. — Depois, fui Umm Harb para o filho forte que eu tive, um dos bravos jovens que morreram pela espada de seu meio-irmão. Parece que aquele nome fere a garganta das pessoas agora. Por isso, me chamam de Kebira.

A velha. Então, ela era a velha, e eu era a moura, e nenhuma de nós uma pessoa além da rugosidade da carne ou da pele escura. Vislumbrei subitamente meu futuro ali, naquela magnífica prisão, amarga e sem nome, e esgotada, servindo o desprezível. A dor desse pensamento deve ter transparecido em meu rosto, pois ela deu um passo em minha direção e me envolveu em um abraço rápido, no qual senti seus ossos.

— Cuidado, minha filha — ela sussurrou, e se retirou com o menino seguindo-a como uma sombra.

Acordei na manhã seguinte com um perfume de rosas que ficava mais forte à medida que o sol, que eu não podia sentir, iluminava as maciças paredes externas. É um perfume que ainda hoje me traz lembranças de desespero. Arrastei-me para fora do divã, lavei-me, vesti-me, fiz minhas orações e esperei. Veio, por fim, uma garota com água morna para meu uso pessoal e outra com uma bandeja que continha suco de damasco, pães chatos e redondos quentes, um prato de iogurte cremoso, e meia dúzia de figos maduros. Comi o que pude, e esperei de novo. Tinha medo de sair do quarto e não ouvir a convocação para comparecer diante da esposa do emir.

Mas veio a oração do meio-dia, depois a do início da noite, e por fim anoiteceu, quando, então, levantei-me de minhas prostrações e fui para a cama.

Não fui convocada naquele dia, nem no dia seguinte. Finalmente, na tarde do terceiro dia, Kebira e o pajem vieram para me pegar, e o rosto da matrona parecia perturbado e sério. A mulher fechou a porta e recostou-se contra ela.

— O emir enlouqueceu — ela disse, falando rápido em um sussurro esganiçado, embora, naquela câmara vazia, eu não imaginava quem ela temia que pudesse ouvir. — Ele chegou ontem à noite, tarde, e ficou com a esposa até depois das orações da madrugada, quando se reuniu com os nobres. Bem, ele conduziu os afazeres e exigiu que eles ficassem e participassem com ele, no pátio, de certo entretenimento. Esse entretenimento — ela disse, e os lábios se afinaram quando pronunciou as próximas palavras num sibilo — era assistir à sua esposa se banhando.

— Que se implore o perdão de Deus! — Eu mal podia crer naquelas palavras. Um homem observar a esposa de outro sem o véu era motivo para uma surra. Deliberadamente exibir o corpo da esposa aos outros era uma desonra impensável. — Que tipo de muçulmano faria uma coisa dessas?

— Que tipo de *homem* faria uma coisa dessas? Só um homem duro e arrogante — Kebira disse. — Os nobres estão chocados; a maioria acha que aquilo foi um pretexto para o emir mandar executá-los. Eles saíram daqui temendo pelo próprio pescoço. E quanto à mulher dele, bem... Você mesma verá como ela está. O emir soube que você está aqui, e exige uma imagem para levar consigo, quando sair amanhã, depois da oração da madrugada.

— Mas isso é impossível! — eu gritei.

— Impossível ou não, você tem suas ordens. Ele ficou furioso por não ter uma ainda. Por isso, venha comigo logo.

Do outro lado da porta, o belo pajem esperava, carregando a caixa de pigmentos que Hooman tinha me enviado.

Quando chegamos ao salão, Kebira bateu à porta e disse:

— Ela está comigo.

Uma criada abriu a porta e saiu, tão rápido que quase me derrubou. Um lado de sua face estava vermelha, como se tivesse levado uma pancada recente. Kebira me empurrou pelas costas. O menino deslizou por trás de mim, colocou a caixa no chão, e voltou pelo mesmo caminho. Percebi que Kebira não entrou, e senti um momento de pânico ao compreender que ela não ia me apresentar, nem facilitar de maneira alguma meu primeiro encontro. Ouvi a porta fechar suavemente atrás de mim.

A esposa do emir estava em pé, de costas para mim. Era uma mulher alta, e trajava um vestido bordado que caía pesadamente dos ombros e se estendia até o piso debaixo de seus pés. Seus cabelos, ainda um pouco úmidos, escorriam soltos pelas costas. As cores eram notáveis, pois havia muitas: dourado pálido, entrelaçado com âmbar reluzente, caloroso, iluminado por baixo com fios tão vermelhos quanto repentinas línguas de fogo. Apesar de meu nervosismo, eu já começava a pensar em como pintar aquilo. Então, ela se virou, e a expressão em seu rosto afastou todo aquele pensamento de minha mente.

Seus olhos também eram de uma cor notável: dourado escuro, como mel. Ela tinha chorado, como demonstravam o vermelhidão em volta dos olhos e o tom mosqueado irregular daquela pele branca. Não chorava agora, contudo. Seu olhar não era de tristeza, mas de raiva. Ela se mantinha rígida, como se fosse sustentada por uma haste de ferro. Apesar disso, ou talvez por causa do esforço que lhe custava aquela postura real, seu corpo balançava, agitado por um tremor que mal era discernível.

Fiz o salamaleque, imaginando se ela esperaria algum outro tipo de reverência. Ela não disse nada em resposta, mas ficou olhando para mim; por fim, levantou a mão longa, num gesto de desdém.

— Você tem suas ordens. Comece o trabalho — disse.

— Mas talvez a senhora prefira se sentar, *ya emira*? Porque vai levar algum tempo...

— Ficarei em pé! — ela disse, e os olhos pareciam reluzir, úmidos.

Ela ficou em pé aquela tarde inteira, interminável. Minhas mãos tremiam sob aquele olhar feroz, magoado, enquanto eu abria minha caixa e arrumava os materiais. Precisei de toda a minha força de vontade para esvaziar a mente de qualquer ruído, e mais ainda para olhá-la e estudá-la, como eu tinha de fazer.

Nem preciso descrever sua beleza, pois já é celebrada em famosos poemas e canções. Trabalhei sem fazer uma única pausa, e ela não se moveu nem desviou os olhos. Quando o chamado do *muezim** para a oração se fez ouvir, discreto e melancólico através das espessas paredes, eu lhe perguntei se ela queria parar e rezar, mas ela apenas balançou a pesada cabeleira e continuou olhando fixamente para mim. Finalmente, quando se tornava necessário pedir as lamparinas, eu percebi que já tinha uma *semelhança*, afinal. As decorações, eu podia completar em minha câmara. Elas seriam simples, mas se o que o emir desejava era uma imagem de sua esposa, seu lindo rosto e sua postura majestosa, ele já a tinha.

Levantei-me para mostrar-lhe meu trabalho, e ela o observou com o mesmo olhar imutável de zanga. Se sua expressão mudou, foi num breve instante de um triunfo passageiro. Ela permaneceu lá, sem se mexer, enquanto eu guardava meus implementos. Só quando o jovem pajem entrou ela se moveu.

---

* *Muezim*: entre os muçulmanos, aquele que anuncia em voz alta a hora das orações. (N. do T.)

— Pedro — ela o chamou para perto de si. Encostou-se nele, acariciando-lhe a testa e lhe dando um beijo rápido, terno. Em seguida, deu-nos as costas e não olhou enquanto saímos.

Depois de fazer minhas orações atrasadas, e de comer e beber alguma coisa, eu vislumbrei mais uma vez o pergaminho, com novos olhos e nova maneira de interpretá-lo. Então, vi claramente o que ela tinha feito. Ficara de pé para mostrar que não se abatia mesmo ante quaisquer atos insanos de violação por parte do emir. A imagem que ele levaria consigo era de uma rainha inconquistada, uma rocha que ele não podia quebrar. E percebi outra coisa, enquanto estudava o retrato. Não havia nele o menor indício das lágrimas nem do tremor que revelavam sua luta por trás daquela exibição de força. Eu sabia que ela não queria demonstrar aquilo, e nessa ocultação eu havia me tornado sua cúmplice.

Trabalhei noite adentro para completar o primeiro trabalho para meu novo senhor. Pouco antes da oração do amanhecer, Kebira bateu em minha porta, e eu lhe entreguei o retrato, exausta demais para me preocupar com sua possível reação. Mas deveria imaginar que ela me diria o que pensava, quisesse eu ouvir ou não.

— "Os anjos não entram numa casa onde há um cão ou uma imagem" — não são as palavras de nosso Profeta? Se o emir está tentando desagradar a Deus, então ele encontrou em você o instrumento certo. Mas será que ele queria uma reprodução assim tão fiel? — Ela mostrou um sorriso amargo de satisfação, e saiu. Cansada demais para deduzir se aquilo fora um insulto ou um elogio, fiz minhas orações sem esperar o chamado, e joguei-me sobre o divã, caindo num sono longo e profundo.

Nas semanas seguintes, às vezes parecia que eu nunca tinha acordado totalmente. Achava que seria chamada mais vezes até a câmara da esposa do emir para ter a chance de fazer retratos mais bem compostos e finalizados que aquele primeiro trabalho, feito às pressas. Mas os dias se passavam, e nenhuma convocação veio.

O emir não tinha viajado para tratar de disputas menores, mas para uma longa campanha que envolvia o cerco a uma aldeia cristã nas montanhas que dominava as principais estradas para suprimentos da cidade. Durante as primeiras semanas de sua ausência, eu me empenhei em aprender o que meu novo mundo me reservava, explorando o ambiente do palácio das mulheres e fazendo desenhos de seus azulejos, fontes e inscrições gravadas. Mas mesmo com essa agradável distração, muitas horas permaneciam vazias, sem ocupação ou companhia.

Enquanto eu vagava, sem rumo, de uma bela câmara para outra, ansiava por tarefas importantes, como as que eu cumpria para o meu pai, e sentia falta da agitação de minha casa de paredes de barro. Havia momentos em que eu suspirava ao me lembrar da bazófia ferina dos preparadores de base. Pelo menos naqueles dias eu tinha trabalho suficiente para não sentir o gosto venenoso do ócio. Havia dias em que eu nem saía de meus aposentos, respirando o perfume inebriante das rosas até escurecer, quando, então, despencava sobre o divã, exausta sem motivo.

Depois de muitas semanas assim, pedi a uma garota de *sherbet* que fosse chamar Kebira. Implorei-lhe que pedisse à esposa do emir que me deixasse pintá-la, mas o pedido foi friamente rejeitado.

— Bem, posso pintar você, ou o jovem pajem? — eu perguntei à velha senhora. O menino, Pedro, me seguira um dia, ficando atrás de mim enquanto eu desenhava um dos espaços ornados inscrito entre os arcos, acompanhando minha mão durante horas, estranhamente quieto para uma criança. Mas Kebira não queria posar para mim, nem deixar que o menino o fizesse.

— Uma coisa é o emir incentivar o pecado de fazer imagens, mas eu não quero encorajar tal trabalho — ela disse. Não foi rude quanto à questão; apenas franca. Surpreendia-me a força de sua fé, após tantos anos de sofrimento. Gostaria de saber como ela se sentia agora, trabalhando para uma *rayah*.

Ela riu quando eu lhe perguntei a respeito.

— Para todos os efeitos, ela não é mais uma *rayah*. O emir afirma que sua esposa adotou o islamismo, louvado seja o Todo-poderoso. Mas eu sei que isso não é verdade. Eu a ouço rezar suas orações infiéis, invocar seu Jesus e seu Santiago... Parece que nenhum dos dois a ouve... — Ela riu de novo, e saiu.

Àquela noite, deitei-me sobre minha paleta, refletindo sobre como eu sabia pouco das religiões dos infiéis e imaginando por que os cristãos e os judeus eram tão teimosos para reconhecer o Selo dos Profetas. Perguntava-me de que tipo de lar a esposa do emir fora tirada, e se ela sentia falta dos ritos familiares de sua infância.

O perfume das rosas diminuíra, e suas pétalas tinham caído quando o emir voltou ao palácio, entrando a cavalo à noite para que o povo não o visse sangrando de um ferimento em batalha. Quando Kebira veio me chamar pela manhã, disse-me que ele sofrera um corte na testa de uma ponta de flecha que devia estar envenenada, porque a ferida, que lhe rasgara a pálpebra, cheirava mal e estava infeccionando. Mesmo assim, ele foi logo atrás de Nura, sem cuidar do ferimento ou sequer tirar seus trajes de combate. O rosto enrugado de Kebira se contraía enquanto ela me contava tudo isso, como se o fedor do emir ainda estivesse sob suas narinas.

Como uma idiota, recebi de bom grado a convocação para ir aos aposentos da mulher do emir, tão ansiosa eu estava para ter alguma atividade. Apressei-me pelos salões e subi a escada rapidamente, ávida pelo desafio do trabalho. Logo que a vi, compreendi minha estupidez. A mulher que eu via parecia iluminada por uma ira que a queimava como uma tocha. Seus cabelos estavam primorosamente adornados com colares de pérolas e jóias brilhantes que pareciam refletir o fulgor de seus fios ruivos, mas ela só usava um haique simples, jogado sobre os ombros. A serviçal que trouxera minha caixa tinha saído em silêncio, e eu olhei para baixo, tentando fugir à temível cólera do olhar dela. Sacudindo os ombros, ela se livrou do haique, que lhe caiu aos pés; e, quando levantei a cabeça, ela estava nua, à minha frente.

Desviei o olhar de novo, profundamente envergonhada.

— Isto — a palavra parecia o som sibilante de uma cobra — é o que meu senhor quer que você pinte hoje. Ao trabalho!

Ajoelhei-me e peguei minha pena. Mas não adiantava. O tremor em minha mão e a dor no coração não me deixavam segurá-la. As palavras do Alcorão pareciam queimar-me a mente. *Dize às mulheres crentes que devem baixar o olhar e ser modestas, só mostrar de seus enfeites aquilo que é aparente, e cobrir com o véu o peito*. Como eu poderia fazer uma imagem de uma mulher nua? Seria uma deflagração contra ela.

— Eu disse "ao trabalho"! — A voz estava mais alta, agora.

— Não — eu sussurrei.

— Não? — ela repetiu, num sibilo.

— Não.

— O que significa isso, sua mundana negra insolente? — Sua voz parecia um lamento agudo, melancólico, como o gemido de uma raposa encurralada.

— Não — eu disse de novo, com a voz falhando. — Não posso fazer isso. Eu sei o que é um estupro. Não pode me pedir para colaborar com um estuprador.

Ela avançou em minha direção, apanhando a pesada tampa de minha caixa. Senti um golpe de vento próximo à orelha enquanto ela a erguia. Nem sequer levantei a mão para me proteger, mas esperei a pancada contra a cabeça. Ela jogou a tampa, que se esfacelou contra o chão de pedra. Em seguida, pegou um pote de pigmento e o jogou também. A tinta escarlate se espalhou pelo piso de azulejo e escorreu até a parede. Ela estava furiosa, procurando outro objeto para atirar. Levantei-me e a agarrei pelos punhos. Era mais alta que eu, e mais forte, mas, quando a toquei, ela se vergou; eu me abaixei e peguei o haique, cobrindo-a. Envolvi-a em meus braços, e nós caímos juntas sobre o divã, e lá ficamos, encharcando as almofadas com nosso pranto.

Desde aquela manhã, nós passávamos os dias e as noites juntas, e eu fazia muitas imagens bonitas dela. Eu as fazia para ela, para mim mesma, pelo prazer do trabalho. Na verdade, eu fiz para o emir um quadro para ele levar consigo, durante o cerco que estava enfraquecendo; mas não era a imagem de sua esposa. Pintei uma figura reclinada, de modo que o rosto não era reconhecível; um arranjo obsceno de coxas e seios que nada tinham a ver com Nura. Dizem que o tolo gostou.

A voz dela na escuridão.

— Você estava chorando alto enquanto dormia. — Ela colocou a mão delicadamente sobre meu peito. — Seu coração está batendo rápido.

— Sonhei com meu pai, o abutre bicando... Não, não posso falar disso.

Ela me abraçou e começou a cantar para mim, num tom tão suave que lembrava a voz de minha mãe.

Outra noite. Acordei e virei-me para ela. O luar se refletia em seus olhos, que estavam abertos, fitando a escuridão. Toquei-lhe a mão, com delicadeza, e ela se virou para mim. Seus olhos refletiram a luz. Estavam úmidos, com lágrimas contidas. Lentamente, ela começou a falar.

Eles tinham empalado seu pai nos portões de sua casa. Mataram sua mãe na frente dele, enquanto ele se contorcia em uma impotente agonia. Ela ouvia os gritos de dor e tristeza do pai, enquanto se escondia, com sua irmã e seu irmão, em um lugar debaixo do assoalho. Em seguida, atearam fogo na casa. Ela correu para fora, puxando o irmãozinho pela mão, e escorregou no sangue da mãe. A irmã continuou correndo; seu irmão a ajudou a se levantar. Ela viu quando um cavaleiro agarrou a menina e a colocou sobre o cavalo. O que aconteceu com a irmã, ela nunca descobriu.

Tentou correu com o irmão, mas, em meio à confusão, os dois foram parar no caminho de um grande cavalo de batalha.

— Pensei que seríamos esmagados pelos cascos do animal — ela disse — mas o cavaleiro o puxou. Olhei para cima e vi os olhos dele, observando-me pelas aberturas da viseira. Ele tirou o manto e o jogou para me cobrir.

Os outros cavaleiros reconheceram que seu senhor tomara-a para si. Quando alguém tentou arrastar seu irmão, ela o agarrou e implorou ao emir que o salvasse.

— Ele me concedeu o pedido, e, em troca, Deus me perdoe, eu fingi desejá-lo. Até hoje, ele não tem idéia de como me sinto nauseada e minhas entranhas se contorcem quando ele se aproxima de mim. Quando me penetra, só o que eu sinto é a agonia de meu pai, traspassado como um animal selvagem...

Pus a mão sobre os lábios dela.

— Chega — sussurrei. Acariciei-lhe a pele com a maior delicadeza possível. No escuro, eu não via minha mão, enquanto sua sombra passava pela tez clara de Nura. Tentei deixar meu toque tão leve quanto a própria sombra. Depois de algum tempo, ela segurou minha mão e a beijou.

— Depois que ele... depois de eu me deitar com ele, pensei que nunca mais sentiria o prazer do toque de outra pessoa — ela disse. Virou-se e se ergueu, apoiada sobre o cotovelo, olhando-me. Creio que foi naquele momento que eu me permiti esquecer que era uma escrava. Foi um erro, agora eu reconheço.

No decorrer de um mês, rumores chegavam a nós de todas as partes do palácio, de reuniões urgentes e debates acirrados. O inimigo tinha quebrado o cerco do emir e reconquistado o controle da montanha. Nossas forças tinham sido expulsas para a planície das cercanias, onde se empenhavam em readquirir o controle da principal estrada para suprimentos. Era crucial não sofrerem outra queda, principalmente naquele momento, pois, se perdessem a estrada antes que os frutos da colheita fossem trazidos, seria um inverno de fome para a cidade.

As rosas grandes começavam a crescer em volta das janelas altas, e a esposa do emir se reclinava num divã logo abaixo, enquanto eu a pintava, tentando combinar o brilho das frutas avermelhadas com as luzes em seu cabelo. O rosto de Nura estava sereno, apesar de ainda carregado de tristeza. Ela tocou a pérola no pescoço.

— A sua arte, creio que a torna afortunada. Você, pelo menos, terá algo a oferecer ao conquistador, se a cidade for invadida.

Soltei meu pincel. Ele caiu sobre o piso frio, manchando o azulejo envidraçado com uma faixa de açafrão.

— Não fique tão chocada — ela me admoestou. — Essas paredes podem ser grossas, mas mesmo os muros mais espessos podem ser quebrados pela traição.

— Você tem algum motivo para ter medo disso? — Eu mal podia falar.

Ela jogou a cabeça para trás, e deu uma risada curta.

— Ah, sim, eu tenho motivo. O filho do emir, Abu Abd Allah, entra e sai do palácio, e sua facção cresce enquanto as fortunas do pai minguam.

Graças à sua altura, como eu já disse, ela alcançava facilmente o parapeito alto. Ficou de pé e pegou o frasco usado para borrifar as flores. Enquanto se estendia, seu ventre arredondado se mostrava. Também estava crescendo. Mas, desse assunto, ela não tinha falado; por isso achei melhor não falar também. Será que o bebê era tão repulsivo para ela quanto o ato que o gerara? Enquanto eu não descobrisse seus sentimentos em relação à questão, achava melhor não abordá-la.

Ela virou as rosas na mão.

— Não creio que as verei abrir novamente na primavera — ela disse. Sua voz não estava triste nem assustada, mas apenas resignada. A expressão em meu rosto, porém, devia parecer miserável, porque ela se aproximou de mim e me abraçou. — Não podemos conhecer o futuro, nem mudá-lo — ela sussurrou. — É melhor sermos realistas quanto a tais coisas. Mas temos o tempo que nos foi dado. Por isso, devemos aproveitá-lo enquanto podemos.

E foi o que eu tentei fazer. Havia horas, às vezes até dias, em que eu afastava o medo. No começo, eu temia envelhecer naquele lugar. Agora, porém, era tudo que eu queria.

As noites estavam ficando frias. Acordei de madrugada, tremendo. Estava sozinha na cama. Ela estava ajoelhada perto da janela, rezando em uma língua que não era árabe. Tinha um pequeno livro nas mãos.

— Nura?

Ela se contorceu, surpresa, e pareceu querer ocultar o livro. Seu rosto, quando se virou para mim, parecia severo.

— Não me chame assim! — ela disse, em tom áspero, e eu me encolhi. Quando ela falou de novo, foi mais delicada. — Faz-me lembrar do fedor do emir.

— Como devo chamá-la?

— Eu era Isabella, antes. É o meu nome cristão.

— Isabella... — eu repeti, provando o som incomum em minha boca. Estendi-lhe os braços, e ela se aproximou. Perguntei se podia ver o livro, pois tinha vislumbrado algo de colorido quando ela o fechava. Juntas, nós olhamos o livro, um belo e pequeno volume, cheio de ilustrações luminosas. As gravuras não eram uma tentativa de copiar exatamente a natureza, tampouco eram uma representação formal, idealizada, mas uma combinação interessante das duas coisas. O santo ou anjo em uma imagem era indistinguível do outro, na gravura seguinte, mas havia detalhes, como um cãozinho, ou uma mesa de madeira, ou um feixe de grãos, que o artista tinha representado extraído da vida.

— Chama-se Livro das Horas — ela disse. — Assim como vocês têm orações como *fajr* de madrugada e *maghrib* ao pôr do sol, e assim por diante, os cristãos também têm orações ao romper do dia, que são chamadas matinas, e vésperas para a tarde, e outras para que o dia todo seja marcado pela devoção.

— O artista é muito habilidoso — eu disse. — Você sabe ler as palavras?

— Não — ela respondeu. — Não sei ler latim. Mas conheço a maioria das orações de cor, e as imagens me ajudam em minhas devoções. O doutor me trouxe este livro. Foi muito gentil.

— Mas o doutor... certamente, ele é judeu?

— Sim, claro. Netanel ha-Levi é um judeu devoto. Mas ele respeita todas as religiões, e as pessoas de todos os credos procuram sua atenção. Do contrário, como ele poderia trabalhar para o emir? Este livro lhe foi dado pela família de um paciente cristão que tinha morrido.

— Mas não é perigoso ele saber que você reza para o Deus dos cristãos?

— Eu confio nele — ela disse. — É o único em quem eu confio. Além de você.

Os olhos dourados fixaram-se nos meus. Sua mão me tocou gentilmente no lado do rosto. Ela mostrou um de seus raros e brilhantes sorrisos. Recostei a cabeça em seu ombro, esperando sentir um pouco de seu calor, enquanto durasse.

Vieram cavaleiros. Romperam as paredes externas e agora pisoteavam o pátio das murtas. Os cascos dos cavalos ressoavam sobre as pedras. Ouviam-se gritos e o clangor do metal.

Senti a mão fria de Isabella em meu ombro ardente.

— Você estava gritando enquanto dormia — ela sussurrou. — Sonhava com seu pai, de novo?

— Não — falei. — Dessa vez, não.

Ficamos deitadas em silêncio por algum tempo no escuro.

— Acho que sei com que você sonhou — ela disse, enfim. — Eu também sou consumida por esses pensamentos. O tempo de silêncio já passou. Precisamos fazer planos. Tenho pensando no que seria melhor.

— *Allahu akbar* — murmurei. — O que é, é. O que será, será.

Ela olhou para mim e segurou-me pelas mãos.

— Não! — disse, com um tom de firmeza e urgência. — Eu não posso confiar minha vida a Deus, como você faz. Preciso cuidar de minha sobrevivência, e da de meu irmão, e daquele que carrego dentro de mim. — Ela colocou a mão sobre o ventre inchado. Finalmente, havia reconhecido a situação. — Necessito de proteção. Se estivermos prestes a perder a cidade, Abu Abd Allah mandará matar-me, tenho certeza disso. Usará o caos da batalha para encobrir seus atos. Ele não quer que essa criança nasça.

Isabella se levantou, inquieta, e começou a andar pelo quarto.

— Se não fosse por Pedro... Havia um convento perto de nossa casa. As freiras eram muito gentis comigo. Eu pensava em como elas eram felizes, aquelas mulheres, enclausuradas juntas. Seguras. Sem precisar se casar, tendo um parto atrás do outro, até morrerem de febre ou hemorragia. Eu sempre quis me juntar a elas. — Isabella baixou a cabeça, graciosamente. — Eu ia ser noiva de Cristo, e em vez disso... — Ela segurou a barriga, em gesto de proteção. — Acho que as freiras nos receberiam, apesar de tudo. Estaríamos em segurança lá; as irmãs são benquistas pelos monarcas de Castela.

Eu me sentei e olhei para ela, sem acreditar no que ouvia. Não suportaria passar a vida trancada numa prisão de um convento infiel. Como ela podia propor tal coisa?

— Elas não nos deixariam ficar juntas. Não como estamos agora — eu disse.

— Não. Eu sei disso — ela admitiu. — Mas nós nos veríamos. E estaríamos vivas.

Mas que tipo de vida? Mentir a respeito de uma fé que eu não professava. Forçada a venerar ídolos. Viver sem a verdadeira oração, sem minha arte, sem o toque humano. Mas só o que eu disse foi:

— Seu irmão não poderia vir.

— Não — ela disse. — Não poderia.

Quando o emir soube que a esposa estava grávida, enviou o doutor diretamente a ela. Mesmo em Ifriqiya, eu tinha ouvido falar daquele homem, Netanel ha-Levi. Suas habilidades para cura eram tão renomadas quanto sua poesia, que ele escrevia em árabe, e lindamente. Eu não sabia que um judeu era capaz de dominar nossa poesia, a língua do Alcorão sagrado. Mas parece que em al-Andalus, onde judeus e árabes trabalhavam lado a lado, tal coisa não era incomum. Eu tinha olhado alguns de seus versos, lendo-os com olhos céticos, e, no fim, esses mesmos olhos tinham se enchido de lágrimas ante a beleza de suas palavras e a emoção que transmitiam. Os conselhos de Ha-Levi à corte iam muito além das questões médicas, e Kebira dizia que, não fosse a sabedoria do doutor e sua habilidade para às vezes aplacar os impulsos mais cruéis do emir, nosso governante já teria perdido o trono.

Eu estava trabalhando nos últimos toques de uma imagem de Pedro quando o doutor chegou. A esposa do emir me pedia, ultimamente, para lhe dar uma pausa das pinturas. Acho que seria porque estava incomodada com a mudança de aparência, à medida que o bebê crescia em seu ventre. Para mim, seu rosto mais redondo, seus seios pesados, eram muito bonitos. Mas ela insistia em parar com as imagens. Um dia, ela tirou todas as tâmaras da bandeja grande polida e a escorou contra a parede.

— Faça um retrato de si mesma. Eu quero que você veja como é esse trabalho cruel de ser olhada. — Ela riu. Mas falava a sério, e insistiu, embora eu hesitasse. Não gostou de minha primeira tentativa. — Precisa ser mais caridosa consigo mesma. Veja-se com ternura — ela disse. — Eu quero o retrato que eu faria de você, se tivesse as suas habilidades. — Assim, olhei para meu rosto e tentei não ver as linhas que o marcavam agora, depois de tanta perda e ansiedade. Pintei a garota que eu era em Infriqiya, a filha amada, protegida, que não sabia o que era medo ou exílio, que nunca fora escrava. Esse retrato Isabella aprovou.

— Gosto dessa garota — ela disse. — Vou chamá-la de Muna el-Emira, o desejo da mulher do emir. O que você acha?

Forcei um sorriso e tentei parecer lisonjeada. Nesse exato momento, um bando de pardais passou pela janela, bloqueando a luz do sol. Senti um frio súbito. Na hora, não sabia por quê. Mas depois compreendi. Kebira havia-me dito no primeiro dia — que agora parecia tão distante, mas não era — que seu nome antes era Muna. Os desejos e caprichos dos poderosos podem ser fúteis. Eu sabia disso. Mas era um saber guardado naquele lugar onde se esconde um conhecimento inconveniente, ou doloroso demais para admitir, mesmo para si mesmo.

Eu costumava me retirar quando o doutor chegava, mas naquele dia ele fez um gesto para que eu ficasse, enquanto eu me preparava para sair com meu trabalho. Ele se aproximou e viu o retrato de Pedro, cumprimentou-me por ele, e me fez uma pergunta sobre o meu aprendizado. Eu lhe disse que estava a serviço de Hooman, o que pareceu surpreendê-lo, uma vez que eu era mulher. Sem entrar em detalhes, expliquei que tinha me disfarçado como menino por algum tempo, porque me parecia mais seguro. Ele não insistiu no assunto, mas também não deixou a questão morrer.

— Não — disse. — Não é aprendizado da corte. Vejo algo mais em seu trabalho. Algo... menos praticado. Menos sofisticado, talvez. Ou talvez devesse dizer: mais honesto?

Eu lhe falei então de meu pai, e do orgulho que tinha em aprender para ilustrar seus textos médicos.

— Então eu conheço o seu trabalho — ele disse, com a voz carregada de surpresa. — Admiro-o. Os herbários de Ibrahim al-Tarek são inigualáveis. — Senti-me ruborizar de orgulho. — Mas o que houve com seu pai? Como você veio parar aqui?

Contei-lhe a história sucintamente. Ele baixou a cabeça quando lhe falei do fim ignominioso de meu pai, abandonado sem sepultamento. Ele pôs a mão sobre os olhos e murmurou uma oração.

— Ele era um homem grandioso. Seu trabalho salvou muitas vidas. Lamento muito sua morte prematura. — O doutor olhou-me, avaliando-me como um médico faria. Havia grande compaixão em seu olhar, e eu entendi por que seus pacientes o admiravam tanto. — Ele teve sorte por ter criado uma filha como você, capaz de auxiliá-lo com tanta habilidade. Eu tenho só um filho, e ele... — Não terminou a frase. — Bem, eu gostaria de ter alguém tão habilidoso quanto você para trabalhar comigo.

A mulher do emir falou, então, e suas palavras fizeram o sangue gelar em minhas veias.

— Então o senhor pode levá-la, *ya doctur*. Al-Mora será meu presente para o senhor, pelos maravilhosos cuidados que o senhor tem dispensado a mim. Kebira tomará as providências. Pode levá-la hoje, se quiser.

Olhei para Nura, implorando em silêncio, mas o rosto dela estava calmo. Apenas uma discreta veia pulsando na têmpora revelava que estava sentindo alguma coisa, embora estivesse me jogando fora, como uma túnica usada.

— Vá agora, e arrume suas coisas. Pode levar sua caixa de pigmentos, e os livros de folha de ouro e prata. Quero que o doutor receba o melhor. — Em seguida, como se ela se lembrasse de algo no último instante, ela disse: — *Ya doctur*, vou lhe mandar também o meu irmão, Pedro, com Al-Mora, se o senhor puder levá-lo. Ele pode ser o aprendiz dela, já que ela é, como o senhor mesmo diz, muito habilidosa. — Nura se virou para mim, e sua voz revelou nada mais que um leve toque de sentimento. — Ensine-o bem por mim.

Estava terminado. Mais uma vez, eu era apenas uma ferramenta, uma coisa a ser usada e passada para outras mãos. Dessa vez, parecia, eu era um escudo para a proteção de seu irmãozinho. Ela se virara, escutando o doutor, que lhe agradecia efusivamente. Nas palavras dele, eu era "um presente dos mais generosos". O grande médico, tão famoso por sua compaixão. Onde estava a compaixão pelos sentimentos de uma escrava?

Lá estava eu, tremendo, enquanto os dois falavam de mim. A mulher do emir nem ao menos me olhava diretamente. Abanou a mão, em minha direção, como se eu fosse uma mosca-varejeira.

— Vá — ela disse. — Vá agora. Eu a dispensei.

Continuei ali, parada.

— Vá *agora*. Se quiser viver.

Ela achava que estava salvando minha vida. Minha vida, e a vida de seu amado irmão. Tinha calculado tudo, deitada no escuro. Já havia determinado tudo — Quando? Há quanto tempo? — sem me consultar.

Ela sabia que, com o judeu, nós sobreviveríamos, independentemente do destino da cidade, porque Abd Allah e sua facção também contavam muito com as habilidades deles, e procurariam seus conselhos. Minhas mãos tremiam enquanto eu apanhava minhas coisas.

Estava com o retrato nas mãos quando ela atravessou a sala e o pegou de mim.

— Quero ficar com isto. E deixe o outro também: o retrato de Muna. — Seus olhos cintilaram quando ela disse essa última frase.

Eu queria dizer "não dessa forma". Queria dizer: "dê-me mais alguns dias, mais algumas noites com você". Mas ela já tinha me dado as costas, e eu conhecia a força de sua vontade. Ela não voltaria atrás.

Bem, foi assim que eu vim parar aqui, e aqui estou morando, vivendo e trabalhando há quase dois anos. Talvez ela estivesse certa por ter-me mandado embora daquela maneira, mas nunca sentirei isso em meu coração. O que ela temia aconteceu: quando a ferida do emir o envenenou, Abd Allah aproveitou a chance de derrubá-lo. Nura tomou suas providências, e foi procurar a proteção das freiras. No momento certo, o doutor realizou o parto, e ela teve uma saudável menina, cuja existência não causa preocupações em Abd Allah. Não que ele deva reinar tempo suficiente para precisar de um sucessor: Castela ganha fôlego, e seu hálito sopra contra nós. E, o que será de todos nós, ninguém sabe. O doutor não fala do assunto, e não há sinais de nenhuma preparação para a nossa saída deste lugar. Creio que ele se considera indispensável, seja quem for o regente. Mas eu não tenho certeza de que os castelhanos terão o bom senso de valorizar suas habilidades.

Quanto a mim, por ora, pouco tenho do que reclamar. Aqui não sou mais chamada de al-Mora. Quando passei a morar no palácio do doutor, ele perguntou meu nome para que pudesse me apresentar à sua esposa. Quando eu disse al-Mora, o médico balançou a cabeça.

— Não — disse. — Quero o nome que lhe foi dado por seu pai.

— Zahra — eu disse, e percebi que a última vez que ouvira meu nome verdadeiro fora dos lábios de meu pai, quando ele tinha gritado para me alertar que os saqueadores estavam nos atacando: Zahra bint Ibrahim al-Tarek.

O doutor me devolveu muita coisa, além de meu nome. O trabalho que faço para ele é importante, e é um trabalho pelo qual me sinto ligada a meu pai. Cada planta, cada diagrama que faço, ofereço à glória de Alá, em memória de meu pai. O doutor, apesar de ser um judeu devoto, respeita minha religião e permite minhas orações e jejuns. Quando me viu fazendo prostrações no chão de sua biblioteca, ele me enviou um tapete de orações, mais fino até do que aquele que eu tinha no palácio. Sua esposa também é muito bondosa e administra a grande equipe de serviçais com uma disciplina gentil, o que gera um ambiente calmo e de tranqüilidade na casa.

Na primavera, durante a lua cheia, ela me convidou para juntar-me à família para uma de suas festas. Embora o convite me surpreendesse, aceitei-o por respeito, mas não bebi o vinho, que é parte importante do ritual deles. O rito foi realizado em hebraico, que eu não entendi, claro. Mas o doutor se deu ao trabalho de me explicar o significado de várias coisas que foram ditas e feitas. É uma festa muito emocionante, que celebra a libertação dos hebreus da escravidão em uma terra chamada Mizraim.

A mim ele confidenciou, em determinado momento, que sentia grande tristeza, porque, segundo a tradição, o pai deve ensinar ao filho aquele ritual, em todos os seus detalhes, e o único filho do doutor, Benjamin, é surdo-mudo e não consegue entender. Ele é um garoto meigo, e nada tem de simplório. Tem sido bom para Pedro cuidar desse jovem tão carente. É algo que lhe dá um propósito maior do que trabalhar comigo, atividade para a qual, aliás, ele tem pouca aptidão. Acho que ele ama o menino, e isso o ajuda quando sente falta da irmã. Tento ocupar o lugar dela da melhor maneira possível, mas nós dois sabemos que nada pode compensar tal perda.

Em segredo, eu resolvi fazer uma série de gravuras para Benjamin que, juntas, contem a história do mundo como os judeus acreditam que ele surgiu. O doutor tem muitos livros de sua religião, mas que só contêm palavras, não imagens como aquelas que os cristãos usam para ajudá-los a compreender suas orações. Parece que judeus são tão relutantes em fazer imagens quanto os muçulmanos. Mas quando pensei em Benjamin, em seu silêncio, impedido de compreender as belas e tocantes cerimônias de sua religião, lembrei-me do livro de orações de Isabella, e das figuras nele contidas, e de como ela havia-me dito que elas a ajudavam a rezar. Ocorreu-me a idéia de que tais desenhos prestariam uma ajuda semelhante a Benjamin. Não creio que o doutor ou seu Deus se ofendam com minhas imagens.

De vez em quando, pergunto ao doutor ou à sua esposa, e eles sempre me explicam, com boa vontade, como os judeus entendem este ou aquele assunto. Reflito no que me dizem e tento elaborar um modo de ilustrar o conceito de uma maneira compreensível para um menino ainda pequeno. O que me surpreende é o quanto eu já sei, pois a visão que eles têm de Deus não difere muito da versão correta dada por nosso Alcorão sagrado.

Eu tenho feito desenhos que mostram Deus separando a luz das trevas, criando terra e água. Desenhei a terra que ele criou como se fosse uma esfera. Meu pai acreditava nisso, e recentemente tive uma conversa com o doutor sobre o assunto. Embora seja um conceito difícil de compreender, disse ele, os cálculos de nossos astrônomos muçulmanos são muito mais avançados que quaisquer outros. Ele disse que se tivesse de escolher entre a opinião de um astrônomo muçulmano e o dogma de um padre católico, não ficaria com o padre. E, seja como for, eu prefiro as composições que usam círculos e curvas. São harmoniosas e interessantes de desenhar. Quero que essas gravuras sejam agradáveis, para que o menino deseje olhá-las. Com esse propósito, enchi o jardim do paraíso com animais de minha infância, leopardos e leões, com suas ferozes mandíbulas. Espero que ele goste.

Estou usando os últimos dos finos pigmentos de Hooman para fazer esse presente para o judeu, e fico imaginando o que ele pensaria desse trabalho. Logo terei de encomendar mais pigmentos do mercado, mas os trabalhos de que o doutor precisa exigem apenas tintas simples, não lápis-lazúli ou açafrão, e certamente nada de ouro. Por isso, estou usando estes pigmentos com prazer, talvez pela última vez em minha vida. Ainda possuo um ou dois pincéis feitos dos pêlos brancos da gata de Hooman, mas estes também estão desgastando e começando a se desmanchar.

Às vezes, quando faço perguntas ao doutor a respeito de sua fé, deixo-me perder na narrativa de seu povo empertigado, freqüentemente punido por seu Deus decepcionado. Pintei a história do dilúvio de Noé, da cidade de Lot em fogo, e de sua mulher que virou uma estátua de sal. Empenho-me em fazer imagens que esclareçam a história do festival da primavera, que às vezes é terrível. Como mostrar, por exemplo, por que o rei de Mizraim se rendeu a Musa? Como mostrar o horror dessa história, o terror das pragas, ou a morte dos primogênitos? Quero que Benjamim compreenda que as crianças em minha gravura estão todas mortas, mas, em minha primeira tentativa, pareciam adormecidas. Ontem tive uma idéia. Pensei nos iconoclastas e nas linhas vermelhas que eles tinham feito no pescoço das imagens humanas nos livros que eles mesmos deflagraram. Por isso, pintei formas escuras por cima da boca de cada criança adormecida, representando a força negra do anjo da morte roubando-lhes o sopro da vida. A imagem que fiz é extremamente perturbadora. Será que Benjamin a entenderá?

Meu plano é presentear o doutor com essas imagens por ocasião do próximo festival, que não demora. Estou, no momento, trabalhando numa representação do próprio festival. Desenhei o doutor à cabeceira da mesa com Benjamin ao seu lado, e sua esposa, lindamente vestida, e as irmãs dela, que vivem na mesma casa. Então, pensei em adicionar minha própria figura ao grupo reunido. Reproduzi-me com um vestido de açafrão, minha cor favorita, e para isso usei o resto do pigmento disponível. Gosto dessa imagem, mais do que qualquer outra que já fiz. Pareceu-me de bom grado assiná-la com meu nome verdadeiro, que o doutor me devolveu. Usei o último de meus pincéis finos para fazer a assinatura, o último daqueles que tinham um único pêlo.

Desenhei-me com a cabeça em pose de atenção, e me imagino ouvindo o doutor falar de Musa, que desafiou o rei de Mizraim, e usou seu cajado encantado para livrar seu povo da escravidão.

Se ao menos existisse outro cajado assim, para me libertar de minhas amarras! A liberdade é, realmente, algo de que mais sinto falta agora, neste lugar onde tenho um trabalho honroso, e suficiente conforto. Entretanto, não é o meu país. Liberdade e um país. As duas coisas que os judeus mais almejavam, e que seu Deus lhes entregou através do cajado de Musa.

Eu aprumo a escova de pêlo de gato e imagino como seria ter um cajado assim. Vejo-me caminhando até a costa. O grande mar se divide, e eu o atravesso, devagar, passando por caminhos de terra que me levariam para casa.

Hanna

Sarajevo, primavera de 1996

NÃO HAVIA NENHUMA ESCOLTA das Nações Unidas me esperando no aeroporto de Sarajevo, pelo simples motivo de que eu não havia dito a ninguém que estava indo para lá.

Cheguei tarde; a conexão em Viena atrasou duas horas e meia. É um choque sair do aeroporto de Viena, que mais parece um grande e reluzente shopping center, e chegar, quase meia hora depois, ao terminal ainda militarizado em Sarajevo. O táxi saiu do aeroporto e serpenteou as ruas anormalmente escuras — tinham consertado parte da iluminação de rua, o que era uma bênção, imagino, se considerarmos a aparência devastada e deserta dos bairros em volta do aeroporto. Embora eu não estivesse tão assustada quanto em minha primeira visita, senti-me aliviada quando entrei em meu quarto no hotel e tranquei a porta.

Pela manhã, liguei para Hamish Sajjan, no escritório da ONU, e perguntei se eu poderia dar uma olhada na nova sala de exibições do museu. A cerimônia oficial só seria dali a 24 horas, mas ele disse que com certeza o diretor do museu não se importaria se eu fosse ver o local antes da chegada dos dignitários convidados.

A larga alameda, antes conhecida como Beco dos Atiradores, onde se localizava o museu, ganhara uma boa reforma, que lhe dava um ar de *Potemkin village* nas duas semanas em que eu estivera ausente. As pilhas de escombros foram removidas, e os piores buracos de granada haviam sido rebocados. O bonde estava funcionando de novo, o que dava à rua um aspecto de normalidade. Galguei os degraus já conhecidos do museu e fui escoltada até a sala do diretor para tomar o compulsório café turco. Hamish Sajjan estava lá, radiante. Pelo menos uma vez, as Nações Unidas estavam recebendo certo crédito por fazer alguma coisa certa na Bósnia. Depois das necessárias gentilezas, ele e o diretor me acompanharam pelo corredor até a sala nova, que era vigiada por dois homens da segurança. O diretor digitou o código. Ouvi o som de ferrolhos novos deslizando.

A sala era linda. A luz era perfeita: regular e não brilhante demais. Sensores da última geração projetavam linhas que verificavam a temperatura e a umidade. Chequei os gráficos: 18° Celsius, perfeito, menos ou mais 1 grau. Umidade, 53%. Exatamente o que deveria ser. As paredes exalavam um aroma de reboque novo. Imaginei que só a presença naquele lugar já levantaria o moral da maioria dos moradores de Sarajevo, um grande contraste com a cidade dilapidada lá fora.

Uma vitrina especial ocupava o centro da sala. A Hagadá se encontrava lá, sob uma pirâmide de vidro que a protegia da poeira e da poluição, bem como das pessoas. Nas paredes se encontravam as exibições relacionadas — ícones ortodoxos, caligrafia islâmica, páginas de livros de salmos católicos. Passei por todos eles, devagar. A seleção era excelente, bem elaborada. Senti a inteligência de Ozren por trás da organização. Cada peça tinha algo em comum com a Hagadá — materiais semelhantes ou um estilo artístico relacionado. A idéia de que as culturas diversas se influenciam e se enriquecem mutuamente era transmitida com uma silenciosa eloqüência.

Por fim, virei-me para a Hagadá. A vitrina fora confeccionada por um habilidoso artesão, de nogueira nobre. O livro estava aberto nas iluminuras da Criação — as páginas seriam viradas regularmente para que nenhuma delas fosse exposta demais à luz.

Olhei o livro através do vidro, pensando no artista, no pincel mergulhado em pigmento de cor de açafrão. O pêlo de gato que Clarissa Montague-Morgan tinha identificado — cortado e limpo nas duas extremidades, manchado com traços de pigmento amarelo — vinha do pincel do artista. Os pincéis espanhóis geralmente eram de pêlo de esquilo. Pêlos da área da garganta de gatos persas com dois meses, criados para esse fim, eram os preferidos para os pincéis dos miniaturistas iranianos. *Irani qalam*. Pena iraniana. Era o nome mais do estilo que do implemento. Essas miniaturas, no entanto, não eram em estilo ou técnica iraniana. Então, por que um iluminador que trabalhava na Espanha, para um cliente judeu, à maneira de um cristão europeu, teria usado um pincel iraniano? A identificação de Clarissa dessa anomalia fora importantíssima para o meu ensaio, dando-me uma idéia de como o conhecimento viajava incríveis distâncias durante a *Convivência*, por rotas bem estabelecidas que uniam os artistas e intelectuais da Espanha com seus colegas em Bagdá, Cairo e Isfaão.

Fiquei olhando, imaginando qual dos dois fizera a viagem — o pincel ou o artesão que o montara. Imaginei a comoção no ateliê; a primeira vez que alguém usou um desses pincéis elaborados sentiu o suave roçar do belo pêlo branco contra o pergaminho cuidadosamente preparado.

O pergaminho.

Pisquei, e aproximei-me um pouco mais da vitrina, duvidando da evidência diante de meus olhos. Senti o chão desaparecer debaixo de meus pés.

Endireitei-me e olhei para Sajjan. Seu largo sorriso hesitou, quando ele viu meu rosto, que devia estar tão branco quanto gesso. Tentei controlar a voz.

— Onde está o doutor Karaman? Preciso falar com ele.

— Alguma coisa errada? A vitrina, a temperatura?

— Não, não. Não há nada errado... com a sala. — Eu não queria fazer uma cena em público. Haveria mais chance de lidarmos com aquilo se agíssemos com discrição. — Preciso falar com o doutor Karaman sobre meu ensaio. Acabo de perceber que esqueci de fazer uma correção necessária.

— Minha cara doutora Heath, os catálogos já foram impressos. Qualquer correção...

— Não importa. Só quero dizer isso a ele...

— Creio que ele está na biblioteca. Devo chamá-lo?

— Não, eu sei o caminho.

Saímos, e a porta se fechou e travou com um clique suave atrás de nós. Sajjan começou a traduzir a despedida formal do diretor, que eu abreviei, rude, andando para trás e me afastando deles no corredor. Era a única atitude possível para eu evitar uma corrida. Entrei esbaforida, empurrando as grandes portas de carvalho da biblioteca e correndo pelo corredor estreito entre as estantes, quase derrubando uma assistente que se ocupava em recolocar livros nas estantes. Ozren ainda estava em seu escritório, sentado à mesa, conversando com uma pessoa que estava de costas para mim.

Entrei sem bater. Ozren se levantou, surpreso pela intrusão. Seu rosto estava sem cor e cansado; os olhos, marcados por olheiras escuras. Por um instante, eu me esqueci de que seu filho fora enterrado não mais de 48 horas antes. Minha ansiedade diminuiu um pouco sob uma onda de sentimento por ele. Adiantei-me e pus meus braços em volta dele.

Seu corpo estava absolutamente rígido. Ele deu um passo para trás, fugindo ao meu abraço.

— Ozren, sinto muito por Alia, e desculpe-me por entrar assim, mas...

— Olá, doutora Heath. — Sua voz, interrompendo-me, era dura e formal.

— *Hallo*, Hanna! — O homem na cadeira se levantava devagar, enquanto me virei para ele.

— Werner! Eu não sabia... graças a Deus você está aqui.

Werner Heinrich, meu professor, o melhor detector de falsificações, seria capaz de descobrir imediatamente; poderia me apoiar.

— Claro que estou aqui, Hanna, *Liebchen*. Eu não poderia perder a cerimônia de amanhã. Mas você não me disse que viria. Pensei que estivesse em casa, agora. É maravilhoso que tenha vindo.

— Bem, se alguém não tomar uma providência, não haverá cerimônia. A Hagadá foi roubada. Acho que foi Amitai, ele é o único que...

— Hanna, minha querida, devagar... — Werner segurou-me pelas mãos, que estavam gesticulando freneticamente. — Diga-nos, com calma...

— Isso é absurdo. — Ozren interrompeu Werner. — A Hagadá está trancada na vitrina. Eu mesmo a coloquei lá.

— Ozren, aquilo é uma falsificação. Aquela coisa na vitrina. Uma fantástica falsificação — a prata oxidada, as manchas, os pigmentos borrados. Todos nós já vimos falsificações, mas essa é incrível. É uma réplica perfeita. Perfeita, exceto por uma coisa. Uma coisa que não pode ser replicada porque não existe mais, há séculos. — Tive que parar. Mal conseguia respirar. Werner acariciava minha mão como se eu fosse uma criança histérica. As mãos dele, duras — mãos de artesão —, tinham as unhas perfeitamente feitas. Puxei a minha, malcuidada, e a passei pelos cabelos.

Ozren estava pálido, agora. E em pé.

— Do que você está falando?

— O pergaminho. A ovelha da qual eles o fizeram, aquela raça, *Ovis aries Aragonosa ornata*, está extinta na Espanha desde o século XV. O que eles usaram, os poros, está tudo errado... o tamanho, a dispersão... é um pergaminho feito de outra raça.

— Você não pode saber isso só por ver uma única página — disse Ozren, com os lábios tensos, em tom áspero.

— Eu posso. — Respirei fundo, tentando evitar a falta de ar. — É algo sutil, a menos que você tenha passado horas comparando velhos pergaminhos. Para mim, é óbvio. Werner, você detectará isso logo, tenho certeza. — O rosto de Werner estava marcado pela preocupação agora. — Onde está Amitai? — eu quis saber. — Ele já saiu do país? Se saiu, então, teremos um grande problema...

— Hanna, pare com isso. — A voz suave de Werner tinha um tom duro. Percebi, então, que o olhar de preocupação era, na verdade, de irritação. Não estava me levando a sério. Para ele, eu ainda era a aluna dos antípodas, a garota que tinha muito a aprender. Virei-me para Ozren. Com certeza, ele me escutaria.

— O doutor Yomtov está aqui em Sarajevo — ele disse. — É convidado da comunidade judaica para a cerimônia de amanhã. Ele nem chegou perto da Hagadá. O livro ficou trancado no cofre no banco central desde o dia em que você foi embora, no mês passado, até o momento em que nós o tiramos, sob pesada guarda, ontem. Estava na caixa de acordo com as suas especificações, que você mesma me viu lacrar, até eu quebrar a cera pessoalmente e partir os fios, e depositá-lo na vitrina. Não saiu de minhas mãos por um único momento. A vitrina é armada com equipamento da última geração, e a sala é entrecortada por sensores. Há uma câmera de vigilância vinte e quatro horas e um guarda. Você está se fazendo de tola com essas acusações.

— Estou? Ozren, meu caro. Será que você não vê? Os israelitas, eles devem querer este livro há muito tempo... você deve ter ouvido os rumores, durante a guerra... E Amitai, ele é ex-comando, sabia?

Werner balançou a cabeleira prateada.

— Eu não tinha idéia — disse.

Ozren olhou para mim, impassível. Eu não compreendia como ele podia parecer tão indiferente. Queria sacudi-lo. Talvez ainda estivesse em choque, por causa de Alia. E, de repente, eu pensei na estranha conversa telefônica quando liguei para o apartamento dele.

— O que Amitai estava fazendo em sua casa, enfim, aquela noite?

— Hanna. — A voz de Ozren, fria, começava agora a ficar gelada. — Eu arrisquei a vida para salvar esse livro. Se você está sugerindo...

Werner levantou a mão.

— Tenho certeza de que a doutora Heath não está sugerindo nada. Mas penso que será melhor nós fazermos um exame. — Ele franziu a testa. Suas mãos tremiam. O que eu disse sobre Amitai com certeza o havia abalado. — Venha, minha cara, e mostre-nos o que a perturba tanto.

Werner, instável, pegou-me pelo braço. De repente, preocupei-me com ele. Ficaria chocado ao ver a falsificação.

Ozren saiu de trás da mesa e nos conduziu de volta pelo corredor interminável, passando pelas salas de exposição onde os vidraceiros substituíam as folhas plásticas que ainda cobriam muitas das janelas partidas do museu. Ozren assentiu para os guardas e digitou seu código antes de entrar.

— Podemos tirá-lo daí?

— Não sem desligar todo o sistema — disse Ozren. — Mostre-nos o que você pensa que viu.

Eu apontei.

Werner se curvou e olhou através da vitrina. Examinou o ponto que eu indicava, por vários minutos. Por fim, se endireitou.

— Alegro-me em dizer que não concordo você, minha cara. A dispersão está perfeitamente de acordo com os vários exemplos que examinei desse tipo de pergaminho. De qualquer forma, podemos comparar a página com as fotografias da documentação que você tirou, no momento da estabilização, para tranqüilizá-la.

— Mas eu enviei esses negativos a Amitai! Ele os usou para fazer essa falsificação, não entende? E deve ter substituído minhas fotos por imagens dessa... coisa. Temos que chamar a polícia, agora, e alertar as autoridades, e a ONU...

— Hanna, minha querida, eu tenho certeza de que você se enganou. E penso que deve ter mais cuidado antes de fazer tais acusações contra um estimado colega.

A voz de Werner era baixa e reconfortante, ainda me tratando como uma criança superagitada. Ele colocou a mão em meu braço.

— Eu conheço e trabalho com Amitai Yomtov há mais de trinta anos. Sua reputação é impecável. Você sabe disso. — Ele se virou para Ozren, em seguida. — Mas, talvez, doutor Karaman, para tranqüilizar a doutora Heath, seria melhor desarmarmos o sistema e fazer uma inspeção completa do códice?

Ozren assentiu.

— Sim, claro. Podemos fazer isso. Devemos fazer. Mas vou informar o diretor. O sistema exige que nós dois digitemos os códigos para autorizar o desligamento.

A hora que se passou a seguir foi a mais estranha e desconfortável de toda a minha vida profissional. Werner, Ozren e eu examinamos o código página por página. Sempre que eu apontava uma anomalia, os dois afirmavam não ver nada de irregular. Claro que pediram fotos em fac-símile, que combinavam perfeitamente com o livro, o que eu tinha certeza de que aconteceria. Mas a convicção de Werner não se abalava, e minha opinião não valia muito, comparada à dele. Ozren, que, como ele mesmo dissera, tinha arriscado a vida pelo livro, insistia em afirmar que a quebra de segurança era impossível. No fim, uma ponta de dúvida começou a me corroer. Sentia gotas de um suor quente escorrendo pelo corpo. Talvez fosse o estresse dos últimos dias: o acidente de minha mãe, o choque de descobrir a identidade de meu pai, a notícia sobre Alia. E outra coisa. Quando vira Ozren, seus olhos cansados, rosto exausto, eu sentira algo. Algo estranho para mim, mas que eu sabia ser real. Eu sabia que voltava a Sarajevo por causa dele, não do livro. Tinha sentido falta dele, uma falta desesperada. Dizem que o amor é cego. Eu começava a pensar que estava vendo coisas.

Terminada a inspeção, Ozren e Werner se voltaram para mim.

— Bem, o que você pretende fazer? — Ozren perguntou.

— O que pretendo fazer? Quero um mandado de busca para vasculhar cada correia e cada lenço nas malas de Amitai. Quero que fechem as fronteiras, caso ele já tenha dado o códice a um cúmplice.

— Hanna — Ozren disse em voz baixa. — Se fizermos isso, criaremos um incidente internacional por causa de uma alegação que tanto o doutor Heinrich, cuja proficiência não se questiona, como eu mesmo, acreditamos ser falsa e sem fundamento. Por causa das tensões específicas daqui, quando uma alegação é feita, algumas pessoas acreditam nela, mesmo que seja infundada. Você quer germinar um conflito intercomunitário em torno de um artefato cujo objetivo era justamente representar a sobrevivência do ideal multiétnico. E passará por tola, arruinando sua reputação profissional. Se você tem certeza, plena e irrestrita, de que sabe mais que Werner Heinrich, então vá em frente, informe as Nações Unidas. Mas o museu não a apoiará. — Ele fez uma pausa, e desferiu o gole de misericórdia. — E eu não a apoiarei.

Eu não conseguia mais falar. Apenas olhei de um para o outro, e depois para o livro. Pus a mão sobre a capa. Com as pontas dos dedos, senti a pequena área em que eu tinha consertado o couro gasto. Podia perceber a diminuta elevação onde as fibras novas se misturavam com as velhas.

Dei-lhes as costas e saí da sala.

Lola

Jerusalém, 2002

Eu lhes darei minha casa, e dentro de minhas muralhas, um memorial e um nome.

— Isaías

SOU UMA MULHER VELHA agora, e as manhãs são difíceis para mim. Acordo cedo estes dias. Acho que é o frio que me faz despertar, atiçando a dor em meus ossos. As pessoas não percebem como é frio aqui no inverno. Não tão frio como nas montanhas de Sarajevo; mas frio, mesmo assim. Este apartamento era parte da casa do Árabe, antes de 1948, e as pedras velhas sugam o frio entre suas fendas. Não posso pagar por um bom aquecimento. Mas talvez eu só acorde cedo porque tenha medo de dormir demais. Sei que um dia, não muito distante de hoje, o frio se rastejará para fora das pedras, até meu corpo, deitado nesta cama estreita. E então eu nunca mais acordarei.

E daí? Já tive o suficiente. Mais do que a minha cota. Qualquer pessoa que tenha nascido onde eu nasci, quando eu nasci, como eu nasci, não pode reclamar quando chega a morte — como chegará a minha, no devido tempo.

Recebo uma pensão, mas é pequena; por isso, ainda trabalho algumas horas semanais, principalmente no Sabá. É a melhor maneira de encontrar trabalho se você não é uma pessoa religiosa. Os ortodoxos não trabalham nesse dia, e as pessoas com famílias querem aproveitar o dia. Anos atrás, eu tinha que competir com os árabes pelo Sabá, para trabalhar, mas, desde a Intifada, sempre há muitos toques de recolher, muitos postos de fiscalização, e eles estão ocupados ou ausentes metade do tempo, e ninguém quer contratá-los. Tenho pena deles, tenho mesmo. Tenho pena por eles terem que sofrer tanto.

De qualquer forma, o emprego que eu tenho agora eles não desejariam. Não há muita gente que faria isso. De minha parte, fiz as pazes com os mortos. As fotos das mulheres de pé à beira do buraco que seria a cova delas, os abajures feitos de pele humana, essas coisas não me incomodam mais.

Eu limpo as vitrinas de vidro e tiro o pó das molduras e penso nas mulheres. É bom pensar nelas. Lembrar delas. Não nuas e apavoradas, como se vêem nas fotos, mas como elas eram: em casa, amadas, fazendo coisas comuns, em suas vidas comuns.

Penso também na pessoa cuja pele está esticada por cima do abajur. É a primeira coisa que você vê quando entra no museu. Já vi alguns visitantes desviar os olhos e ir embora, quando percebem o que é. Ficam perturbados demais para prosseguir. Poderia ser a pele de minha mãe, aliás. Se as coisas tivessem sido um pouco diferentes, poderia ter sido a minha pele.

Limpar aquelas salas, para mim, é um privilégio. Posso dizer que, apesar de velha e lerda agora, faço uma limpeza perfeita. Quando termino, não há um único grão de poeira ou mancha no chão, nem ao menos uma marca de dedo. É o que eu posso fazer por eles.

Eu vinha aqui mesmo antes de conseguir esse emprego. Não ao museu, mas ao jardim, porque Serif e Stela Kamal têm uma placa lá, no Jardim dos Justos, seus nomes entre aqueles de outros gentios que arriscaram tanto para salvar pessoas como eu.

Nunca os vi novamente, depois daquela noite de fim de verão, nas montanhas fora de Sarajevo. Eu estava com tanto medo que nem ao menos me despedi. Nem sequer lhes agradeci.

O homem a quem eles me levaram aquela noite era um oficial do Ustashe, veja só. Casara-se secretamente com uma judia, e assim ajudava pessoas como eu, sempre que podia. Foi simples para ele arrumar tudo para mim. Fui para o sul com a devida papelada e fiquei em segurança até o fim da guerra, na zona italiana. Depois, quando Tito assumiu o poder, eu era uma pessoa importante pela primeira e última vez em minha vida. Durante alguns meses, nós éramos os grandes heróis socialistas, os jovens que tinham sido partidários dele, nas montanhas. O fato de ele nos ter traído, abandonado à morte naquelas terras, foi logo esquecido e não era mais mencionado, nem por nós mesmos. Arrumei um emprego no novo exército, como ajudante em uma casa para partidários feridos, em um prédio velho à beira-mar, em Split. Foi lá que encontrei Branko, que fora nosso líder e, depois, nos deixou, entregues à morte. Ele fora baleado no quadril e no abdômen. Estava péssimo. Mal podia andar e vivia adoecendo por causa das infecções.

Casei-me com ele. Não me pergunte por quê. Eu era uma garota tola. Mas, quando você não tem mais ninguém, ninguém que se lembra de você, qualquer pessoa com quem você partilhou uma experiência se torna alguém especial. Mesmo uma pessoa como Branko.

Eu sabia que tinha cometido um erro mesmo antes de chegarmos ao nosso primeiro aniversário de casamento. Seus ferimentos o deixaram debilitado, como homem, e era como se me culpasse por isso. Queria que eu fizesse toda sorte de coisas estranhas para satisfazê-lo. Não sou uma puritana. Tentei, com todo afinco; mas era tão jovem e inocente, pelo menos em certo sentido... Bem, era difícil fazer algumas daquelas coisas que ele queria. Se ele fosse um pouco mais carinhoso, poderia ter sido diferente. Mas, mesmo acamado, era um tirano, e a maior parte do tempo eu me sentia usada.

Quando li no jornal que Serif Kamal ia ser julgado como colaborador dos nazistas, disse a Branko que ia a Sarajevo para testemunhar a favor dele. Lembro-me do modo como ele me olhou. Estava sentado em uma cadeira de rodas, ao lado da janela. Tínhamos um quarto só nosso no quartel por causa de meu emprego, e da posição de Branko, como herói ferido. Ele se curvou para a frente, e bateu a bengala no assoalho. Era verão, estava quente. Entrava luz pela janela estreita que dava para o porto.

— Não — ele disse. A claridade que vinha da luz sobre a água azul escura batia-me nos olhos, e eu tive de protegê-los com a mão.

— Como assim, "não"?

— Você não vai a Sarajevo. Você é um soldado do exército iugoslavo, como eu. Não vai comprometer nossa posição, colocando-se contra a vontade do partido. Se eles resolveram acusar esse homem, devem ter seus motivos. Não cabe a alguém como você questioná-los.

— Mas efêndi Kamal não era colaborador dos nazistas! Ele odiava os nazistas! Ele me salvou, Branko, depois que você me deu as costas. Não estaria viva hoje se ele não tivesse arriscado tanto...

Ele me interrompeu. Sua voz era alta e ele a usava sempre que eu discordava de alguma coisa, mesmo que fosse algo tolo, como se as botas precisavam ser engraxadas ou não. As paredes eram finas no quartel, e ele sabia que eu detestava que nossos vizinhos ouvissem seus abusos.

Branko estava acostumado a me ouvir ceder, sempre que ele erguia a voz. Mas, daquela vez, eu não recuei. Disse que ele podia gritar comigo o quanto quisesse, mas eu faria o que era certo. Ele praguejou, xingou, e, quando viu que eu não mudaria de idéia, jogou a bengala em mim. Embora estivesse fraco, tinha boa pontaria, e a ponta de metal me pegou abaixo do maxilar, e me machucou.

No fim, ele providenciou para que eu ficasse sob vigilância no decorrer do julgamento. Eu podia ir ao trabalho e voltar para casa, mas sempre vigiada. Era humilhante. Não tinha idéia do que ele lhes dissera, que desculpa tinha inventado para conseguir a vigília. Mas conseguiu me manter em Split. Eu não tinha como chegar a Sarajevo.

Sentia que não tinha mais lágrimas naqueles dias. Gastara todas durante a guerra. E muitas outras pouco depois, quando soube o destino de minha mãe e meu pai, minha irmãzinha e minha tia. O coração fraco de minha tia não agüentou já no caminhão que as levava ao campo de Krúscia. Dora morreu lá, de fome e fraqueza, dois meses depois. Minha mãe continuou viva em meio ao sofrimento quase até o fim da guerra. Mas, então, eles a levaram a Auschwitz. Pensava que tinha gasto todas as minhas lágrimas. Mas naquela semana eu chorei por Serif, que certamente seria enforcado ou fuzilado. Chorei por Stela, sozinha com seu lindo bebê. E chorei por mim. Por minha humilhação nas mãos do monstro com quem eu me casara, que tinha me transformado em uma traidora.

Branko morreu de complicações de uma infecção gástrica em 1951. Não lamentei sua morte. Ouvira falar que Tito estava permitindo que os judeus fossem para Israel; por isso, decidi sair de meu país — não tinha mais nada lá — e recomeçar aqui. Suponho que, no fundo de meu coração, eu achava que encontraria Mordecai, meu antigo professor dos Jovens Guardiões, tantos anos atrás. Eu ainda era jovem, sabe? Ainda era uma garota tola.

Encontrei Mordecai, realmente, no cemitério militar em monte Hertzl. Ele morreu na guerra de 1948. Era líder de uma pequena unidade Nahal, com os outros rapazes e garotas dos *kibutzim*, e morreu na estrada de Jerusalém.

Assim, tive que refazer minha vida aqui, e até que não é uma vida ruim. Difícil, sim; muito trabalho, pouco dinheiro. Mas não ruim. Nunca me casei de novo, mas tive um amante por algum tempo. Um caminhoneiro grandalhão, risonho, que veio da Polônia e pertencia a um *kibutz* no Negueve. Começou quando ele caçoou de mim, enquanto eu fazia compras em sua barraca, no mercado. Eu tinha vergonha porque não falava bem o hebraico, e ele me provocava até me fazer rir. Logo, sempre que trazia em seu caminhão seus produtos agrícolas à cidade, ele vinha me ver. Dava-me tâmaras que ajudava a cultivar, e laranjas, e nós nos deitávamos juntos, à tarde, com o sol penetrando pela janela. Nossa pele cheirava a óleo cítrico, e nossos beijos eram adocicados pelas tâmaras saborosas, pegajosas.

Eu teria me casado com ele, se tivesse me pedido. Mas o caminhoneiro tinha uma esposa na Polônia que fora levada do gueto em Varsóvia. Ele me disse que nunca conseguira descobrir o que aconteceu com ela. Não tinha certeza se estava viva ou morta. Talvez fosse apenas uma história, uma desculpa para evitar o compromisso. Mas não sei. Acho que ele se sentia culpado por estar vivo. Eu gostava dele mais ainda por respeitar a memória da esposa, com sua esperança. De qualquer forma, outro caminhoneiro do *kibutz* ficou com o trabalho de entregar os produtos, e ele passou a vir cada vez menos à cidade, até que nunca mais apareceu. Senti sua falta. Ainda penso naquelas tardes.

Não tenho muitos amigos. Ainda hoje, não falo hebraico muito bem. Bem, eu me viro: as pessoas aqui estão acostumadas a entender sotaques estrangeiros e gramática errada porque quase todos aqui vieram de outros lugares. Mas, para dizer a alguém as coisas de meu coração, não conheço as palavras em hebraico.

Com o tempo, acostumei-me aos verões quentes e secos, aos campos de algodão desabrochando, à claridade e às elevações de rocha nua, onde não crescem árvores. E embora as colinas de Jerusalém não sejam as montanhas de minha terra, às vezes neva aqui, no inverno, e, se eu fechar os olhos, consigo me imaginar em Sarajevo. Embora alguns de meus amigos me achem louca por fazer isso, às vezes vou ao setor árabe da Velha Cidade e me sento numa cafeteria onde o cheiro do café me lembra de casa.

Durante a guerra na Iugoslávia, havia muitos bósnios aqui. Israel recebeu muitos refugiados. Alguns eram judeus, mas a maioria eram muçulmanos. Pude, então, falar minha língua por algum tempo; foi delicioso, um grande alívio. Trabalhei como voluntária no centro de restabelecimento, ajudando as pessoas a preencher formulários simples — este país adora formulários — ou ler os itinerários dos ônibus, ou marcar hora no dentista para seus filhos. Foi por acaso, enquanto folheava uma revista velha que alguém deixara lá, que vi o obituário de efêndi Kamal, e descobri que ele morrera recentemente.

Foi como se removessem uma pedra de meu coração. Eu tinha passado anos acreditando que ele fora executado, porque essa era a sentença imposta a todos os colaboradores dos nazistas. Mas o obituário dizia que Kamal tinha morrido após uma longa doença, e que era o *kustos* da biblioteca no Museu Nacional, como na época em que eu o conhecera.

Para mim, era como se uma sentença tivesse sido anulada, tanto para mim quanto para ele. Acabara de ganhar outra chance de fazer a coisa certa, de testemunhar a favor dele. Levei duas noites para escrever, com atenção, a história de tudo que ele fizera por mim. Enviei-a ao museu do Holocausto, o Yad Vashem. Algum tempo depois, recebi uma carta de Stela, que fora para Paris com seu filho, depois que o apartamento deles tinha sido destruído por um morteiro sérvio. Ela disse que houve uma linda cerimônia em homenagem a eles na Embaixada israelita em Paris, que compreendia por que eu não pudera ajudá-los depois da guerra, e que ficava feliz por saber que eu estava viva e bem. E disse: — Obrigada por dizer ao mundo que meu marido foi um grande amigo dos judeus em uma época em que eles tinham poucos amigos verdadeiros.

Depois que puseram a placa para os Kamal no jardim do museu, eu comecei a ir lá com freqüência. Fazia-me sentir melhor. Eu arrancava as ervas daninhas debaixo dos ciprestes, tirava as flores mortas.

Um dia, um custódio do museu me viu fazer isso e perguntou-me se eu gostaria de trabalhar lá como zeladora.

É muito silencioso no Sabá. Alguns diriam fantasmagoricamente silencioso. Não me incomoda nem um pouco. Na verdade, eu detesto o barulho que meus materiais de limpeza fazem quando limpo o chão. Prefiro as horas em que vou de uma câmara a outra, com meus panos para tirar o poeira, trabalhando em silêncio. A biblioteca é a sala mais demorada para limpar. Perguntei uma vez, e a bibliotecária assistente me disse que havia mais de cem mil livros lá, e mais de sessenta milhões de páginas de documentos. É um número bom, creio: dez páginas para cada pessoa que morreu. Uma espécie de documento em papel para pessoas que não têm lápides.

Quando penso nisso, um livrinho entre tantos, o que aconteceu parece um milagre. Talvez *tenha sido* um milagre. Acho que foi. Eu já vinha tirando o pó daquelas prateleiras havia mais de um ano. Toda semana, eu tinha o hábito de tirar todos os livros de uma seção de prateleiras, limpar por baixo e atrás; depois limpar a parte de cima das páginas. Stela me ensinara a fazer isso quando eu limpava as estantes de livros no apartamento dos Kamal. Imagino, portanto, que a lembrança deles, naquela época, estava sempre presente em meu trabalho. Talvez fosse isso que me permitiu ver.

Entrei na biblioteca aquele dia e encontrei a seção de prateleiras que tinha limpado na semana anterior, e comecei a tirar os livros da seção seguinte. Eram livros mais velhos, na maioria; por isso, resolvi tomar um cuidado especial enquanto os colocava de lado. De repente, estava na minha mão. Olhei para ele. Abri-o. E eu estava de volta em Sarajevo, no escritório de efêndi Kamal, com Stela tremendo ao meu lado, percebendo, de uma maneira que eu só compreendia em parte, na época, que efêndi Kamal devia ter feito algo que a deixara com muito medo. De repente, era como se eu ouvisse a voz dele: “O melhor lugar para esconder um livro pode ser uma biblioteca”.

Eu não sabia o que fazer. Imaginava, claro, que o livro devia estar lá onde estava. Mas parecia estranho que um famoso e antigo manuscrito estivesse jogado de qualquer jeito naquela prateleira.

E foi isso que eu lhes disse quando me questionaram: o bibliotecário-chefe, o diretor do museu e outro homem que eu não conhecia, com aspecto de soldado, mas que parecia saber tudo sobre o livro e sobre Serif Kamal. Eu estava nervosa porque eles pareciam não acreditar em mim, ou que tal coincidência pudesse ocorrer de fato; e, quando fico ansiosa, as palavras hebraicas me escapam. Não conseguia me lembrar de *peleh*, "milagre", e disse *siman*, que dá a idéia de "sinal".

Mas, no fim, aquele que parecia soldado me compreendeu. Sorriu para mim, muito gentil. Em seguida, virou-se para os outros e disse:

— Bem, por que não, *kinderlach*?

Toda a história desse livro, e de sua sobrevivência até hoje, tem sido uma série de milagres. Então, por que não mais um?

Hanna

Terra de Arnhem, Gunumeleng, 2002

EU ESTAVA NUMA CAVERNA em uma escarpa, a seiscentos metros de altura e longe de qualquer indício de terreno plano, quando eles me encontraram.

A mensagem, levada por um dos meninos aborígines, era estranha e eu não conseguia entendê-la. Era um garoto esperto, meio brincalhão; por isso, a princípio, achei que era uma piada.

— Não, moça. Não é brincadeira, não. O sujeito de Canberra, ele está procurando você o dia todo. Nós dissemos que vocês estão ocupados, mas ele fica ligando, ligando, mesmo depois que Butcher resmungou com ele.

Butcher era o tio do menino e administrador da Estação Jabiru, a fazenda de gado onde nós ficávamos quando não estávamos fazendo trabalho de campo.

— Ele disse o que queria?

O menino tombou a cabeça para um lado, o gesto ambíguo que poderia significar "Não" ou "não sei", ou talvez "não tenho o direito de lhe dizer".

— É melhor você vir, moça, ou Butcher vai resmungar comigo também.

Saí da caverna e fechei os olhos, debaixo da luz forte. O sol parecia um grande disco de garança brilhante, tingindo de vermelho as faixas de minério que cortavam a face preta e ocre da rocha. Lá embaixo, as primeiras folhas de grama cobriam de um verde vivo a planície. As poças de água deixadas pelo temporal da noite anterior pareciam lâminas de prata sob a luz. Tínhamos entrado na estação de Gunumeleng — uma das seis estações que os aborígines identificam no ano, as quais os homens brancos dividem simplesmente entre úmido e seco. Gunumeleng trazia as primeiras tempestades. Dali a um mês, toda a planície estaria inundada. A tal estrada, que era na verdade apenas uma pista de terra à margem, ficaria intransitável. Minha esperança era documentar aquela seção de cavernas e conservá-las, minimamente que fosse, antes da grande umidade. A última coisa de que eu precisava era uma viagem de carro de duas horas e meia, viagem de machucar os ossos, de volta à estação para conversar com algum palhaço de Canberra. Mas à distância, onde terminava a pista, eu via o reflexo do pára-brisa no estimado Toyota de Butcher. Ele não deixaria o menino dirigir, a menos que a mensagem fosse realmente importante.

— Certo, Alto. Pode dizer ao titio que Jim e eu estaremos de volta na hora do chá. Só preciso terminar algumas linhas de silicone aqui, e irei com você.

O menino me deu as costas e desceu pela escarpa. Era um garoto magro, e pequeno para a sua idade, dezesseis anos (por isso, todos o chamavam ironicamente de Alto). Mas ele escalava e descia de qualquer escarpa vinte vezes mais rápido que eu. Voltei à caverna, onde Jim Bardayal, o arqueólogo com quem eu estava trabalhando, me aguardava.

— Pelo menos, dormiremos em uma cama hoje à noite — ele disse, entregando-me o cartucho de silicone.

— Ora, veja só! Que molenga. Em Sydney, você estava sempre se gabando de sua terra, de como sentia falta dela. Agora, passamos uma noite de garoa, e, se alguém lhe mostrar uma caminha quente, você sai daqui correndo.

Jim sorriu.

— Balanda* sacana! — ele disse. Na verdade, a tempestade da noite anterior fora de assustar. Os relâmpagos iluminavam as grandes árvores de goma brancas, e o vento quase tinha derrubado os paus de nossa barraca. — Não é a chuva. São os malditos mosquitos.

Eu não podia discordar. Era impossível contemplar em paz o magnífico pôr do sol lá. O crepúsculo era uma mesa de jantar para milhões de mosquitos, e nós éramos o prato especial do dia. Só de

---

* *Balanda*: expressão australiana que designa qualquer pessoa que não tenha ascendência indígena. (N. do T.)

pensar neles, eu sentia coceira pelo corpo todo. Apliquei uma linha de silicone, como um chiclete mascado e esticado, por toda a face da rocha sobre os pontos para onde a água da chuva escoaria, como tínhamos determinado. A idéia era desviar a água da ocra solúvel das pinturas. Aquela parte da escarpa era rica em arte: pinturas Mimi, as maravilhosas, magnetizantes imagens de figuras esbeltas caçando. O povo de Jim, os Mirarr, acreditava que elas haviam sido pintadas por espíritos. Sua outra comunidade, a arqueológica, tinha estabelecido que as pinturas mais antigas tinham sido feitas trinta mil anos atrás. No decorrer das eras, alguns anciãos sábios eram incumbidos de restaurá-las cerimonialmente, sempre que necessário. Depois da chegada dos europeus, no entanto, os Mirarr foram aos poucos abandonando sua moradia nas cavernas da terra de pedra. Começaram a trabalhar para os balanda em estações de gado, ou foram viver nas cidades. A nossa tarefa agora era proteger o que eles tinham deixado para trás.

Não era o tipo de trabalho que eu me imaginava fazendo. Mas Sarajevo tinha destruído minha confiança. Embora parte de mim continuasse acreditando que Ozren e Heinrich estavam errados, a parte maior — a covarde em mim — tinha afogado essa convicção num mar tóxico de dúvida. Fui para casa sentindo-me humilhada e indigna, e insegura quanto à minha capacidade. Passei um mês vagueando em meu laboratório, recusando qualquer trabalho minimamente desafiador que parecesse. Se eu tinha cometido tamanho erro em Sarajevo, como poderia continuar julgando qualquer coisa?

De repente, Jonah Sharansky me telefonou. Tinha duas coisas para me dizer. A primeira era que Delilah havia-me deixado uma substancial herança. A segunda era que a família queria que eu assumisse a função de minha mãe na fundação de Aaron. Os outros membros da diretoria já haviam votado, pelo que ele me dissera. Sentia que precisava realmente me afastar do laboratório por algum tempo; então, resolvi usar o dinheiro da herança e ir até eles para ver como era o trabalho da fundação, e o que poderia fazer para contribuir com ela.

Minha mãe ficou furiosa quando descobriu que fora afastada. A princípio, eu me sentia mal com isso. Achava que ela via a fundação como o último elo com Aaron, e imaginei que seria doloroso ser rejeitada pela família dele daquela maneira.

Mamãe retornara a Sydney poucas semanas depois de mim. Quando saiu do hospital, fora a um spa de luxo, na Califórnia, para se recuperar.

— Tenho de estar em boa forma em Sydney — ela tinha me dito por telefone. — Aqueles abutres no hospital já voam em círculos.

Quando nos encontramos no aeroporto, ela parecia ótima, pronta para qualquer coisa. Mas, quando a levei para casa, notei marcas de cansaço, linhas em volta de seus lábios e leves olheiras sob os olhos, sinal de que ela estava se recompondo por mera força de vontade.

— Você devia ir com calma, mamãe. Devia estar realmente descansada antes de voltar ao trabalho.

Ela estava sentada na cama, deixando-me desfazer suas malas. Chutou para fora dos pés os Manolos ou Jimmy Choos, ou o que quer que fossem — por que se submetia a sapatos tão torturantes, eu não tenho idéia —, e recostou-se nos travesseiros.

— Tenho uma operação de um tumor no oitavo nervo, marcada para depois de amanhã. Sabe o que é isso? Não, como poderia saber? Bem, é como pegar pedacinhos de lenço de papel úmido de uma tigela de tofu...

— Mamãe, por favor... — Senti-me nauseada. — Acho que nunca mais poderei comer tofu.

— Ora, pelo amor de Deus, Hanna. Será que você não consegue ser menos egocêntrica por alguns minutos? Estou apenas tentando lhe explicar de uma maneira que você entenda. (Querida mamãe, nunca perde uma chance de me fazer sentir a lâmpada mais apagada no candelabro.) É uma cirurgia difícil, leva horas. E eu a marquei de propósito, para mostrar àqueles abutres que ainda não sou um cadáver. — Ela fechou os olhos. — Vou cochilar agora; passe-me aquela máscara, sim? Não precisa tirar tudo da mala. E não precisa ficar... Eu me viro muito bem com a governanta.

Alguns dias depois, ela soube, dos Sharansky, que eles queriam que eu a substituísse na direção. Chamou-me para encontrá-la em Bellevue Hill. Estava sentada na varanda quando eu cheguei, com um garrafa de Hill of Grace aberta e esperando, na mesa. Com minha mãe, a qualidade do vinho é um indício da gravidade da conversa. Aquela, eu sabia, seria megagrave.

Ela já tinha me dito, na cama do hospital em Boston, que queria que eu mantivesse em segredo minha paternidade. Achei que estava louca. Quem se importaria com a pessoa com quem ela tinha ido para a cama tantos anos atrás? Mas ela me pediu para considerar sua posição, e eu considerei. Considerei sua posição. Realmente. E ainda a estava considerando, quando a fundação me chamou.

— Se você entrar para a diretoria, Hanna, todos farão perguntas. — O sol penetrava por entre os brotos de tibochinas, produzindo um reflexo violeta. Pétalas caídas de frangipani se acumulavam sobre o gramado bem cuidado, exalando um aroma picante. Saboreei o glorioso vinho e não disse nada. — Perguntas embaraçosas. Para mim. O acidente já me deixou em uma posição precária no hospital. Davis e Harrington mal podiam esperar para levantar a questão da infecção, e há outros que nunca aceitaram minha promoção à chefia. Tive de trabalhar com o dobro de afinco para deixar claro que não vou sair. Seria muito infeliz, agora, se a outra questão... — Ela deixou a frase em aberto.

— Bem, mas talvez algumas de minhas habilidades sejam úteis, afinal, para a Fundação Sharansky.

— Habilidades? Que habilidades você poderia ter, querida? Quero dizer, você não sabe como administrar uma organização sem fins lucrativos, e eu nunca soube que você fosse exímia na área de investimentos.

Segurei com firmeza a haste de meu copo e fiquei olhando para o seu conteúdo. Bebi o vinho e senti o sabor se espalhar pela boca. Eu estava decidida a não deixar minha mãe me arrasar.

— Habilidades artísticas, mamãe. Creio que posso ajudar nesse sentido, com o programa de conservação.

Ela colocou o copo sobre a mesa de mármore com tanta força que eu fiquei surpresa por não ter trincado.

— Já é muito ruim, Hanna, você ter passado tantos anos brincando com pasta e pedaços de papel. Mas pelo menos os livros têm algo a ver com cultura. Agora você propõe ir para o meio do nada, para proteger uns rabiscos lamacentos primitivos?

Olhei para ela. Imagino que meu queixo tenha realmente caído.

— Como será — disparei — que um homem como Aaron Sharanksy pôde amar uma pessoa como você?

E, a partir daí, não teve mais conserto. Foi a última briga, terrível, sem pudores; uma daquelas brigas em que você despeja todos os mais venenosos pensamentos que já teve, todas as mágoas contidas, e coloca na frente da pessoa a taça cheia, para ela beber. Tive que ouvir de novo que decepção eu sempre fui; uma personalidade ínfima, cheia de autocomiseração, que achava que seus joelhos arranhados eram mais dignos de atenção que os pacientes dela, em condições críticas. Eu era uma fedelha insuportável, e uma adolescente desleixada, delinqüente. Minha aproximação recente com os Sharansky fora por desespero, porque eu sempre estivera tão ocupada alimentando ressentimentos infantis que não tinha condições de criar relacionamentos adultos. E, por fim, o golpe já tão conhecido: joguei minha oportunidade de ter uma profissão de verdade desperdiçando a vida como uma "negociante".

Quando você passa a vida brigando com uma pessoa, sabe quais são as fraquezas dela. Àquela altura, eu estava procurando uma arma que pudesse usar para retalhar; por isso mesmo, apelei para o local onde já havia uma ferida.

— De que adiantou todo o seu precioso conhecimento médico, se não conseguiu salvar o homem que você tanto amava?

De repente, ela pareceu abalada. Eu me senti exultante, e me aproveitei de minha vantagem.

— A questão é essa, não é? — continuei. — Eu tenho que pagar por isso, toda a minha vida. Sem pai, sem nome, só porque você sente que perdeu seu caso mais importante.

— Hanna, você não sabe do que está falando.

— É isso, não é? Você o indicou ao grande todo-poderoso Andersen, e Andersen errou. Você não teria errado. É isso que pensa, não é? Você é tão arrogante, e na única ocasião em que deveria ter confiando na própria capacidade...

— Hanna, cale-se. Você não tem idéia...

— Com você, ele teria sobrevivido; é isso que você pensa, não é? Você teria percebido a hemorragia se ele fosse seu paciente.

— Eu percebi a hemorragia.

Como eu ainda estava no ataque, por cima dela, precisei de um segundo para processar o que ela acabara de dizer.

— Você... o quê?

— Claro que eu percebi. Estava observando o monitor a noite toda. Eu sabia que estava ocorrendo uma hemorragia. Deixei acontecer. Eu sabia que ele não desejaria acordar cego.

Por vários minutos, não fui capaz de dizer coisa alguma. Um bando de periquitos-arco-íris voou sobre o jardim, a caminho de seu repouso noturno. Segui-os com os olhos, até suas cores — azul roial, verde-esmeralda, escarlate — se tornarem um borrão entre minhas lágrimas. Não vou especificar aqui o que eu disse a ela. Não tenho certeza se me lembro de tudo, corretamente. Mas, no fim, eu lhe disse que ia mudar meu nome para Sharansky.

Não me encontro mais com minha mãe. Não nos vemos nem por formalidade. Ozren tinha razão numa coisa: algumas histórias não têm um final feliz.

Achei que me sentiria muito mais perdida do que, de fato, me senti estando totalmente sozinha. Mas, se havia um vazio em minha vida, não era muito maior do que sempre fora. Ela nunca tinha me compreendido; tampouco entendia por que a minha atividade era importante, ou por que eu adorava fazer o que fazia. E esses eram os pontos importantes. Sem isso, nossas conversas não passavam de ruído.

Sair de Sydney foi bom. Um recomeço. Os projetos da Fundação Sharansky se concentravam em lugares dos quais eu mal ouvira falar, como Oenepellli e Burrup, onde as empresas de mineração queriam transformar incríveis paisagens naturais e antigos sítios culturais em gigantescos buracos no solo. A fundação financiava pesquisa e, se houvesse base suficiente para defender um caso, ela ajudava os tradicionais donos aborígines da terra a processar as empresas.

Enquanto estava lá, nas paisagens que meu pai tinha pintado, não demorei a perceber que, por mais que eu amasse meu país, conhecia-o pouco. Havia passado tantos anos estudando a arte de nossas culturas imigrantes, e mal prestara atenção a uma que já estava lá o tempo todo. Ficara vesga de tanto estudar árabe clássico e hebraico bíblico, e não era capaz de citar cinco das cinco mil línguas aborígines faladas em meu país. Assim, resolvi fazer um curso intensivo, e me tornei pioneira em uma nova área: conservação dos casos desesperados. Meu trabalho passou a ser a documentação e preservação da antiga arte em rocha dos aborígines, antes que as empresas de urânio e bauxita tivessem a chance de explodir tudo.

Era um trabalho físico puxado, que exigia a ida a sítios remotos, geralmente a pé, sob um calor tremendo, carregando nas costas quilos de equipamentos. Às vezes, o melhor que se pode fazer para conservar um pedaço de rocha é pegar um enxadão e arrancar as raízes de árvores invasivas. Não é exatamente uma tarefa que exige aptidão para delicados trabalhos manuais. Para minha surpresa, descobri que adorava fazer aquilo. Pela primeira vez na vida, fiquei bronzeada e esbelta. Troquei o *cashmere* e a seda pelo macacão de trabalho, e um dia, porque estava com muito calor e suada, e meus cabelos compridos não paravam presos, resolvi cortá-los. Nome novo, aparência nova, vida nova. E longe de tudo que me lembrasse de ovelhas espanholas extintas e poros dispersos de um pergaminho.

Dormi no caminhão enquanto íamos à estação Jabiru, tão exausta que estava. Não é uma viagem que se poderia chamar de relaxante. A pista é quase toda acompanhada de quebra-mar, e, quando não é, converte-se em uma grande caixa de areia. Além disso, os bandos de cangurus surgem de repente, ao anoitecer, e, quando desviamos deles, corremos o risco de cair num atoleiro.

Mas Jim estava acostumado a dirigir em pistas assim desde que aprendera a manejar o volante de um carro; chegamos ao nosso destino. Butcher tinha assado um barramunda inteiro que pegara naquele dia mesmo, e o temperava com *jupies* secas, pequenas frutas doces que eram o ingrediente básico dos Mirarr. O telefone na estação tocou assim que eu abocanhava o último pedaço suculento de peixe em meu garfo.

— Sim, ela está aqui — Butcher disse, passando-me o telefone.

— Doutora Sharansky? Aqui é Keith Lowery, do DCAE.

— Desculpe, de onde?

— DCAE. Departamento de Comércio e Assuntos Externos. Você é difícil de encontrar.

— Sim. Eu sei.

— Doutora Sharansky, gostaríamos de saber se poderia se encontrar conosco em Canberra, ou Sydney, se for mais fácil. Temos um problema e nos disseram que você seria a pessoa certa para nos ajudar.

— Bem, estarei de volta a Sydney daqui a duas ou três semanas, quando Gudjweg, quero dizer, quando a estação úmida começar de fato...

— Certo. Mas gostaríamos que viesse amanhã.

— Senhor Lowery, estou no meio de um projeto. A empresa de mineração está no pescoço dessas pessoas, e a escarpa deverá ficar inacessível daqui a duas semanas, mais ou menos. Portanto, como vê, não estou disposta a ir a lugar algum no momento. Importa-se em me dizer do que se trata?

— Não posso falar por telefone, sinto muito.

— É alguma artimanha das malditas empresas de mineração? Elas devem estar desesperadas. Eu sei que alguns desses sujeitos são mais perigosos que um ninho de cobras... Mas envolver o seu departamento para fazer o trabalho sujo deles...

— Não é nada disso. Por mais que meus colegas no departamento possam lamentar o impacto negativo que a Fundação Sharansky às vezes provoca nos rendimentos da exportação de minério, não nos preocupamos com isso em nossa divisão do Oriente Médio. Não estou ligando por causa de seu trabalho atual. Tem a ver com um trabalho bem mais meticuloso com o qual a doutora se envolveu seis anos atrás. Na Europa.

De repente, o peixe que eu comi não estava caindo bem.

— Você quer dizer, em Saraje...

— Será melhor conversarmos pessoalmente.

Divisão do Oriente Médio. Comecei a sentir uma azia.

— Vocês lidam com Israel, não é?

— Como eu disse, doutora Sharansky, é melhor pessoalmente. Bem, posso providenciar seu vôo de Darwin a Canberra, ou Sydney, para amanhã?

A vista do escritório do DCAE em Sydney é suficiente para fazer um diplomata recusar uma posição no exterior. Enquanto aguardava

Keith Lowery no saguão do décimo andar, eu podia ver os iates deslizando rente ao porto banhado de sol, pegando a brisa, como se fizessem uma homenagem às esvoaçantes velas brancas da Casa da Ópera.

A decoração interior também era demais. A arte no departamento se baseava na coleção nacional; assim, a área da recepção tinha uma tela *Ned Kelly* de Sidney Nolan em uma parede e uma famosa *Roads Crossing* de Rover Thomas na parede oposta.

Estava admirando o tom ocre, vivo, na pintura de Rover quando Lowery chegou, por trás.

— Sinto não termos uma de seu pai aqui... Pintor brilhante. Mas temos uma absoluta maravilha em Canberra.

Lowery era um homem alto, grande, com cabelos cor de areia, um andar descontraído e traços levemente marcados de um jogador de rúgbi profissional. Fazia sentido. O rúgbi era um esporte das escolas particulares de elite, e a maioria dos figurões australianos ainda tinha essa formação, apesar de todos os nossos mitos de igualdade.

— Obrigado por vir, doutora Sharansky. Eu sei que é pedir demais.

— Sim, é verdade. É estranho que a viagem a Sydney, de Londres ou Nova York, dure vinte e quatro horas enquanto leva quase o dobro do tempo de algumas partes do Top End.

— Tudo isso? Nunca estive lá.

Típico, pensei. Provavelmente já esteve em todos os museus em Florença, mas nunca viu o *Homem Relâmpago*, em Nourlangie Rock.

— Costumo trabalhar em Canberra, mas pedi emprestado um escritório aqui para o nosso encontro. Margaret... É Margaret, não é? — ele se dirigiu à recepcionista. — Ficaremos no escritório do senhor Kensington. Não podemos ser interrompidos, certo?

Atravessamos um detector de metais e seguimos por um corredor até uma sala grande, no fim. Lowery digitou um código que abriu a porta. Olhei diretamente para as janelas, que ofereciam um panorama ainda mais espetacular que o saguão, porque cobria um trecho muito maior dos Jardins Botânicos até a ponte.

— Seu colega, o senhor Kensington, deve ser um figurão — comentei, virando-me para Lowery. Distraída pelo cenário, não tinha notado que havia outra pessoa na sala. Ele estava sentado no sofá, mas se levantou, caminhando em minha direção, com a mão estendida para um cumprimento.

— *Shalom*, Channa.

Os cabelos estavam um pouco mais ralos, mas ele ainda tinha aquele aspecto musculoso, bronzeado, que sempre o distinguira das pessoas em nossa área.

Recuei um passo e joguei as mãos para trás.

— Nenhum bom-dia, colega? Ainda está zangada comigo? Mesmo depois de seis anos?

Olhei de relance para Lowery, tentando imaginar o quanto ele sabia do assunto.

— Seis anos? — Minha voz soara tão fria quanto me era possível. — Seis anos não é nada, em comparação com quinhentos anos. O que você fez com ele?

— Nada. Não fiz nada. — Ele fez uma pausa, e então atravessou a sala, detendo-se diante de uma bonita mesa de pinho Huon. Uma caixa de arquivos se encontrava sobre a mesa. Ele abriu os fechos.

— Veja por si mesma.

Atravessei a sala, fechando e abrindo os olhos. Com as mãos já sobre a caixa, levantei a tampa, e lá estava ele. Hesitei um instante. Eu não estava usando luvas, nem tinha suportes. Não devia tocá-lo. Mas precisava ter certeza. Com o maior cuidado possível, eu o removi da caixa e o coloquei sobre a mesa. Abri-o nas iluminuras da Criação. E lá estava: a diferença entre certo e errado. A diferença entre você conhecer o seu ofício e não conhecer.

Pisquei, e dos olhos me escorreram lágrimas, em parte de alívio, e em parte de autocomiseração pela amargura com a qual eu vivera, achando que estava enganada, durante longos seis anos. Quando olhei para Amitai, toda a incerteza, toda a dúvida quanto à minha capacidade se dissolveram e se transformaram na raiva mais pura que eu jamais sentira.

— Por que fez isso? — perguntei.

Para minha intensa irritação, ele sorriu.

— Não fiz — disse.

Bati a mão com tanta força na mesa, que até doeu.

— Pare com isso! — eu disse. — Você é um ladrão, um larápio, e um maldito mentiroso!

Ele continuava sorrindo; e era um sorriso tranqüilo, discreto, debochado. Eu queria esbofeteá-lo.

— Você é uma vergonha para a nossa profissão.

— Doutora Sharansky — Era a voz de Lowery, tentando, imagino, ser diplomático. Ele se aproximou de mim e colocou a mão em meu ombro. Balancei o ombro, livrando-me dele, e me afastei.

— Por que esse homem está aqui? Ele é culpado de furto qualificado. Deveria estar preso. Não me diga que esse maldito governo está envolvido nessa tramóia... nessa conspiração...

— Doutora Sharansky, é melhor se sentar.

— Não me venha com essa! Não quero participar disso. E por que o livro está aqui? Como você justifica trazer um códice de quinhentos anos aqui, do outro lado do mundo? É antiético, é criminoso. Vou sair daqui e contatar a Interpol. Vocês devem achar que podem ocultar tal ato sob a imunidade diplomática, ou alguma falcatrua do tipo.

Eu já estava diante da porta. Não havia trinco, nem fechadura. Apenas um pequeno teclado, para o qual eu não sabia a combinação.

— É melhor você me deixar sair daqui ou eu...

— Doutora Sharansky! — Lowery ergueu a voz. De repente, parecia muito mais um jogador de rúgbi que um diplomata. — Cale-se por um instante, por favor, e deixe o doutor Yomtov falar.

Amitai não estava mais sorrindo. Ele abriu as mãos, como que em súplica.

— Não fui eu. Se você tivesse me procurado quando notou a falsificação, nós dois, juntos, poderíamos tê-los impedido.

— Impedido quem?

Amitai falou em voz baixa. Quase um sussurro.

— Foi o doutor Heinrich.

— Werner? — Senti que perdia o ar. Desabei sobre o sofá. — Werner Heinrich? — repeti, feito uma idiota. — Quem mais? Você disse tê-*los* impedido!

— Ozren Karaman, sinto lhe dizer. Não teria sido possível sem ele.

Meu professor e meu amante, os dois me dizendo que eu não sabia do que estava falando. Senti-me absolutamente traída.

— Mas por quê? E como o livro está com você agora? Aqui!

— É uma história um pouco longa. — Amitai se sentou no sofá ao meu lado, e colocou água num copo, de uma jarra que estava sobre a mesinha de café. Deu-me o copo e ofereceu outro a Lowery, que fez um sinal de "não, obrigado". Ele tomou um gole e começou a falar.

— Uma longa história que começa no inverno de 1944, quando Werner tinha apenas catorze anos de idade. Ele foi alistado, como todos os meninos e todos os velhos eram alistados naquela época. A maioria acabava manejando armas antiaéreas, coisas assim. Mas ele foi chamado para um serviço diferente. Werner foi trabalhar para o Einsatzstab Reichsleiter Rosenberg. Você sabe o que é isso?

Claro que ouvira falar do infame contingente do Terceiro Reich, os saqueadores mais eficientes e metódicos da história da arte. Era um exército liderado pelo confidente de Hitler, Alfred Rosenberg, que escrevera um livro sobre a guerra chamando o expressionismo abstrato alemão de "sifilítico". Ele formou a Liga de Combate para a Cultura Alemã, que visava erradicar tudo que fosse "degenerado", incluindo, claro, qualquer coisa escrita ou pintada por judeus.

— Enquanto o Reich acelerava sua Solução Final, a unidade Rosenberg se apressava em completar a destruição de todos os materiais judaicos que tinham sido confiscados das sinagogas, das grandes coleções da Europa. O trabalho de Werner era transportar os pergaminhos da Torá e os incunábulos até os incineradores e queimá-los. Uma das coleções que ele queimou foi o *pincus* de Sarajevo... — Ele olhou para Lowery. — São os registros completos de uma comunidade judaica. Insubstituível. O *pincus* de Sarajevo era muito antigo. Continha documentos que remontavam a 1565.

— Então — concluí — foi por isso que ele se especializou em manuscritos hebraicos.

Amitai assentiu.

— Exato. Ele estava determinado a não deixar que nenhum outro livro se perdesse. Nos primeiros meses da guerra na Bósnia, Heinrich me procurou porque as bombas dos sérvios jogadas contra o Instituto Oriental e a Biblioteca Nacional e da Universidade estavam repetindo o episódio que ele vivera no passado. Queria, em especial, que o governo de Israel montasse uma missão de resgate para a Hagadá. Eu lhe disse que nós não tínhamos idéia de onde estava a Hagadá, ou se ainda existia. O doutor Heinrich achou que eu estava escondendo a verdade. Depois da guerra, quando as Nações Unidas decidiram conservar a Hagadá e exibi-la, ele ainda achava que o livro corria perigo. Não acreditava na paz. Disse-me que havia uma forte possibilidade de que quando a Otan e a ONU perdessem o interesse, a Bósnia seria saqueada por islamitas fanáticos. Ele temia a influência dos sauditas, que, claro, são famosos por destruir antigos sítios judaicos na Península Arábica. Perturbava-lhe a idéia de que a Hagadá voltaria a correr riscos.

Amitai tomou mais um gole de água.

— Eu devia ter dado atenção ao que ele dizia. Não tinha idéia de que seu passado o convertera em tamanho extremista. Um israelita da minha idade deveria reconhecer os extremistas. Mas não o reconheci.

— Mas e quanto a Ozren? Com certeza, ele não acreditava nessas coisas a respeito da Bósnia?

— Por que não? A Bósnia não protegeu sua mulher. Não salvou seu filhinho. Ozren tinha visto muita coisa ruim. Viu pessoas sendo baleadas pelos atiradores, enquanto tentavam tirar livros da biblioteca em chamas. Ele arriscou a própria vida para salvar a Hagadá, e sabia como tinha sido difícil. Acho que foi fácil para Werner perceber que Ozren era mais receptivo à sua visão.

Eu não podia acreditar que Ozren pensasse daquela maneira. Ele amava sua cidade. Tinha amor pelo que ela representava. Não era possível que tivesse desistido dela.

A luz inflexível de Sydney entrava pela janela enorme e se projetava sobre as páginas da Hagadá. Fui até a mesa e peguei o livro. Coloquei-a cuidadosamente de volta na proteção da caixa arquival. Ia fechá-la, mas detive-me. Toquei as bordas da encadernação, e encontrei o ponto onde as fibras do couro — as novas que eu tinha posto — se fundiam com o trabalho antigo de Florien Mittl. Voltei-me para Amitai.

— Era você quem tinha os negativos.

— Werner me convenceu de que conseguiria fazer o governo alemão patrocinar uma edição em fac-símile melhor que aquela que estávamos planejando. Foi muito persuasivo. Estavam dispostos a gastar seis vezes mais que o nosso orçamento; iam imprimir em velo... Seria um gesto de boa vontade da nova Alemanha. O que posso dizer? Acreditei nele. Dei-lhe a documentação que você me entregou. Claro que ele a usou para reproduzir cada mínimo detalhe — inclusive o seu trabalho de conservação. E, como foi seu professor, ele sabia muito bem como fazer tudo.

— Mas por que você estava lá, aquela noite, no apartamento de Ozren?

Amitai suspirou.

— Eu estava lá, Channa, porque eu também perdi uma criança. Minha filha. Tinha três anos.

— Amitai... — Eu não tinha idéia. Sabia que ele era divorciado. Não sabia que ele havia tido uma filha. — Sinto muito. Foi em uma explosão suicida?

Ele balançou a cabeça e mostrou um ligeiro sorriso.

— Todos pensam que os israelitas sempre morrem em guerras ou explosões de bombas. Alguns conseguem morrer na cama. Para ela, foi um defeito no coração. Quando você perde um filho, acho que o vazio é o mesmo, seja como for a morte. Eu estava lá para levar materiais doados por Israel como parte do projeto de restauração da biblioteca, e ouvi a notícia do filho de Ozren. Como pai, senti a dor dele.

Seguiu-se um silêncio constrangedor por alguns instantes.

— Eu não a culpo, Channa, por suspeitar de mim. Não a culpo mesmo.

Amitai continuou com a história, e me disse que, quando o livro foi encontrado, ele suspeitou imediatamente de Werner, por causa da qualidade da falsificação do livro exibido em Sarajevo.

— Mas por que Werner escolheu o Yad Vashem?

— Ele conhecia bem o museu. Tinha trabalhado lá como estudioso visitante, muitas vezes, no decorrer dos anos. Para ele, era a coisa mais simples do mundo colocar a Hagadá lá. Não se importava que ninguém a veria, que ninguém a estudaria, ou celebraria sua existência. Werner só queria que o códice estivesse em segurança, e me disse que o Yad Vashem era o lugar mais seguro do mundo. Ainda que acontecesse o pior, e Israel sofresse um conflito existencial, nós defenderíamos o local, acima de qualquer outra coisa. — Amitai baixou os olhos. — E, nisso, pelo menos, ele estava certo.

— Você o tem visto? Ele está preso?

— Sim, eu o vi. E ele não está preso.

— Mas por que não?

— Ele está em um asilo em Viena. É um homem idoso, Channa. Está muito fraco, e não muito lúcido. Levei horas para descobrir tudo que eu lhe contei.

— Bem, e quanto a Ozren? Foi preso?

— Não. Na verdade, foi promovido. Ele é diretor do Museu Nacional agora.

— Mas por que você o deixou escapar impune? Por que ele não foi indiciado?

Amitai olhou rapidamente para Lowery.

— Os israelitas são da opinião que é melhor não trazer esse assunto a público — Lowery disse. — O fato de o livro ter sido descoberto em Israel bastaria para... bem... Com Heinrich nas condições que está, incapacitado para testemunhar, ninguém vê motivo para incitar um sentimento negativo. Acho que o termo diplomático seria *jogar merda no ventilador*.

— Ainda não entendo. Você está dizendo que o governo de Israel é a favor de devolver o livro, certo? Com certeza, você poderia fazer isso, de maneira diplomática, ou alguma coisa assim...

Amitai olhou para as próprias mãos.

— Você conhece o velho ditado, Channa? Dois judeus, três opiniões? Algumas facções no governo de meu país insistem em deixar o livro em Israel. Seria como se todos os *hanukás* ocorressem ao mesmo tempo. — Ele tossiu e pegou o copo com água. — Quando o senhor Lowery disse "os israelitas", não falava do governo em si.

Virei-me para Lowery.

— Afinal, por que o Departamento de Assuntos Externos está envolvido nessa confusão? Qual é o possível interesse da Austrália nisso?

Lowery limpou a garganta.

— O primeiro-ministro é amigo do presidente de Israel, e o presidente é ex-colega do exército de nosso amigo aqui, Amitai. Por isso, estamos recomendando você a eles, como um tipo de favor. — Ele sorriu, meio sem graça. — Embora eu imagine que você não seja uma grande fã desse primeiro-ministro, creio que estaria disposta a nos dar uma mão nesse assunto.

Amitai interferiu:

— Claro que eu poderia levar o livro furtivamente a Sarajevo. Sim, sem dúvida. Mas e daí? Creia-me, não me foi fácil fazer isso — trazer o códice até aqui. Tomamos essa decisão e corremos o risco de trazer a Hagadá aqui por sua causa, Channa. Porque achamos que você tem a melhor chance de convencer Ozren a devolvê-la ao seu local certo. — Amitai fez uma pausa. Eu estava perplexa, e tentando processar tudo aquilo. Meu rosto devia ser um ponto de interrogação.

— Por causa de seu relacionamento com ele no passado — Lowery acrescentou.

Era demais.

— Que *diabo*, como vocês sabem de meu "relacionamento"? Como se atrevem a vasculhar minha vida pessoal? O que aconteceu com as liberdades civis aqui?

Amitai ergueu a mão.

— Não foi só com você, Channa. Você esteve em Sarajevo em um período delicado. A CIA, o Mossad, o DGSE*...

— Até a Asio** — interferiu Lowery. — Na época, quase todo indivíduo de influência na Iugoslávia ou era espião, ou estava sendo espionado, ou ambas as coisas. Não veja pelo lado pessoal.

Eu me levantei, agitada. Fácil para ele dizer aquilo. O que ele acharia se eu pudesse inverter os papéis e lhe dizer que sabia com quem ele tinha dormido seis anos atrás? Bem, talvez, naquele tipo de trabalho, as pessoas esperem esse tipo de coisa. Mas me deixava assustada. Sou um rato de biblioteca; não uma diplomata, não uma espiã.

---

* DGSE: *Direction Générale de la Sécurité Extérieure*, agência de inteligência da França. (N. do T.)

** Asio: Organização Australiana de Inteligência. (N. do T.)

E muito menos uma agente a serviço de Israel. Aliás, a serviço de qualquer país.

Caminhei até a mesa e olhei para a Hagadá. Já tinha sobrevivido a tantas jornadas perigosas. Agora, estava guardada sobre uma mesa, em um país que nem fizera parte do mundo de seus criadores. E estava lá por minha causa.

Anos atrás, quando voltei para casa após minha estada em Sarajevo, fui ver os arquivos da Galeria Nacional Australiana e ouvi horas de entrevistas gravadas com meu pai. Agora eu conhecia o som de sua voz. Era uma voz com múltiplas camadas. A camada superior, dominante, era a cadência modesta, lacônica, dos confins da Austrália (a região chamada de Outback). A voz que ele encontrara na juventude, quando estava descobrindo o que amava e o que queria fazer. Mas havia outras camadas por baixo, indícios dos tempos de garoto, em Boston. Um pequeno traço de sotaque russo. Uma ocasional inflexão iídiche.

O que eu faço sou eu; foi para isso que vim.

Eu sabia, agora, como ele falava, ao citar aquele verso do poema de Hopkins. Podia ouvi-lo repetindo-o em minha cabeça.

O que eu faço sou eu.

Ele fazia arte. Eu a salvava. Era o trabalho de minha vida. *O que eu faço.* Correr riscos, porém... Correr um grande risco. Isso, com certeza, *não é* o que eu faço. Não mesmo.

Eu me virei para eles e me recostei-me contra a mesa. Estava me sentindo um tanto abalada. Os dois me fitavam.

— E se eu for pega? De posse do livro a transgressão seria muito grande. Cinqüenta, sessenta milhões de dólares em bens roubados. E então?

Amitai, de repente, se mostrou interessado em suas mãos, de novo. Lowery, porém, se deixou fascinar mais pelos funcionários do escritório no horário de almoço, tomando sol na grama, nos Jardins Botânicos. Ninguém disse coisa alguma.

— Eu lhes fiz uma pergunta. E se eu for pega com isso, e acusada de furtar uma peça incrivelmente importante da herança cultural do mundo?

Amitai olhou para Lowery, que parecia incapaz de desviar os olhos do cenário.

— Bem?

Amitai e Lowery começaram a falar ao mesmo tempo.

— O governo australiano...

— O governo israelita...

Ambos pararam e se entreolharam, trocando gestos corteses de "você primeiro...". Era quase cômico. Lowery retomou a palavra primeiro.

— Está vendo aquele lugar ali, debaixo das figueiras de Morton Bay? — Ele apontou para uma praia coberta de vegetação, próxima ao porto. — Parece coincidência. Foi exatamente lá que gravaram a cena final de *Missão Impossível II*.

Construíram um novo aeroporto em Sarajevo. Bonito e totalmente civil, com bons bares e lojas com artigos para presentes. Normal.

Quanto a mim, não me sentia muito normal. Na fila de imigração, achei conveniente ter tomado os betabloqueadores que Amitai me dera uma hora antes, quando me despedi dele em Viena.

— "Vai tirar a aparência de nervosismo — ele disse. — As mãos suadas, a falta de fôlego. Noventa por cento dos que os oficiais alfandegários procuram é um comportamento nervoso. Claro que você continuará se sentindo nervosa. As pílulas não impedem isso.

Ele estava certo. Eu me sentia horrível. Tive de tomar os betabloqueadores duas vezes. Da primeira, pus tudo para fora.

Ele também tinha me dado o estojo que usara para transportar a Hagadá de Israel para a Austrália. Era uma mala com rodinhas de náilon preta, parecida com qualquer outra mala com rodinhas — do tipo que quase não se encaixa no compartimento para bagagem dentro do avião —, mas continha uma painel traseiro falso feito de fibra supersecreta, que filtrava os raios X.

— Impossível de detectar por qualquer tecnologia atual — ele me garantiu.

— Preciso disso mesmo? — eu perguntei. — E se a máquina de raio X mostrar só um livro em minha mala? Ninguém, exceto um especialista, saberia o que é. Mas se eu for pega com algum tipo de kit de contrabandista...

— Para que arriscar? Você está indo para Sarajevo. Há pessoas naquela cidade, e não só entre os judeus, que compraram cópias em fac-símile da Hagadá embora não tivessem dinheiro para colocar comida na mesa. É um objeto muito estimado lá. Qualquer pessoa, um agente alfandegário, uma pessoa na fila atrás de você, poderia reconhecer. A mala é o melhor que podemos oferecer. Você não vai ser pega.

Havia uma meia dúzia de iranianos em meu vôo, o que acabou me trazendo boa sorte. Os pobres-diabos atraíram toda a atenção no salão de desembarque. Sarajevo havia se tornado um porto de entrada favorito para quem quisesse entrar furtivamente na Europa, porque as fronteiras da Bósnia ainda eram muito vazadas, e a União Européia vinha insistindo para que os bósnios tomassem uma providência quanto ao influxo. O iraniano na minha frente precisou abrir as malas, e seus documentos foram examinados. Dava para perceber que ele não teve o benefício dos betabloqueadores. Estava suando como louco.

Quando cheguei à frente da fila, só ganhei um sorriso e um "Bem-vinda à Bósnia", e de repente estava fora do aeroporto, num táxi, que passava por uma enorme mesquita nova construída pelos Gulfies*, e por uma *sex shop* e um *pub* irlandês que oferecia "vinte marcas de cervejas mundiais". O hotel Holiday Inn, bastante bombardeado, fora reformado, e estava tão brilhante e chamativo quanto uma torre de Lego montada por crianças, em seus blocos de um tom amarelo vivo. Sicômoros jovens, plantados para substituir as árvores cortadas para combustível durante o cerco, ladeavam as principais avenidas. Quando entramos nas ruas estreitas de Bascarsija, os becos estavam cheios de mulheres em vestidos coloridos e homens em seus melhores ternos, enfrentando a temperatura abaixo de zero para passear entre os vendedores de balões e os floristas.

Eu queria perguntar ao taxista o que estava acontecendo. Apontei para um grupo de garotinhas vestindo saias de veludo.

— *Biram!* — ele respondeu, com um amplo sorriso. Então, era isso. Eu não tinha percebido. O Ramadã tinha acabado, e a cidade celebrava um dos maiores feriados do calendário muçulmano.

---

* *Gulfies*: gíria que se refere aos árabes dos países ricos do Golfo. (N. do T.)

A confeitaria Doce Esquina estava lotada. Mal dava para chegar até o balcão, com aquela mala de rodinhas. O confeiteiro não me reconheceu; mas por que reconheceria, depois de seis anos? Apontei para a escada que levava ao sótão.

— Ozren Karaman? — perguntei.

Ele assentiu, e apontou para seu relógio de pulso e depois para a porta, indicando que Ozren chegaria logo. Esperei até um banquinho ficar vago, o que era difícil naquela loja tão barulhenta, tão cheia de gente. Por fim, sentei-me num canto da confeitaria, saboreando as bordas crocantes de um biscoito doce demais, enquanto olhava para a porta.

Esperei uma, duas horas. O confeiteiro começou a me olhar com desconfiança; por isso, pedi outro doce ensopado de mel, embora não tivesse comido o primeiro.

Finalmente, perto das 23 horas, Ozren abriu a porta embaçada pelo vapor. Se eu não estivesse olhando com atenção para cada rosto, se passasse por ele na rua, tenho certeza que não o teria reconhecido. Ainda tinha os cabelos longos e despenteados, mas estavam totalmente grisalhos. O rosto não estava flácido — ele ainda era um homem esbelto, sem um grama de gordura —, mas as bochechas e a testa tinham marcas da idade agora. Quando tirou o sobretudo — o mesmo, puído, de seis anos atrás — vi que estava usando terno. Devia ser uma exigência para o cargo de diretor do museu; ele jamais faria aquilo por vontade própria. Era um terno apropriado, de bom tecido, bem assentado, mas parecia que Ozren tinha dormido com ele.

Quando consegui passar pelas cadeiras e bancos, ele já tinha subido metade da escada.

— Ozren.

Ele se virou e me olhou, piscando. Não me reconheceu. Tensa como eu estava, uma ponta de vaidade me dizia que devia ser por causa da luz fraca, ou dos cabelos curtos. Não queria pensar que eu envelhecera tanto.

— Sou eu. Hanna Shar... Hanna Heath.

— Meu Deus. — Ele não disse mais nada. Ficou parado, me olhando.

— Posso subir? — perguntei. — Preciso falar com você.

— Ah, meu apartamento não está... Já é tarde. Que tal amanhã, no museu? É feriado, mas eu estarei lá pela manhã. — Tinha se recuperado do susto e conseguia controlar a voz. Seu tom era muito correto, frio e profissional.

— Preciso falar com você agora, Ozren. Acho que você sabe do que se trata...

— Acho que não...

— Ozren, tenho algo comigo. Aqui, nesta mala. — Inclinei a cabeça em direção à mala de rodinhas. — Uma coisa que pertence ao museu.

— Meu Deus — ele disse, de novo. Estava suando, e não pelo calor da confeitaria. Estendeu o braço. — Tenha a bondade. — Passei por ele na escadaria estreita, pelejando com a mala. Ele quis pegá-la, mas eu a apertei com tanta força que as juntas até perderam a cor. Algumas pessoas na confeitaria, entre elas o confeiteiro, estavam olhando para nós, sentindo uma tensão no ar. Subi a escada, puxando a mala, que fazia muito barulho em contato com os degraus. Ozren me seguiu. Ouvi o ruído da loja aumentar novamente, quando os fregueses, percebendo que não haveria um espetáculo, retornaram aos seus cafés e bate-papos de feriado.

Ozren me conduziu ao sótão. Fechou a porta, passou o ferrolho e se encostou contra ela. Seu cabelo grisalho, com falta de pente, me trazia lembranças do passado. Lembranças que podiam me distrair.

A pequena lareira estava pronta para ser acesa. Lenha era uma coisa rara em Sarajevo quando estive lá pela primeira vez, e nunca tínhamos o luxo de uma lareira acesa. Ozren se curvou diante da grelha. Quando a chama pegou, ele jogou um único pedaço de lenha sobre o fogo. Pegou uma garrafa de *rakijah* de uma prateleira e encheu dois copos. Deu-me um, sem sorrir.

— A um feliz reencontro — ele disse, amargo, e bebeu tudo de um só gole. Eu saboreei o meu devagar.

— Imagino que você veio para me prender — ele disse.

— Não seja ridículo.

— Bem, por que não? Eu mereço. Espero isso há seis anos, todos os dias. Melhor que seja você. Tem mais direito que qualquer um.

— Não sei do que você está falando.

— Foi horrível o que nós fizemos com você. Fazê-la duvidar de sua capacidade, mentir a você. — Ele se serviu de outra dose de *rakijah*. — Quando você detectou, devíamos ter parado com o plano. Mas eu não estava em meu juízo perfeito; e Werner... Você deve saber que foi Werner, certo?

Eu assenti.

— Werner estava obcecado. — O rosto de Ozren se descontraiu, de repente, as linhas profundas se suavizando. — Hanna, não há um único dia, desde que o livro saiu deste país, em que eu não lamente o que aconteceu. Alguns meses depois, tentei convencer Werner a devolvê-lo. Disse que iria confessar tudo. Werner disse que, se eu fizesse isso, ele negaria. E que esconderia a Hagadá num lugar onde jamais seria encontrada. De repente, enxerguei tudo. Vi que ele estava louco o suficiente para cumprir a ameaça. Hanna...

Ele se aproximou, tirou-me o copo e segurou minhas mãos.

— Senti tanto a sua falta. Queria encontrá-la, para lhe dizer... para pedir seu perdão...

Minha garganta parecia se contrair, enquanto todos os sentimentos que eu tinha por ele — por ele, e por ninguém mais desde então — começavam a me sufocar naquela sala, com suas lembranças. Mas, de repente, a raiva pelo que ele tinha feito falou mais alto. E eu me afastei.

Ele ergueu as mãos, com as palmas voltadas para mim, como para me mostrar que sabia que tinha ultrapassado os limites.

— Sabe que eu mal toquei em um livro nos últimos seis anos por sua causa? Por causa de suas mentiras. Desisti, porque você me disse que eu estava errada.

Ele caminhou até um ponto onde a janela dava para o céu e para a cidade. Lá fora, havia luzes cintilando. As luzes de uma cidade viva. Seis anos atrás, não havia luz alguma.

— Não há desculpa para o que eu fiz. Mas, quando Alia morreu, eu fiquei com muita raiva de meu país. Cedi ao desespero. E Werner estava lá, sussurrando em meu ouvido, dizendo-me que a coisa certa a fazer seria devolver o livro aos judeus, em compensação por tudo que fora roubado deles. Que o livro era deles, e que o protegeriam de uma maneira que este estado embrionário, nesta região cujo próprio nome é sinônimo de hostilidade assassina e ineficácia, não seria capaz de fazer.

— Como você podia pensar isso, Ozren? Quando você, natural de Sarajevo e muçulmano, salvou o livro! Quando aquele outro bibliotecário, Serif Kamal, arriscou a vida por ele! — Ozren não disse nada. — Ainda acredita nisso?

— Não — ele disse. — Agora não. Você sabe que eu não sou um homem religioso. Mas, Hanna, passei muitas noites em claro neste quarto pensando que a Hagadá veio a Sarajevo por um motivo. O livro estava aqui para nos testar, para ver se alguém aqui perceberia que aquilo que nos une é muito maior do que qualquer coisa que nos divida. Que ser humano é muito mais importante do que ser judeu ou muçulmano, católico ou ortodoxo.

De lá da confeitaria, ouvimos uma risada estrondosa. A madeira escorregou e caiu, na lareira.

— Bem — eu disse —, como o devolveremos?

Mais tarde, quando me encontrei com Amitai e lhe disse o que fizemos, ele sorriu.

— É quase sempre assim. Noventa por cento do que eu fazia na unidade era assim. Mas as pessoas que vão ao cinema ou lêem livros de espionagem não querem acreditar. Gostam de pensar que existem agentes vestidos de ninja que descem em fios pelas passagens de ar condicionado, usando explosivos plásticos, disfarçados de... de *abacaxis*, ou alguma coisa, se metendo em todo lugar. Mas, na verdade, é muito mais comum o que você fez: uma combinação de sorte, *timing* e uma boa dose de senso comum. E, graças a um feriado muçulmano, tanto melhor.

Por causa do feriado, só havia um guarda de plantão no museu aquela noite. Esperamos até depois das quatro da manhã, sabendo que o turno dos guardas da manhã começava às cinco horas. Ozren simplesmente disse ao guarda que não conseguia dormir depois de tanta festa, e que resolvera trabalhar um pouco. Mandou o guarda ir para casa, para descansar e passar o feriado com a família, mais tarde. Ele lhe garantiu que faria a vistoria de segurança necessária.

Eu esperei do lado de fora, tremendo, até ver o guarda ir embora. Ozren me deixou entrar. Fomos primeiro ao porão, onde se localizava o painel que controlava os sensores na galeria da Hagadá. Como diretor, Ozren tinha os códigos de segurança, e sabia como cancelar temporariamente os sensores de movimento. O monitor de vídeo era outra coisa: não podia ser desconectado sem ativar o alarme. Mas Ozren tinha pensado nisso também. Andamos pelo corredor, passando pelo barco pré-histórico e as coleções de antiguidades, até chegarmos à porta da galeria da Hagadá.

A mão de Ozren tremia um pouco quando ele digitou o código, e errou um dos números.

— Só posso fazer isso uma vez. Se houver outro erro, o alarme dispara. — Ele respirou fundo e pressionou os números novamente. A mensagem apareceu, piscando: ENTERED. Mas a porta não abriu. — Já passa do horário de expediente, e precisamos de dois códigos. O código da bibliotecária-chefe é necessário. Você o digita, está bem? Minha mão não pára de tremer.

— Mas eu não sei!

— Vinte e cinco, cinco, dezoito, noventa e dois — ele disse, sem hesitar. Olhei para ele, em dúvida, mas Ozren só assentiu, indicando que andasse logo. Digitei os números. A porta deslizou e abriu.

— Como você sabia?

Ele sorriu.

— Ela foi minha assistente por nove anos. É uma ótima bibliotecária, mas não tem cabeça para números. O único número de que se lembra é o aniversário de Tito. Usa-o para tudo.

Entramos na sala, que ficava sob uma iluminação muito fraca, com luz suficiente apenas para manter a câmera de segurança em funcionamento. As lentes nos focavam, gravando todos os nossos movimentos. Ozren tinha uma lanterna para não termos de acender as luzes. Tinha amarrado um pano de prato sobre ela para diminuir o brilho. O foco da lanterna dançou pelas paredes por um segundo enquanto ele procurava, no bolso, a chave digital que abria a vitrina.

Ele usou a chave e levantou a tampa. A falsificação de Werner estava aberta numa cena do *seder* espanhol, mostrando a próspera família e a misteriosa mulher africana, vestida como judia. Era a página onde eu tinha encontrado o pêlo branco, no original. Ozren fechou a cópia de Werner, tirou-a da vitrina, e a colocou no chão.

Fazendo o gesto exatamente inverso do que se passara entre nós seis anos atrás, eu lhe entreguei a Hagadá de Sarajevo.

Ele a pegou com ambas as mãos, e a pressionou contra a testa por um instante.

— Bem-vindo! — proferiu.

Ozren arrumou os suportes e rapidamente virou as páginas até encontrar a iluminura do *seder*.

Eu estava prendendo a respiração, sem perceber. Ozren começou a fechar a vitrina.

— Espere — eu disse. — Deixe-me olhar para ela só mais um segundo. — Queria mais um momento com o livro, antes de me separar dele para sempre.

Só mais tarde foi que compreendi porque conseguira ver, ali, sob a luz fraca, o que não vira até então. A temperatura de cor da luz vermelha emitida pela lanterna possibilitara isso. Havia marcas finas seguindo a linha da barra do vestido da mulher africana. O artista tinha usado um tom de azul um pouco mais escuro que o açafrão da túnica. Era uma escrita tão fina, inacreditavelmente fina — feita por um pincel de um único pêlo. Antes, quando estudei a imagem à luz do dia, ou sob a luz fria das lâmpadas fluorescentes, as minúsculas linhas pareciam um mero sombreamento; a sugestão de dobras no pano do vestido, feita por um artista astuto.

Mas, sob a luz mais quente da lanterna de Ozren, eu via que as linhas eram, na verdade, palavras escritas. Em árabe.

— Depressa! Depressa, Ozren, dê-me uma lupa.

— O quê? Você está louca? Não temos tempo para isso. Que...

No desespero, eu tirei os óculos do rosto de Ozren. Baixei a lente esquerda até a minúscula linha e apertei os olhos. E li em voz alta:

— *Eu fiz isso*, ou algo como "criei" ou "pintei". — Minha voz tremia. Coloquei a mão sobre a vitrina, para me apoiar. — *Fiz essas imagens para Binyamim ben Netanel ha-Levi*. E há um nome aqui. Ozren, um nome! Zana... não, não é Zana; é Zahra: "*Zahra bint Ibrahim al-Tarek, conhecida em Sevilha como al-Mora*. Al-Mora significa a "a mulher moura". Ozren, deve ser ela a mulher de açafrão. Ela é a artista.

Ozren pegou seus óculos de volta e observou com atenção a escrita fina, enquanto eu segurava a lanterna.

— Uma mulher africana. Muçulmana. O misterioso iluminador da Hagadá de Sarajevo. E estávamos olhando para o auto-retrato dela há quinhentos anos.

Fiquei tão emocionada com a descoberta que esqueci que estávamos no meio de um arrombamento. O zunido baixo da câmera, vasculhando automaticamente a sala, me lembrou disso. Ozren levantou a lateral da vitrina e a trancou, com um definitivo clique.

— O que fazemos com aquilo? — eu perguntei, apontando para a câmera.

Ele fez um sinal para que eu o seguisse. De um armário trancado em seu escritório, ele selecionou uma fita de uma prateleira de vídeos dispostos em ordem cronológica. Colocou-a sobre a mesa; já tinha preparado uma etiqueta adesiva, marcada com a data daquele dia. Ele simplesmente colocou a etiqueta por cima da outra, da mesma hora de uma semana anterior.

— Agora você tem que sair daqui antes que os guardas cheguem.

Na saída, paramos diante da mesa de segurança. Ozren preencheu o livro de registro, mostrando que a ronda das 4h30 fora completada sem incidentes. Em seguida, ele apertou o botão *eject* no monitor de vídeo e trocou as fitas.

Com alguns puxões, ele arrancou a fita incriminadora do invólucro plástico.

— Jogue fora em algum lugar, a caminho da Doce Esquina, certo? Em algum lugar discreto, já cheio de lixo. Eu só preciso reprogramar os sensores de movimento e esperar pelos guardas da manhã. Depois, encontro-me com você lá. Ainda temos que jogar fora o falso hagad...

Lembramo-nos ao mesmo tempo. A falsificação — a fraude incriminadora, perfeita — ainda estava onde a tínhamos deixado, no chão da galeria.

Faltavam cinco minutos para as cinco horas. Se um dos guardas da manhã chegasse cedo, nós estaríamos fritos. Aqueles cinco minutos seguintes são o segmento que eu mais gostaria de deletar de minha vida. Se eu dissesse que meu coração estava batendo rápido, seria pouco. Achei realmente que ia ter um aneurisma. Eu corri como louca até o escritório de Ozren, tateei em busca das chaves, abri a vitrina, peguei outra fita substituta, vasculhei a mesa de sua assistente, procurando uma etiqueta. Não achei.

— Droga! Droga! — Não podia acreditar que íamos ser pegos com a mão na massa por causa de uma maldita etiqueta adesiva.

— Estão aqui — disse Ozren, abrindo uma pequena caixa de madeira. Ele tinha corrido até a galeria da Hagadá, digitado os códigos novamente, e apanhado a falsificação. Juntos, corremos até a mesa de segurança. Escorreguei no chão de mármore e bati o joelho, com força. A fita deslizou pelo piso. Ozren se voltou e a pegou; levantando-me, em seguida, quase me deslocou o ombro. Meus olhos lacrimejavam.

— Não sirvo *mesmo* para esse tipo de coisa — gaguejei.

— Isso não importa agora, certo? Vá, rápido. Leve isso. — Ele me passou rapidamente a falsificação de Werner. — Nós nos encontraremos na Doce Esquina — ele disse, empurrando-me pela porta.

Eu estava já a um quarteirão do museu quando vi um homem usando uniforme de guarda do museu vindo em minha direção, bocejando. Ao passar por ele, tive que me forçar a andar normalmente — o mais normalmente possível com o joelho dolorido. Quando cheguei à Doce Esquina, o confeiteiro já estava trabalhando, acendendo os fornos. Ele me olhou de modo muito estranho quando subi a escada sozinha, mancando. Dentro do apartamento, acendi o fogo novamente e pensei em Zahra al-Tarek, a artista. Como ela tinha aprendido a pintar, a escrever? Conquistas nada fáceis para uma mulher daquela época. Quantas mulheres artistas, anônimas, não teriam sido roubadas de sua devida fama? Ela, pelo menos, seria conhecida. Famosa. Eu faria isso por Zahra.

E era só o começo. O outro nome, ha-Levi. A menção de Sevilha — se ela estava em Sevilha, e a família ha-Levi também, isso significava que as iluminuras provavelmente antecediam o texto... A quantidade de investigações procedentes daquelas palavras levaria a muitas outras descobertas, a muito mais conhecimento. Apoiei dois travesseiros de Ozren contra a parede. Estava começando a estação úmida no Top End, e duraria dois ou três meses. Recostei-me e comecei a planejar uma viagem à Espanha.

Alguns minutos depois, ouvi Ozren chegando. Ele estava me chamando, enquanto subia, saltando de dois em dois degraus. Ouvi o rangido dos degraus reclamando. Estava tão excitado quanto eu. Ele entendia. Iria me ajudar. Juntos, nós encontraríamos a verdade acerca de Zahra al-Tarek. Juntos, nós a traríamos de volta à vida.

Mas, antes, tínhamos uma tarefa a cumprir.

Ozren estava de pé, diante do fogo, com o fac-símile de Werner na mão. Nem se mexia.

— Em que está pensando?

— Que se eu tivesse um único desejo agora, este seria o último livro a ser queimado em minha cidade.

Era a hora fria, pouco antes do nascer do sol. Fiquei olhando para as chamas, pensando nos pergaminhos se enegrecendo no fogo, em um auto-de-fé medieval; nos rostos de jovens nazistas, iluminados por fogueiras de livros sendo destruídos; nas ruínas da biblioteca de Sarajevo, a algumas quadras de distância. Livros atirados às fogueiras. Sempre os precursores. Arautos da estaca, dos fornos, das covas coletivas.

— *Que se queimem apenas seus livros* — eu disse. Calibã conspirando contra Próspero. Não me lembrava do resto. Mas Ozren sabia.

Lembrai-vos antes de tomar-lhe os livros; pois sem eles
Ele nada mais é que um beberrão, como eu sou; tampouco terá
Um espírito para comandar...

Através das vidraças embaçadas pela geada, eu via as estrelas se apagando, à medida que o céu clareava, tingindo-se de um rico ultramarino. *Ultra*, o lado além. *Marino*, "do mar". A cor da jornada do lápis-lazúli, do outro lado do oceano até a paleta de Zahra al-Tarek. A mesma pedra que Werner tinha moído para fazer os ricos tons de azul que logo escureceriam até virar carbono.

Ozren fixou o olhar no livro que tinha na mão; e, depois, olhou para o fogo.

— Não consigo fazer isso — ele disse.

Olhei para o livro falso. Como fac-símile, era uma obra-prima. A obra de meu mestre. O epítome de tudo que Werner tinha aprendido em toda a sua vida, tudo que me ensinara sobre a importância de dominar as antigas artes até você conseguir fazer o que os antigos artistas faziam. Talvez, pensei, eu pudesse levá-lo em minha mala de rodinhas. Levar o livro a Amitai. Depois de um intervalo apropriado, ele poderia anunciar que era um presente, feito com amor, por Werner Heinrich e doado ao povo de Israel. Fazia parte, agora, da história da verdadeira Hagadá. Embora fosse uma parte que precisava ficar em segredo, por enquanto. Um dia, porém, talvez alguém a decifrasse. Talvez um conservador no próximo século, ou no século seguinte, que encontraria a semente por mim colocada na encadernação da Hagadá genuína, entre os dois primeiros cadernos. Uma semente de figo de Morton Bay, da fruta das grandes árvores retorcidas que ladeiam a costa do porto de Sydney. Isso eu fizera em um impulso, no meu último dia em Sydney. Minha marca. Uma pista, para uma pessoa parecida comigo, no futuro, que a encontraria, e ficaria imaginando...

— É incriminador — eu disse. — Perigoso para você.

— Eu sei. Mas muitos livros foram queimados nesta cidade.

— Muitos livros foram queimados no mundo.

Embora estivéssemos perto do fogo, eu tremi. Ozren colocou o livro sobre o consolo da lareira. Estendeu o braço para me tocar. Dessa vez, não me esquivei.

Posfácio

AS MEMÓRIAS DO LIVRO é uma obra de ficção inspirada na verdadeira história do códice hebraico conhecido como Hagadá de Sarajevo. Embora alguns dos fatos aqui contados sejam verídicos, a maior parte do enredo e todos os personagens são imaginários.

Soube da Hagadá quando ainda era repórter e trabalhava em Sarajevo para fazer a cobertura da guerra da Bósnia para o *The Wall Street Journal*. Na época, a biblioteca devastada por fogo ainda cheirava a papel queimado, depois da barragem das bombas de fósforo dos sérvios. O Instituto Oriental e seus maravilhosos manuscritos estavam em cinzas, e o Museu Nacional da Bósnia estava coberto de metralha. O destino da Hagadá de Sarajevo — jóia inestimável das coleções bósnias — era desconhecido, e alvo de muita especulação jornalística.

Só depois da guerra foi revelado que um bibliotecário britânico, Enver Imamovic, tinha resgatado o código durante um ataque e o escondido em um cofre de banco. Aquela não era a primeira vez que um livro judaico fora salvo por mãos muçulmanas. Em 1941, Dervis Korkut, renomado estudioso islâmico, tirou o manuscrito do museu, bem debaixo do nariz de um general nazista, Johann Hans Fortner (posteriormente enforcado por crimes de guerra), e levou-o furtivamente a uma mesquita nas montanhas, onde o livro ficou em segurança até depois da Segunda Guerra Mundial. Embora esses feitos heróicos tenham sido minhas fontes de inspiração, os personagens aos quais eu atribuí tais ações são inteiramente fictícios.

A Hagadá chamou a atenção dos estudiosos em Sarajevo pela primeira vez em 1894, quando uma família judia indigente a pôs à venda. Os historiadores de arte ficaram excitados com a descoberta, porque era um dos mais antigos livros hebraicos medievais já encontrados. Sua existência punha em dúvida a crença de que a arte ilustrada fora suprimida entre os judeus medievais por motivos religiosos. Infelizmente, os estudiosos não descobriram muita coisa a respeito da criação do livro, exceto que ele foi feito na Espanha, possivelmente em meados do século XIV, próximo a um período conhecido como *Convivência*, quando judeus, cristãos e muçulmanos coexistiam em relativa paz.

Nada se sabe da história da Hagadá durante os tumultuosos anos da Inquisição Espanhola e a expulsão em 1492 dos judeus. Os capítulos "Um pêlo branco" e "Água salgada" são totalmente fictícios. Entretanto, aparece uma mulher de pele negra, vestindo uma túnica açafrão presente à mesa do *seder*, em uma das iluminuras da Hagadá, e o mistério de sua identidade inspirou minhas invenções.

Em 1609, a Hagadá já tinha chegado a Veneza, onde a inscrição feita por um padre católico chamado Vistorini a salvou da fogueira da Inquisição papal. Nada se sabe de Vistorini além dos livros que sobreviveram porque trazem sua assinatura. Mas muitos dos hebraístas católicos daquela época eram judeus convertidos, tema que eu usei em "Manchas de vinho". Nesse capítulo, o personagem de Judah Aryeh também é inspirado na vida de Leon Modena, conforme descrito em *The Autobiography of a Seventeenth Century Rabbi*, traduzido e editado por Mark R. Cohen. Richard Zacks proporcionou uma valiosa coletânea de materiais sobre jogos de azar na Veneza do século XVII.

Uma vez que a Bósnia estava sob ocupação do império austro-húngaro quando a Hagadá foi descoberta lá, em 1894, era natural que fosse enviada a Viena, centro de cultura e erudição, para ser estudada e restaurada. Quanto às informações sobre o clima na cidade, naquela época, e principalmente detalhes, como os modos incomuns das telefonistas, sou grata a Frederic Morton, por sua notável história narrativa. Do mesmo modo, as obras *The Dreamers* e *The Impossible Country*, de Brian Hall, forneceram-me uma indispensável visão sobre o tema. Embora seja verdade que, pelos padrões modernos, a nova encadernação da Hagadá tenha sido malfeita em Viena, a parte dos fechos desaparecidos foi invenção deste romance.

Antes de escrever "A asa de um inseto", conversei muito com membros da família de Dervis Korkut, e tenho uma grande dívida para com Servet Korkut, que ficou ao lado do marido e apoiou seus vários atos heróicos de resistência durante a ocupação fascista de Sarajevo. Espero que a família Korkut veja que minha família fictícia, os Kamal, é solidária com seus ideais humanistas. Para os detalhes da vida dos jovens judeus partidários, contei com o emocionante relato de Mira Papo, que faz parte da coleção do Yad Vashem, onde os bibliotecários foram muito prestativos.

Os bibliotecários de Sarajevo são de uma estirpe muito especial. Pelo menos uma dentre eles, Ainda Buturovic, deu a vida salvando livros da biblioteca em chamas de Sarajevo. Outros, como Kemal Bakarsic, correram riscos imensos, noite após noite, para retirar coleções da biblioteca, sob condições perigosíssimas. Enver Imamovic, como comentei antes, salvou a Hagadá durante um período de intenso tiroteio. Sou grata a esses dois homens por falarem comigo sobre suas experiências, e também a Sanja Baranac, Jacob Finci, Mirsada Muskic, Denana Buturovic, Bernard Septimus, Bezalel Narkiss, e B. Nezirovic por sua ajuda e sua perspicácia.

Gostaria de agradecer também a Andrew Crocker, Naida Alic, Halima Korkut e Pamela J. Matz por sua assistência com pesquisa e tradução; e a Naomi Pierce por me apresentar à borboleta *Parnassius* no Museu de Harvard de História Natural.

Pamela J. Spitzmueller e Thea Burns da Biblioteca da Faculdade de Harvard foram generosas com suas histórias do aspecto detetivesco da conservação de livros. Em dezembro de 2001, Andrea Pataki teve a gentileza de permitir minha presença em uma sala lotada, enquanto ela trabalhava na verdadeira Hagadá de Sarajevo sob pesada vigília do Banco da União Européia. Eu não teria podido assistir ao seu meticuloso trabalho sem a intercessão de Fred Eckhard e Jacques Klein, das Nações Unidas.

Por me deixar derrubar vinho *kosher* sobre pedaços de pergaminho, por explicar os pontos dos comparadores de vídeo espectrais e por bancar o australiano quando eu não tinha certeza se a carreira que inventei para Hanna era plausível, sou particularmente grata a meu *paysan* Narayan Khandekar, do Centro Strauss para Conservação. Embora eu tenha aprendido muito sobre a carreira e os aspectos técnicos da conservação de Andrea Pataki e Narayan Khandekar, os personagens fictícios Hanna Heath e Razmus Kanaha não têm a menor semelhança com esses dois profissionais da vida real.

Eu não teria acesso a todas as riquezas das bibliotecas e museus de Harvard não fosse pela bolsa para pesquisa no Instituto Radcliffe para Estudos Avançados, pela qual sou profundamente grata a Drew Gilpin Faust. Judy Vichniac tinha uma equipe incrivelmente prestativa no Instituto. Os membros de Radcliffe, em especial da mesa dos escritores das terças-feiras, ajudaram-me a desenvolver meu raciocínio e meu texto, em muitos sentidos.

Contei também com a perspicácia de meus primeiros leitores, em especial Grahma Thorburn, a equipe Horwitz de Joshua, Elinor, Norman e Tony, o rabino Caryn Broitman do *Martha's Vineyard Hebrew Center*, o *sofer stam* Jay Greenspan, Christine Farmer, Linda Funnel, Clare Reihill, Marie Anderson e Gail Morgan.

Não sei como agradecer à minha editora, Molly Stern, e a meu agente, Kris Dahl, que, como sempre, são meus incentivadores indispensáveis e dois dos mais formidáveis profissionais no ramo editorial.

Por fim, e acima de tudo, tenho que agradecer a Tony e Nathaniel, figuras inspiradoras e bem-vindas distrações, sem os quais nada seria possível.

Este livro foi composto em Palatino
e impresso pela Edigraf sobre
papel polén soft 70g para a Ediouro, em maio de 2008.